REINHARD DÖHL

DAS NEUE HÖRSPIEL

GESCHICHTE UND TYPOLOGIE DES HÖRSPIELS

Herausgegeben von

KLAUS SCHÖNING

Westdeutscher Rundfunk Köln

BAND 5

REINHARD DÖHL

DAS NEUE HÖRSPIEL

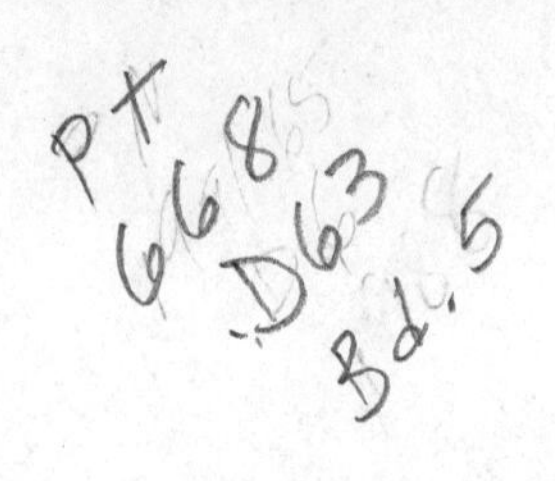

CIP-Titelaufnahme der Deutschen Bibliothek

Geschichte und Typologie des Hörspiels / Westdt. Rundfunk Köln. Hrsg. von Klaus Schöning. – Darmstadt: Wiss. Buchges.
Auf d. Haupttitels. auch: WDR
NE: Schöning, Klaus [Hrsg.]; Westdeutscher Rundfunk ⟨Köln⟩

Bd. 5. Döhl, Reinhard: Das Neue Hörspiel. – 1988

Döhl, Reinhard:
Das Neue Hörspiel / Reinhard Döhl. – Darmstadt: Wiss. Buchges., 1988
(Geschichte und Typologie des Hörspiels; Bd. 5)
ISBN 3-534-10034-4

wb Bestellnummer 10034-4

Satz: Maschinensetzerei Janß, Pfungstadt
Druck und Einband: Wissenschaftliche Buchgesellschaft, Darmstadt
Printed in Germany
Schrift: Linotype Helvetica, 8/9, 9/10

ISBN 3-534-10034-4

INHALT

VORWORT

Reinhard Döhl hat mit seiner ›Geschichte und Typologie des Hörspiels‹ die ausführlichste Untersuchung der Hörspielgeschichte von 1924–1986 erarbeitet. Dieses Forschungswerk wurde von 1970 bis 1986 als 60teilige Sendereihe für die Hörspielabteilung des Westdeutschen Rundfunks entwickelt. Es galt, die Geschichte einer Kunst zu erforschen, jünger noch als die Filmkunst, deren Spuren durch die wechselvollen Zeitläufe der deutschen Geschichte und Radiogeschichte häufig verschüttet waren. Reinhard Döhl recherchierte die uneinheitliche Tradition des deutschen Hörspiels und stellte sie als ein vielfältiges Geflecht dar. Dabei verdeutlichte er auch den Zusammenhang von Hörspielgeschichte als Radiogeschichte und Zeitgeschichte.

Das Hörspiel als vom Radio initiierte und verwaltete akustische Kunst beugte sich in dieser Sendereihe gleichsam spurensuchend und Verbindungen aufdeckend über seine eigene Geschichte, seine eigenen Konditionen, Möglichkeiten und Grenzen und machte sie den Hörern bewußt.

Die Konzeption dieses langfristigen Projektes wurde von Autor und Redaktion zu einer Zeit entworfen, in der das WDR3-HörSpielStudio, dank der offenen Gesamt-Dramaturgie der Abteilung unter Leitung von Paul Schultes, Forum der Neuorientierung des Hörspiels in Theorie und Praxis werden konnte. Seit 1963 hatten dort zahlreiche recherchierende Sendungen zur Geschichte des Hörspiels in Essays und Gesprächen mit Autoren, Dramaturgen und Regisseuren dieses Projekt vorbereitet. Die 1970 eingerichtete Reihe bildete das historische und künstlerische Entwicklungen bewußtmachende Rückgrat eines redaktionellen Konzepts, das zur Fundierung einer allgemeinen Ästhetik der akustischen Kunst beiträgt.

Die auf mehrere Bände angelegte Edition der ›Geschichte und Typologie des Hörspiels‹ beginnt nicht ohne Grund mit dem Kapitel ›Das Neue Hörspiel‹. Aufarbeitung und Vergegenwärtigung der Geschichte des Hörspiels, Reflexion der aktuellen Situation sowie experimentierfreudige Offenheit in Theorie und Praxis kennzeichnen das Selbstverständnis und die Impulse des Neuen Hörspiels.

Die Sendungen von Reinhard Döhl waren in Form und Aufbereitung nicht an ein wissenschaftliches Seminar gerichtet, gleichwohl mit wissenschaftlicher Akribie erarbeitet, wie der in jedem Band jetzt erstmalig veröffentlichte Anmerkungsapparat belegt. Sie waren auf ein zu interessierendes und zunehmend interessiertes Radiopublikum bezogen. Daß angesichts der vielen zuvor noch nicht analysierten historischen Felder einiges fragmentarisch bleiben mußte, jedoch Wege zur weiteren Auswertung weist, war uns bewußt. Der vollständige Titel der Sendereihe lautet denn auch ›Versuch einer Geschichte und Typologie des Hörspiels in Lektionen‹. Zahlreiche Interpreten haben sich seit Beginn der Sendereihe auf Ergebnisse dieser Forschungsarbeit bezogen – zuweilen auch ohne die Quelle ihres Wissens anzugeben.

Ein offener, weniger wertender denn dokumentarisches Material vorzeigender Montage-Duktus ist den Sendungen eigen, der auch in der nun vorliegenden Druckfassung weitgehend beibehalten wurde. Dort, wo der Wissenschaftler Reinhard Döhl, selbst Hörspielautor und Künstler, Positionen bezieht, ist dies begründet und einsichtig gemacht.

Die Publikation dieser Sendereihe versteht sich als Orientierung zur Hörspielgeschichte und als Anregung, sich des entdeckten und noch nicht entdeckten Reichtums der flüchtigen akustischen Kunst bewußt zu werden, an deren Fundierung die schöpferischsten Kräfte mitgewirkt haben und im Radio Werke realisierten, die zu den bewegenden künstlerischen Zeugnissen dieses Jahrhunderts gehören. Die Entwicklung einer zukünftigen internationalen Kultur wird auch durch die Ausdruckskraft der Ars Acustica geprägt sein.

Zu danken am Zustandekommen dieser Forschungsarbeit ist den zahlreichen Autoren, Komponisten, Regisseuren, Dramaturgen, Technikern, Kritikern und Institutionen, die mit ihren Auskünften hilfreich waren. Zu danken ist den Hörern, die unsere Sendungen über ein Jahrzehnt mit so großem Interesse aufgenommen haben. Ihrem Interesse sei diese mehrbändige Edition gewidmet. Ein persönlicher Dank geht an Reinhard Döhl, dem unermüdlichen Spurensucher, dessen Forschungen zur Geschichte und Typologie des Hörspiels nun selbst produktiver Teil der Radio- und Hörspielgeschichte geworden sind.

Klaus Schöning

1. LEBENDIGE KUNST DES AUGENBLICKS

Der vorliegende Band umfaßt, inhaltlich unverändert, die innerhalb meines Versuchs einer Geschichte und Typologie des Hörspiels dem Neuen Hörspiel gewidmeten Lektionen. Ihre Veröffentlichung entspricht vielfachem Wunsch, nicht zuletzt auch, weil die Manuskripte der gesamten Sendefolge auf den „Schleichwegen der Wissenschaft" zunehmend zitiert und verwendet wurden und werden. Dabei schien es geraten, die mehr als sechzig Sendungen der Reihe in sinnvolle Zeitabschnitte zu gliedern. Ihre vollständige Publikation wird folgende Bände umfassen:

- Das Hörspiel der Weimarer Republik
- Das Hörspiel zur Zeit des Nationalsozialismus und des Exils
- Das Nachkriegshörspiel und das Hörspiel der 50er Jahre
- Hörspielkrise und das Hörspiel der 60er Jahre
- Das Neue Hörspiel
- Das Hörspiel der 70er und 80er Jahre
- 60 Jahre Kölner Dramaturgie.

Diese Gliederung ist offen konzipiert, um vorstellbar neue Entwicklungen des Hörspiels und seines Mediums (oder seiner Medien), wie sie sich z. B. auf der 1. Acustica International 1985 in Köln ankündigten, noch einarbeiten oder anschließen zu können. Auch werden die Einzelbände nicht chronologisch erscheinen, liegt es doch in der Natur einer sich über fünfzehn Jahre hinziehenden Sendefolge, daß sich in ihrem Verlauf ursprüngliche Vermutungen nachträglich präzisieren lassen, erste Folgerungen durch neue Materialfunde korrigiert werden müssen.

Der jetzt vorgelegte Band über das Neue Hörspiel ist also weder der letzte Band noch das Ziel des Unternehmens. Mit ihm zu beginnen, war trotzdem sinnvoll, da der Durchbruch des Neuen Hörspiels und die Konzeption einer erneuten Geschichtsschreibung und Typologie des Hörspiels nicht von ungefähr zeitlich zusammenfielen. Denn die Neubesinnung des Hörspiels auf seine eigentlichen Möglichkeiten schloß die Frage nach seiner Genese mit ein. Hatte sich, fragten wir uns damals, das Hörspiel als Gattung bereits so festgeschrieben, wie eine Vielzahl von Publikationen zu Beginn der sechziger Jahre (Heinz Schwitzke, Eugen Kurt Fischer, Armin Paul Frank) suggerieren wollte? So festgeschrieben, daß sich noch Anfang der siebziger Jahre eine Didaktik des Hörspiels (Werner Klose) darauf gründen ließ? Oder hatte, wie Friedrich Knilli bereits Anfang der sechziger Jahre provozierte, die Entwicklung des Hörspiels die Eigengesetzlichkeiten und Möglichkeiten des Mediums verfehlt?

Es ist nicht nur anekdotisch interessant, daß die Verabredung zu dieser langjährigen, auch international beachteten Sendefolge mit der Redaktion des WDR3-HörSpielStudios aus der Diskussion um die Realisation eines Hörspiels entstand. Eines Hörspiels, das dann nicht realisiert wurde, während sich die historische und typologische Befragung der Gattung, auch wegen der Terra incognita, die sie betrat, so sehr in den Vordergrund des Interesses schob, daß ihr Verfasser – bis dato durchaus an der Etablierung des Neuen Hörspiels beteiligt (Herr Fischer und seine Frau; Die Mauer, Das Hörspiel von heute morgen jederzeit; man; Hans und Grete) – über fünfzehn Jahre ausschließlich Hörspielgeschichte trieb. Bei dieser Medienforschung war die Zusammenarbeit mit dem WDR als Initiator und „akustischem Verleger“ mit seinem Hörfunkdirektor Manfred Jenke und Paul Schultes, dem Leiter des Programmbereichs Hörspiel und Unterhaltung, notwendige Voraussetzung, da sie die praktischen Möglichkeiten (Zugang zu den akustischen Quellen und Materialien, analytischer Umgang mit ihnen im Studio, schließlich aber auch der Zwang, die Ergebnisse unter den Bedingungen des zu erforschenden Mediums publizieren zu müssen) sinnvoll erweiterte. Am Schreibtisch über neue Aufschreibsysteme zu spekulieren, ist das eine. Sich zu ihrer Erkundung der neuen Aufschreibtechniken zu bedienen, ein zweites. Andererseits wurden Grenzen erfahrbar, wenn nicht alle für ein Verständnis wichtigen Materialien differenziert berücksichtigt, wenn aufschlußreiche Querverbindungen nicht hörbar gemacht werden konnten, da jede Sendung den Gesetzen linearen Hörens unterworfen blieb.

Eine Wissenschaft vom Buch bleibt, wenn sie Buch wird, innerhalb des Mediums. Das gilt analog für den wissenschaftlichen Umgang mit akustischer Kunst, mit Radiokunst, solange er sich desselben Mediums, des Radios und seiner Möglichkeiten bedient. Wird er Buch, muß er mediale Eigenbedingungen transformieren, kann aber davon auch profitieren. Der vorliegende Band leugnet seinen ursprünglichen Sendecharakter also nicht. Er nutzt den Quellenfundus des Funks, den Originalton, und macht in Umschrift manche Quelle auch im Druck zugänglich. Er übernimmt die Gepflogenheiten des Radio-Essays, mit verifizierenden Zitaten zu arbeiten, auch bei in

Buchform sonst nicht üblichem Umfang. Das begründet sich jedoch nicht nur aus der ursprünglichen Sendesituation, es rechtfertigt sich auch mit der schweren Zugänglichkeit, gar Unzugänglichkeit des Materials, das selten genug gedruckt, oft nur als Funkmanuskript oder sogar nur als akustische Aufzeichnung vorhanden ist. (Hier sieht es lediglich beim Neuen Hörspiel, dank des Engagements Klaus Schönings, erfreulicher aus.) Grundsätzlich mußten, eingedenk der möglichen Eingriffe in ein Manuskript bei der Produktion, der Anpassung einer Produktion an die eventuelle Druckfassung, bei gedruckten oder Manuskriptquellen auch die akustischen Aufzeichnungen herangezogen, bei akustischen Aufzeichnungen auch die Manuskript- und Druckfassungen eingesehen werden.

In einem Punkt vor allem erwies sich der nachträgliche Druck von Vorteil – in der Erweiterung der Sendungen um einen Anmerkungsteil, der all das zugänglich machen konnte, was mit Grundlage der einzelnen Sendungen war, auch wenn es in ihnen keinen Platz fand oder aus technischen Gründen nicht laut wurde. So ist er wie bei einer primären Buchpublikation nicht nur vorrangig Ort der Nachweise, sondern er kann und soll über das, was die Sendung leisten konnte, hinaus Hilfestellung geben für eine weitergehende sinnvolle Erforschung einer Radiokunst, deren Geschichtsschreibung und wissenschaftliche Behandlung noch immer daran krankt, daß bei Erörterung ihrer Gegenstände gedruckte Texte, und oft ausschließlich diese, zugrunde gelegt werden, wo doch ihre akustische Erscheinungsform der eigentliche Gegenstand wäre, daß über das Hörspiel als Sonderfall der Schriftkultur gesprochen wird, obwohl es ein exemplarischer Fall ihrer Auflösung (eher als ihrer Transformation) ist.

Daß diese Bedingungen unzureichend berücksichtigt wurden, führte in den 50er Jahren konstitutiv zum Kurzschluß des literarischen als des eigentlichen Hörspiels, analytisch zur folgenreichen Fehldeutung einer ganzen Gattung. Es verrückte für lange Zeit ebenso die historischen Perspektiven, wie es eine eigengesetzliche Entwicklung des akustischen Spiels behinderte. Es verschloß ebenso den Zugang zu historisch wichtigen Quellen und Dokumenten, wie es die Entwicklung eines ausreichenden Analyseinstrumentariums unterband. Ich habe aus der langjährigen Erfahrung meines Versuchs einer Geschichte und Typologie wiederholt auf die Notwendigkeit einer Erforschung der nichtliterarischen Bedingungen, aber auch einer überfälligen Hörspielphilologie verwiesen. Auch die mit diesem und den folgenden Bänden vorgelegte historische Aufarbeitung ist nicht abgeschlossen. Sie will in der gewählten Form zu weiterer Forschung, notwendiger Ergänzung und Korrektur durchaus auffordern und leistet dies offensichtlich bereits, wie sich mancher Publikation der letzten Jahre ablesen läßt.

In einer Zeit ohne Zeit ist längerfristiges Arbeiten (zumal über einen Gegenstand einer radikal sich verändernden Medienlandschaft) fast anachronistisch. Meine langjährige Arbeit an der Geschichte des Hörspiels, ihr erneuter Entwurf wären ohne wiederholten Zuspruch kaum möglich gewesen. Ihn erfuhr ich in erster Linie von Klaus Schöning, der mich wiederholt ermutigte, wo ich bereits resignieren wollte. Hilfreiche Anregungen erhielt ich von Johann M. Kamps (Saarländischer, jetzt Westdeutscher Rundfunk), Heinz Hostnig (Saarländischer, jetzt Norddeutscher Rundfunk) und Hans-Jochen Schale (Süddeutscher Rundfunk). Meine langjährige Arbeit wäre schließlich schwer durchzustehen gewesen ohne das zustimmende Verständnis meiner Frau, die das nicht immer problemlose Zustandekommen mancher Sendungen und ihre augenblickliche Verwandlung in die Buchform geduldig mittrug. Ihnen allen, aber auch den hilfsbereiten Sekretärinnen einzelner Hörspielabteilungen sei an dieser Stelle gedankt, nicht zuletzt Frau Waltraut Jennert für das Schreiben des Manuskripts und Frau Judith Barkfeld für Hilfe bei der Korrektur.

Widmen möchte ich diesen Band aber dem Andenken an Paul Pörtner, der bereits 1968 „den Schreibtisch des Autors mit dem Sitz am Mischpult des Toningenieurs“ vertauschen wollte, dem „wahrhaft Imperfekten“ und langjährigen Anwalt für eine spontane, lebendige Kunst des Augenblicks.

2. DAS NEUE HÖRSPIEL IM ARD-SPIELPLAN 1969. STICHPROBEN[1]

Gebärklinik.
Sprecher: Solange es Kinder gibt,
wird es Kinder geben.

5 schreiende Säuglinge Pos. 1–5
Chor der Schwestern Pos. 1–5
M1 – M5 (als Väter) Pos. 1–5
Geschrei der 5 Säuglinge, durchlaufend bis Szenenschluß

Chor (routinemäßig): Ein Sohn, ein schöner Sohn!
M 1 (gelassen): Aha.
M 2 (ebenso): Aha.
M 3 (ebenso): Aha.
M 4 (ebenso): Aha.
M 5 (ebenso): Aha.
(Geschrei der Säuglinge dauert noch einige Momente unvermindert an, dann jähes Abbrechen, kein Fade-out.)

Mit dieser Sequenz beginnt Ernst Jandls und Friederike Mayröckers Hörspiel ›Fünf Mann Menschen‹[2], das, 1968 vom Südwestfunk produziert und gesendet, 1969 mit dem renommierten Hörspielpreis der Kriegsblinden ausgezeichnet und (infolgedessen) von den meisten Rundfunkanstalten der ARD, dem Deutschlandfunk und dem RIAS Berlin wiederholt wurde.[3] Was deutschen Hörspielhörern damit in einer nicht vorhergesehenen Verbreitung angeboten wurde, war von der Jury in bemerkenswerter Mehrheit allen anderen Einsendungen vorgezogen worden:

Die Jury, die in Baden-Baden tagte, entschied sich für diese nur 14 Minuten dauernde Sendung fast einstimmig, nämlich mit 17 von 18 Stimmen. Bei Schluß der Beratungen stand noch das Hörspiel ›Ein Blumenstück‹ von Ludwig Harig zur Wahl, produziert vom Saarländischen Rundfunk (gemeinsam mit dem Hessischen und dem Süddeutschen Rundfunk sowie mit dem Südwestfunk). Begründung des Entscheides: Ernst Jandl und Friederike Mayröcker, die als Repräsentanten experimenteller Lyrik bekannt geworden sind, haben zusammen mit dem Regisseur Peter Michel Ladiges zum ersten Male im Hörspiel die Möglichkeiten konkreter Poesie beispielhaft eingesetzt. Sie zeigen exemplarische Sprach- und Handlungsvorgänge, in denen der zur Norm programmierte menschliche Lebenslauf nicht abgebildet, sondern evoziert wird. Dabei nutzen und meistern sie die Möglichkeiten der Stereophonie. Die Sprache ist für die Autoren Material, mit dem sie spielen und zugleich eine unmißverständliche Mitteilung machen, die unsere Zeit ebenso betrifft wie trifft.[4]

Hörspiel und Entscheidung der Jury fanden erstaunlich breite Zustimmung, galten als „Bestätigung einer neuen Funk-Richtung, die sich vom eingebürgerten Hörspiel prinzipiell" unterscheide: „Mit ›Fünf Mann Menschen‹ beginnt eine neue Ära", attestierte gar Springers ›Die Welt‹.[5] Und intern kommentierte die ›FUNK-Korrespondenz‹ diese hörspielgeschichtliche Weichenstellung:

Die Auszeichnung (...) verdient einiges Aufsehen. Es wird hier im richtigen Moment der Durchbruch einer Art von Hörspielen markiert, die das Zuhören auf eine neue Art reizvoll macht. Was aus den sorgfältigen Formulierungen der offiziellen Begründung nicht unbedingt hervorgeht: dieses Viertelstundenspiel ist amüsant. Es hat etwas von dem Appeal und der Leichtigkeit der Beat-Generation. Pointen ergeben sich aus listig verdrehten Sprachklischees, es herrscht der Pop. ›Fünf Mann Menschen‹ kontrastiert kraß zum Hergebrachten. Nichts hat es mehr zu tun mit der Fortsetzung der Literatur im anderen Medium, mit dem alten realistischen Geschichtenerzählen oder mit den symbol- und mysterienbeladenen Sprachkunstwerken, die neben Bewunderung allzu häufig auch Unbehagen erregten. Die Entscheidung der Hörspieljury ist progressiv. Sie bedeutet eine Abwendung von den literarischen Treibhausgewächsen.[6]

Es ist nützlich, sich diese anfängliche Zustimmung und Einhelligkeit einmal zu verdeutlichen, da sie sehr schnell hinter einer heftigen, zum Teil sogar unfair geführten Kontroverse um das Neue Hörspiel in Vergessenheit gerieten.[7] Auch wird der Chronist nicht überlesen dürfen, daß die ›FUNK-Korrespondenz‹ von einem „Durchbruch" im „richtigen Moment" spricht. Denn „Durchbruch" setzt ja voraus, daß etwas vorhanden ist, das durchbrechen kann, das diskutiert und in seinen historischen Bezügen neu befragt werden will. Diese historischen Bezüge aufzuzeigen, historische Spurensicherung sind von Anfang an Aufgabe der Sendefolge ›Versuch einer Geschichte und Typologie des Hörspiels in Lektionen‹ gewesen, die zum ersten Mal 1969 besprochen und als notwendig verabredet wurde.[8] Während sie damit ins Nachspiel des ARD-Spielplans von 1969 rückt, sind Ernst Jandls/Friederike Mayröckers ›Fünf Mann Menschen‹ direktes Vorspiel. Zu diesem Vorspiel zu rechnen ist ebenfalls das in der Begründung der Jury ausdrücklich genannte ›Ein Blumenstück‹ Ludwig Harigs, der bereits 1966 mit ›Das Fußballspiel‹[9] deutlich auf dem Wege des Neuen Hörspiels war. Auch Harigs ›Ein Blumenstück‹[10]

verzichtet auf jedwede Form von Fabel, von Handlung, ist sprachliches Spiel mit den Möglichkeiten der Stereophonie, in Harigs eigenen hintersinnigen Worten

ein gebinde aus blüten, die die deutsche sprache im zustand der naturseligkeit getrieben hat. kinderlieder, kinderspiele, abzählreime, zitate aus märchen, lese- und naturkundebüchern und stellen aus dem tagebuch des auschwitzkommandanten rudolf höß ranken sich um eine permutationskette, die aus namen von blumen, die auf der rampe wachsen, gebildet ist.[11]

Aus ihr filtert sich langsam und vom Hörer zunächst kaum bemerkt das Ungeheuerliche, das Unmenschliche heraus:

1. Sprecher
ich kann es nicht erzählen
ich hab's aufgeschrieben
ich weiß es genau
(...)
Kinder
komm doch mit
über die felder
über die wege
an den häusern vorbei
siehst du die leute
die tiere sind im stall
überall blumen
1. Sprecher
da war eine rampe
ein altes abstellgleis
zwischen den schwellen blühten im frühling
die blumen
(...)
Chor
habichtskraut und wolfsmilch
hast du aber und gesehn
oder weil und weg
warte wiesensalbei
abgemäht
doch ist das kraut im feld verdorrt
dann würgt der habicht blut
(...)
1. Sprecher
ich durfte nicht in den wald gehen
als ich klein war
und allein im wald spielte
hatten mich zigeuner mitgenommen

Kinder

huscherl huscherl heut ist's kalt
kommt der wind vom böhmerwald
kinder macht das fenster zu
sonst kommt der zigeunerbu
nimmt euch bei der rechten hand
führt euch ins zigeunerland
was willst du denn mit den blumen
kommt mit in den wald
seht doch die großen rosen
die goldenen bremmen
kommt zu den bäumen
in die birkenau
in den buchenwald.[12]

Und noch ein drittes Hörspiel gehört ins direkte Vorfeld des ARD-Spielplans von 1969, Peter Handkes ›„Hörspiel"‹.[13] Der Titel ist weniger programmatisch gemeint, als er klingt und gelegentlich aufgefaßt wird. Er steht gleichsam als Kürzel für das potenzierte Verhörspiel, das da getrieben wird, wobei auch hier aus dem Spiel zunehmend Ernst wird. Ein Statement des Autors läßt darüber hinaus ablesen, warum der Titel in Gänsefüßchen gesetzt ist.

Ein Frage-Antwort-Spiel über einen Frage-Antwort-Vorgang, der ernsthaft bei einem Gefragten Antworten erreichen will, und zwar mit allen rhetorischen Mitteln: Schmeichelei, List, Erpressung, Gewalttätigkeit – der Frage-Antwort-Vorgang, über den ein Frage-Antwort-Spiel Auskunft geben soll, stellt sich als ein scharfes Verhör heraus, bei dem die Verhörenden die Macht zum Fragen haben. Schließlich stellt sich sogar heraus, daß auch das Frage-Antwort-Spiel über das Verhör zum Verhör selber gehört – das Spiel war die List des Verhörenden, aus dem Frage-Antwort-Spiel wird Ernst, wird „Herauskitzeln", „Ausquetschen", „Weichmachen", „Leermachen", schließlich das „Zum-Schweigen-Bringen".[14]

Alle drei Hörspiele haben durchaus ihre Vorläufer, stehen jeweils in einer Tradition, in der sie *auch* gehört werden müssen, so Harigs ›Ein Blumenstück‹ im Kontext von Spielen, die nationalsozialistische Ausrottungspolitik thematisieren.[15] Die wiederholt besonders vermerkte Kürze[16] von Jandls/Mayröckers ›Fünf Mann Menschen‹ entspricht der schon im ersten, noch erfolglosen Hörspielpreisausschreiben von 1924 erhobenen Forderung nach einem kurzen Hörspiel,[17] hat in der Bündelung von Lebensläufen durchaus frühe Vorgänger[18] und ließe sich wie ›Der Gigant‹[19] oder ›Das Röcheln der Mona Lisa‹[20] einem Hörspieltypus vergleichen, der in der Schlesischen Funkstunde nach verschiedenen Anläufen unter anderem in Form der „Suite" versucht wurde.[21] Auch Handkes ›„Hörspiel"‹ ist leicht in den größeren Zusammenhang spielerischer Verhöre einzufügen, der von Hans Kysers ›Prozeß Sokrates‹[22] über Anna Seghers' ›Der Prozeß der Jeanne d'Arc zu Rouen‹[23], Bertolt Brechts ›Lukullus vor Gericht‹[24] bis zu Friedrich Dürrenmatts ›Die Panne‹[25], Jan Rys' ›Verhöre‹[26], Dieter Kühns ›Präparation eines Opfers‹[27] fächert. Und zugleich unterscheidet es sich wie ›Fünf Mann Menschen‹ und ›Ein Blumenstück‹ von allen Vorgängern durch die Radikalität, mit der auf sprachliche Vorgänge reduziert wird. Nicht mehr „über etwas" handeln diese Hörspiele, sondern „mit der Sprache selber" wird „eine Wirklichkeit" hergestellt, „in der etwas von der außersprachlichen Wirklichkeit erkennbar wird".[28] Entsprechend haben die von Handke für das ›„Hörspiel"‹ vorgesehenen Geräusche auch keine illustrierende, vielmehr kompositorische Funktion, dienen sie in der Realisation Heinz von Cramers der dialektischen Ergänzung des Textes.

Die Geräusche sind real wie die Sprache, aber in dem Maße, wie die Sprache aus realen Situationen gelöst ist und allenfalls die Erinnerung an Reales weckt, sind auch die Geräusche von ihren realen Funktionen abstrahiert, verweisen sie die Phantasie auf das, was in der Welt der Geräusche an Hörbarem möglich ist. Eine von sprachlichen Vorgängen vollends abgelöste Geräusch-Komposition wäre eine Konsequenz, die hier bereits angedeutet wird.[29]

In das Vorfeld des ARD-Spielplans 1969 gerechnet werden muß schließlich noch die Frankfurter „Internationale Hörspieltagung" der Deutschen Akademie der Darstellenden Künste in Verbindung mit dem Hessischen Rundfunk.[30] Auf ihr stellte Helmut Heißenbüttel dem Hörspiel erneut das ›Horoskop‹[31], referierten u. a. Werner Spies über das Hörspiel der Nouveaux Romanciers[32], Jyrki Mäntylä über ›Zwei finnische Experimente‹[33], Paul Pörtner über ›Schallspiele und elektronische Verfahren im Hörspiel‹[34] und Heinz Hostnig über Erfahrungen mit dem Stereo-Hörspiel beim Saarländischen Rundfunk[35]. Vor allem der Saarländische Rundfunk war es auch, der seine relativ frühen Möglichkeiten, stereophon zu produzieren, zu Gesprächen mit Autoren nutzte und bereits 1966 auf den „tagen für neue literatur in hof", die wesentlich der experimentierenden und konkreten Literatur vorbehalten waren, am Rande der Lesungen und Veranstaltungen den anwesenden Autoren die Stereophonie als technische Realisationsmöglichkeit für ihre Texte anbieten konnte.[36] So gesehen war das Frankfurter Referat Hostnigs auch eine erste Bestandaufnahme, bei der Wolf Wondratscheks ›Freiheit oder ça ne fait rien‹[37] und Wolfgang Weyrauchs ›Ich bin einer ich bin keiner‹[38] neue Hörspielansätze erkennen ließen, die – um weitere Produktionen nun auch anderer Sender vermehrt – im Oktober 1968 Klaus Schöning veranlassen, nach „Tendenzen im neuen Hörspiel“ zu fragen, womit auch die Bezeichnung, der Name gegeben war.[39]

Bis Ende 1968 praktisch noch ante portas, kam es 1969 – wesentlich gefördert durch die Vergabe des Hörspielpreises der Kriegsblinden an Jandls/Mayröckers ›Fünf Mann Menschen‹ und die lobende Erwähnung von Harigs ›Ein Blumenstück‹ – im Spielplan der ARD und parallel zu ihm zu einem erstaunlich breiten und folgenreichen Durchbruch. Zwar bleiben zunächst noch der Saarländische Rundfunk und zunehmend der Westdeutsche Rundfunk, zu denen sich der Südwestfunk gesellt, federführend und prägend, doch hängen sich zunehmend auch andere Anstalten an einzelne Produktionen an, derart den Neuen Hörspielen zu einer schnellen und weiteren Verbreitung verhelfend.[40]

Verbreitung und Diskussion werden, vor allem im 3. Programm des WDR, flankiert von Gesprächen mit den Autoren und Regisseuren, von sogenannten Arbeitsberichten, und ergänzt durch kommentierte Reihen wie ›Rekonstruktionen‹[41], ›Klischees und Modelle‹[42], ›Dokumente und Collagen‹[43]. Einzelne umfänglichere Radio-Essays versuchen auch außerhalb der Hörspielprogramme den Hörer zu informieren, so Hansjörg Schmitthenner in einer zweiteiligen Sendung ›Wortspiele – Schallspiele. Vorstellung und Analyse der experimentellen Radio-Kunst‹ im Süddeutschen und Hessischen Rundfunk.[44]

Daß die Sendung, aber auch die Analyse der Neuen Hörspiele zunächst eine Frage der Plazierung, der Möglichkeit, stereophon zu senden, war, läßt sich z. B. dem ersten Halbjahresprogramm 1969 des Norddeutschen Rundfunks ablesen.

Der Unterschied zwischen den Stücken, die wir im 1., und denen, die wir im 3. Programm bringen, ist nicht mit letzter Genauigkeit zu definieren. Während über die Mittelwelle, die wir gemeinsam mit dem WDR ausstrahlen, vorwiegend literarisch repräsentative Werke kommen, werden im 3. Programm hauptsächlich experimentelle Texte vorgeführt.
Doch ebenso wie hier eine pedantische Abgrenzung ohne schädlichen redaktionellen Zwang nicht möglich ist, muß es (allerdings aus technischen Gründen) noch eine andere Art von Inkonsequenz in unseren Programmen geben: Stereohörspiele, repräsentative wie experimentelle, werden nur im zweiten Programm zu hören sein, weil Stereosendungen vorerst ausschließlich dort durchgeführt werden können. Allerdings werden wir in zunehmendem Maße auch Texte, die fürs 1. Programm geplant werden, stereofonisch produzieren, damit sie später auf jede Art Verwendung finden können.[45]

Andere Sender diskutieren die von ihnen produzierten oder übernommenen Neuen Hörspiele – soweit kein 3. Programm vorhanden ist – gezielt, wie der Bayerische Rundfunk, im „Nachtstudio“:

Mit der neuen Kategorie der Radiokunst, den Schall- und Klangspielen verschiedener Autoren, die auf vielfältige Weise experimentierend aus dem „Material“ der Sprache Lautgebilde komponieren, und mit der Frage, ob sich das Hörspiel nicht erst jetzt zu einer mit nichts anderem zu vergleichenden Kunstform entwickelt, befassen sich im Zusammenhang mit dem Hörspielprogramm drei Sendungen des Nachtstudios.[46]

Auch der Südwestfunk sendet die von ihm produzierten, co-produzierten oder übernommenen Neuen Hörspiele zweimal im Monat, oft in einem „Hörspielstudio“, um 21 Uhr zu einem relativ späten Termin, bietet dabei aber seinen interessierten Hörern im Laufe des Jahres einen beachtlichen Querschnitt,[47] für den er immerhin rund ein Fünftel seiner Sendezeit einsetzt. Geringer ist der Beitrag des Senders Freies Berlin, der dem Neuen Hörspiel bei gewichtigen Produktionen[48] zunächst nur als Co-Produzent, und zwar nicht in der Hörspiel-, sondern bezeichnenderweise in der Feature-Abteilung (Hans Peter Krüger) zur Verfügung steht. Als Produzent und Co-Produzent Neuer Hörspiele muß schließlich noch der Süddeutsche Rundfunk genannt werden, der Beiträge außerhalb seiner Hörspieltermine „in unregelmäßigen Abständen“ auch in dem von Helmut Heißenbüttel geleiteten „Studio für neue Literatur“[49] senden konnte.

Aus diesem Konsens, das Neue Hörspiel, seine Spielformen und Absichten zunächst erst einmal vorzustellen, gegebenenfalls zu kommentieren, bricht auffälligerweise der Norddeutsche Rundfunk im letzten Jahresdrittel 1969 aus. Bis dahin war er als Produzent überhaupt nicht, als Co-Produzent nur ausnahmsweise[50] in Erscheinung getreten, hatte allerdings Beispiele des Neuen Hörspiels in größerer Menge und repräsentativer Auswahl „zur Diskussion gestellt“.[51] Im letzten Jahresdrittel dient jetzt das 3. Programm

ausschließlich der Wiedergabe solcher experimenteller Hörspiele, wie sie im letzten Jahr mit größerem Gültigkeitsanspruch als bisher aufgetreten sind. Unsere Hörer sollen sich über die Berechtigung dieses Anspruchs selbst ein Bild machen können. Die Serie trägt den Titel: ›Das Neue Hörspiel – eine Inventur‹. Die einzelnen Stücke werden ergänzt durch zum Teil polemische Kommentare und Formanalysen.[52]

Diese „Inventur“ des Norddeutschen Rundfunks hat ihre inzwischen historische Bedeutung vor allem darin, daß sie bei ihrem Versuch, „die Problematik des Neuen Hörspiels als Sprachentlarvung und Sprachspiel deutlich“ zu machen, Mißverständnisse und Fehleinschätzungen, wie sie in den Jahren 1968/69 von seiten junger Autoren vor allem das Hörspielwerk Günter Eichs erfuhr,[53] nun ihrerseits – und ohne Eich richtiger zu verstehen – durch Mißverständnisse der inhaltlichen und formalen Intentionen des Neuen Hörspiels beantwortet. Besonders deutlich wird dies bei Friedrich Knillis Kommentar zu Ferdinand Kriwets ›Oos is Oos‹.[54]

Zur besseren Einschätzung dieses Kommentars muß vorausgeschickt werden, daß Knilli 1961 in einem Bändchen ›Das Hörspiel‹ nicht nur nach „Mitteln und Möglichkeiten eines totalen Schallspiels“[55] gefragt hatte, sondern sich mit seinen Thesen zugleich in die Gegenposition zu Schwitzkes Auffassung vom literarischen als dem eigentlichen Hörspiel gesetzt hatte.

Für Knilli ist das Neue Hörspiel jetzt ein Produkt der 3. Programme, gespielt von einer „neuen Hörspielmannschaft“, die sich zusammensetze aus

> den Redakteuren Hanspeter Krüger, Peter Faecke, den Dramaturgen Johannes M. Kamps und Klaus Schöning, der auch Regie macht, den Autoren Jürgen Becker, Bazon Brock, Peter Handke, Gerhard Rühm, Franz Mon, Ernst Jandl, Friederike Mayröcker, Ludwig Harig, Paul Pörtner, Wolf Wondratschek, Ferdinand Kriwet und den Regisseuren Heinz von Cramer, Peter Ladiges, Raoul Wolfgang Schnell. In diesem großen Lager des Neuen Hörspiels hat der Hörspielleiter und Regisseur Heinz Hostnig (Saarländischer Rundfunk) die Rolle des Rädelsführers übernommen und der Lyriker und Nachtprogrammredakteur Helmut Heißenbüttel (Stuttgart) spielt den Schutzheiligen, Seher und Deuter, eine Rolle, die ich ja eigentlich auch zu mimen hätte, denn nicht zuletzt bin ich einer der Erfinder dieses Neuen Hörspiels. Aber diesen Part kann ich schon lange nicht mehr sprechen, denn ich habe sehr bald feststellen müssen, daß im Neuen Hörspiel alles beim Alten geblieben ist, und da täuscht mich weder der Großeinsatz radiophoner Maschinerie noch die Massierung linguistischer Theorie. Das Neue Hörspiel ist genau so reaktionär wie das Alte Hörspiel. Seine Autoren reagieren bloß auf Politik. Sie verstehen sich als freie Schriftsteller, parteilose Literaten und literarische Übermenschen, spezialisiert auf die Entlarvung politischer Rede, wissend, was gute und schlechte Rede ist, wahre und falsche, schöne und häßliche, sie sind die Entdecker der neuen schönen Welt der neuen schönen Sprachmuster, sind die Spießer der siebziger Jahre. Ihre Heimat ist der Supermarkt der Kulturindustrie.[56]

Knillis Polemik disqualifiziert sich durch ihre Pauschalität selbst, muß aber in einer Darstellung des ARD-Spielplans von 1969 zitiert werden als exemplarischer Beleg zahlreicher Anwürfe, denen sich das Neue Hörspiel bei seiner schnellen Verbreitung alsbald von verschiedenen Seiten ausgesetzt sah.[57] Sie muß zweitens zitiert werden, weil sie eine Position zurücknimmt, die hörspielgeschichtlich von Bedeutung war, obwohl sie in der Einschätzung der Hörspielgeschichte fehlerhaft blieb, und dafür jetzt übersieht, daß gerade das Neue Hörspiel an schon einmal um 1930 entwicklungsgeschichtlich Erreichtes wieder anknüpfte. Und sie muß drittens zitiert werden, weil sie die sprachkritische und sprachskeptische Position des Neuen Hörspiels als „völlig idealistisch" abqualifiziert, ihrerseits aber Forderungen erhebt, die nicht weniger idealistisch, ja sogar völlig unrealistisch sind. Es zeugt von einem Mißverständnis nicht nur des gedanklichen Ahnherrn dieser Forderungen, Bertolt Brecht, sondern auch der grundsätzlich gesellschaftlichen Eingebundenheit des Mediums Rundfunk und seiner Programme, wenn Knillis Kommentar schließt:

Was wir also brauchen, ist kein Neues Hörspiel, das nur das bessere Alte ist. Was wir brauchen, ist kein Radio-Happening, kein Kollektiv-Hörspiel, kein Hörspiel, das dem Hörer mehr zumutet, kein Schallspiel und kein Mitspiel. Was wir brauchen, ist Mitbestimmung für Hörer, Mitbestimmung für Autoren und Redakteure. Was wir brauchen, ist Demokratie, damit die Massenmedien endlich Medien der Massen werden, denn die Funkhoheit der Staaten ist ein Anachronismus, sie erinnert an feudale und faschistische Ständestaaten.[58]

Unausgesprochen steht hinter diesen idealistischen Forderungen das von Knilli und anderen mißverstandene Diktum Brechts, der Distributionsapparat Rundfunk sei in einen Kommunikationsapparat umzufunktionieren, ein Diktum, das sich Knilli an anderer Stelle auch zitierend zu eigen macht. Der von Knilli in seinem Kommentar u. a. attackierte Helmut Heißenbüttel hat in der Folgezeit diese völlig unrealistischen Forderungen Knillis zweimal aus der Erfahrung des Rundfunkpraktikers zurückgewiesen, in seinem Hörspiel ›Was sollen wir überhaupt senden‹[59] und kurz nach Sendung des Knillischen Kommentars in einem Gespräch mit Klaus Schöning, das auch auf die Bedingungen der Rundfunkarbeit, eine apparat-immanente „Entfremdung" zu sprechen kommt:

Zunächst (...) ist es ja so, unter der Voraussetzung dieser Entfremdung, wenn es eine Entfremdung ist, arbeiten wir ja. Wir arbeiten ja im Hinblick darauf, daß wir zu bestimmten Sendezeiten senden (...). Es gibt einen gewissen Spielraum, etwas früher, etwas später. Daß der Apparat da ist, wissen wir auch, und was der für Anforderungen stellt, wissen wir auch, und was das bedeutet, wissen wir auch. Wir arbeiten unter diesen Voraussetzungen. Wenn wir Vorstellungen haben, wie wir etwas verändern, (...) kann man nicht davon ausgehen, daß man sich eine Null-Situation ausdenkt und darüber jetzt ein wer weiß wie ideales Turmgebäude errichtet, oder daß man theoretische Forderungen erhebt und aus denen jetzt ganz bestimmte Folgerungen ableitet, so wie Herr Knilli (...), der Brecht zitiert, und sagt: „Der Distributionsapparat muß in einen Kommunikationsapparat verwandelt werden". (...) Ich kann mir vorstellen, daß in eine Senderegie unendlich viele Telefonleitungen gelegt werden und ununterbrochen Telefongespräche da reingeführt werden, manchmal zehn übereinander, manchmal eines. Das kann man einen Abend machen, dann bricht das Ding zusammen. So einfach – würde ich sagen – geht es nicht. Der Distributionsapparat, wenn man ihn so nennen will, ist das, mit dem wir arbeiten. Und von dem müssen wir zunächst ausgehen, und ich würde sagen, hier ist bestimmt der Punkt, wo man sagen kann, daß Reformen von dem vorhandenen Zustand besser sind als Revolutionen genereller Art.[60]

Eine der Reformen, an die man beim Neuen Hörspiel von Anfang an dachte, war der Versuch, den Hörer zu aktivieren, als „aktiven Mitspieler" zu gewinnen. Nicht mehr „passiver" Konsument von als repräsentativ deklarierten literarischen Werken, sollte er „seine Aufmerksamkeit hauptsächlich den akustischen Mitteln und dem formalen Aufbau eines Stückes zuwenden",

weil in vielen Fällen die bewußte Wahrnehmung der Mittel und das Erkennen der Form erst ein Erkennen des Themas ermöglicht. Bei einiger Übung, – guter Wille vorausgesetzt –, wird er schließlich registrieren, daß diese Spiele geeignet sind, Denkvorgänge zu beschleunigen oder ganz allgemein Sinneswahrnehmungen zu vertiefen.[61]

Dieser Prospekt Heinz Hostnigs ist keine Einzelforderung, sondern als Hoffnung des Neuen Hörspiels, als Erwartung ans Neue Hörspiel wiederholt zu belegen, etwa in einem programmatischen Aufsatz Hellmut Geißners, der unter der mehrdeutigen Überschrift ›Spiel mit Hörer‹[62] die Entwicklung des Neuen Hörspiels von der Mitspielbereitschaft des Hörers mit abhängig sieht.

Schließlich, da der Hörer es mitkonstituiert, bietet es die Möglichkeit, nicht nur Hör-Erwartung, sondern Bewußtsein zu verändern, je nachdem ob, wobei und wieweit der Hörer mitspielt.[63]

Geißners ›Spiel mit Hörer‹ erschien in der Zeitschrift ›Akzente‹, und zwar im ersten Heft des Jahres 1969, das – von Johann M. Kamps herausgegeben – sich ausschließlich mit den „Möglichkeiten eines zeitgenössischen Hör-Spiels" beschäftigte. Unter dem Franz Mon entlehnten Motto „Die Möglichkeiten eines zeitgenössischen Hör-Spiels lassen sich nur vermuten" hatte der Herausgeber neben Geißners Mitspiel-Essay und einem eigenen Beitrag zur Stereophonie im Hörspiel[64] einen „Überblick" Hermann Nabers über ›Hörspiel und Hörspielversuche anderswo‹[65], ›Polemische Gedanken‹ Heinz Hostnigs ›Über die Produktionsbedingungen‹[66], einen Bericht Paul Pörtners über seine ›Schallspiel-Studien‹[67], Überlegungen Horst Petris zur ›Amalgamierung von Sprache und Musik im Hörspiel‹ [68] und Heißenbüttels ›Hörspielpraxis und Hörspielhypothese‹ [69] zusammengestellt. Als Gattungsbeispiel diente der Entwurf des „Hör-Spiels" ›das gras wies wächst‹ von Franz Mon [70], dessen realisierte Fassung zur Herbstmesse 1969 in Klaus Schönings Anthologie ›Neues Hörspiel. Texte Partituren‹ [71] nachgelesen werden konnte. Diese Anthologie versammelte mit Arbeiten von Peter Handke, Richard Hey, Max Bense, Ludwig Harig, Klaus Hoffer, Ernst Jandl und Friederike Mayröcker, Franz Mon, Jürgen Becker, Paul Pörtner, Wolf Wondratschek, Rainer Puchert, Gerhard Rühm, Ferdinand Kriwet und Mauricio Kagel Beispiele fast aller Autoren, die zum Neuen Hörspiel beigetragen haben. Ihnen wären noch Peter O. Chotjewitz, Helmut Heißenbüttel (nach 1970) und im Umkreis des O-Ton-Hörspiels 1971 Michael Scharang und Paul Wühr zuzurechnen. Schönings Anthologie, die 1970 in dem Sammelband ›Neues Hörspiel. Essays, Analysen, Gespräche‹ [72] auch ihre theoretische Ergänzung fand, umfaßt bezeichnenderweise nicht nur Spiele aus dem Jahre 1969, sondern – die Entwicklungsgeschichte des Neuen Hörspiels andeutend – auch frühere Belege. Rainer Pucherts ›Der große Zybilek‹ [73] wurde bereits 1966 produziert, 1967 ›Die Ballade vom Eisernen John‹ [74]. Richard Hey, der Verfasser dieses „Radio-Strips", war 1969 einer der ersten, der die Forderung des mitspielenden Hörers in die Tat umzusetzen versuchte mit: ›Rosie. Radio-Spektakel zum Mitmachen für Stimmen, Musik und telefonierende Hörer‹. [75]

Der Präsident eines Automobilkonzerns beauftragt seinen Computer, die Vorbereitungen für die Einführung eines neuen Autos zu treffen, das auf den Namen seiner Tochter Rosie getauft werden soll. Seine Herrschaft als Konzernboß ist durch Eduard, einen jungen Außenseiter, der sich niemandem unterordnen will, bedroht. Zu dieser Grundsituation sind mehrere Varianten produziert worden: a) Eduard bedroht den Präsidenten telefonisch b) Eduard protestiert als Küchenjunge und prügelt sich mit dem Küchenchef c) Eduard geht den Weg durch das Bett der sexgeladenen Frau des Präsidenten d) Eduard versteckt sich in der Neukonstruktion, defloriert Rosie und zerstört das Auto. Zu jeder Variante gibt es Konfrontationsfolgen Eduard/Präsident mit verschiedenen Schlußszenen. Der Hörer hat die Möglichkeit, den Moderator zur Wahl einer bestimmten Variante zu bewegen. [76]

Aus demselben Jahr stammen die ›17 Hörspiele in Stereo‹ [77] des ungarischen Happening-Künstlers Gabor Altorjay. Bereits 1967 in Budapest konzipiert, konnte er nach seiner Flucht in die Bundesrepublik im Umfeld des Neuen Hörspiels ein akustisches Happening realisieren, das entfernt an die i-Kunst Kurt Schwitters' erinnert.

„Unerhörte" akustische Fertigteile werden dabei als selbständige „Hörspiele" definiert und unter Zuhilfenahme stereophoner Technik zu einer Mixtur uns tagtäglich umgebender und belastender akustischer Signale und Reize überlagert.

Die Sendung läuft auf folgende Weise: – die Lautstärke ist nach psychologischen Zeiten geregelt: Schema: Sendung schwach – Hörer verstärken das Empfangsgerät – Sender verstärkt sich enorm – Hörer müssen das Gerät leiser stellen – Sendung wird wieder schwächer – Hörer müssen verstärken usw.[78]

Die Vermutung Hermann Keckeis', der Hörer solle derart „sein Radioempfangsgerät als Spielzeug entdecken und verwenden",[79] faßt nur das Vordergründige und verfehlt den Hintersinn dieses „Hörspiels", der darin besteht, daß dem Hörer einmal die ihn alltäglich umgebenden Geräusche, die er gar nicht mehr wahrnimmt, als Geräusche bewußt werden. Und zum anderen, daß er die Zwänge des diese akustischen Fertigteile übertragenden Radioapparates ansatzweise dadurch erkennt, daß er gezwungen wird, ständig die Lautstärke zu regeln.

Auch in einem zweiten Fall, bei Konrad Wünsches Hörspiel ›Sendung‹,[80] verfehlt Keckeis die letztlich medienkritische Absicht, wenn er beschreibt:

Anhand einer Geschichte vom Hirtenbuben und dem Wolf, die den eigentlichen Inhalt der Hörspielfabel bildet, stellt die Sprecherstimme Fragen an den Hörer, die ihn zum eigenen Weiterspielen und Überdenken der Geschichte anregen sollen.[81]

Bereits der Pressetext läßt die Intention des Hörspiels deutlich erkennen, läßt ablesen, daß es darum geht, dem Hörer seine Hörsituation und falsche Identifikationsbereitschaft spielerisch zu vermitteln.

›Sendung‹ will das Rituelle eines normalen Sendeablaufes deutlich machen und das, was durch dieses Ritual angestrebt wird: die Identifikation des Hörers mit der jeweiligen Sendung. Wie das vor sich geht, zeigt der Autor mit Hilfe eines Moderators, der sich allerdings von seinen Kollegen am Mikrophon dadurch unterscheidet, daß er mit den Formen des Hörerfangs spielt.[82]

Einige locker aneinandergereihte Adressen an den Hörer, wie sie sich durchs ganze Hörspiel ziehen, können einen ersten Eindruck davon vermitteln, in welcher Weise der Hörer weniger zum Weiterspielen angeregt, ihm vielmehr vom fiktiven Moderator mitgespielt wird.

Ihr Apparat sollte auf Zimmerlautstärke eingestellt sein / Verlassen Sie das Zimmer nicht während der Sendung / Setzen Sie sich / Sie können diese Sendung auch stereophon empfangen / Sie wissen, wo Sie sitzen müssen (. . .).[83]

Drehen Sie jetzt den Kopf zum Fenster / Sollten Sie die Vorhänge nicht geschlossen haben und das Fensterglas spiegelt nicht / Wie weit sehen Sie? / Wie weit können Sie bei geöffneten Vorhängen eventuell sehen? Schätzen Sie / (Pause) Sie haben eine Entfernung zwischen 5 Metern und einem Kilometer geschätzt (. . .).[84]

Sie haben gehört / Sie können sich selbst ein Urteil bilden / Wer ist der Wolf / Wer ist der Hirtenknabe, der jämmerlich lachte und schrie / Schreiben Sie auf, wer Ihnen einfällt / Welche Völker / Welche Parteien / Welche Bevölkerungsgruppen / Nehmen Sie jetzt Papier und Kugelschreiber zur Hand und schreiben Sie / (. . .) Wir werden dann prüfen, ob Sie sich selbst ein Urteil gebildet haben / Aber vielleicht reizt es Sie, der Sache einen anderen Schluß zu geben / Tun Sie das / Oder einen anderen Anfang / Tun Sie das / (. . .) Halten Sie diese Geschichte für geeignet, Unterrichtsstoff der Schule zu werden? / Hätten Sie es lieber, daß die Geschichte mehr dem Gleichnis vom Guten Hirten ähnelt?[85]

Deutlicher lassen sich dem Hörer wohl kaum die Sender-Empfänger-Situation, die Einkanaligkeit des Massenkommunikationsmediums Rundfunk verdeutlichen. Aber es kommt noch etwas hinzu: die Ausweglosigkeit des Hörers gegenüber diesem Bombardement von Aufforderungen und Fragen, denen er nur dadurch entgehen kann, daß er das Gerät ausschaltet. Und nur das unterscheidet ihn letztlich vom fiktiven Ausgefragten in Peter Handkes ›„Hörspiel"‹.

Von dem durch Hey, Altorjay oder Wünsche repräsentierten Typus des Mitspiels deutlich zu unterscheiden sind Hörspiele, die das politische Bewußtsein des Hörers aktivieren sollen. Ausgehend von Gedankengängen Walter Benjamins, dessen Essay ›Das Kunstwerk im Zeitalter seiner technischen Reproduzierbarkeit‹ damals vielfache Anregungen gab, ging es in diesen Hörspielen darum, jede Form ablenkender Ästhetisierung zu vermeiden. Das vielleicht exemplarischste Beispiel dieses Hörspieltypus ist Peter O. Chotjewitz' ›Die Falle oder Die Studenten sind nicht an allem schuld‹.[86]

Obwohl Chotjewitz mit den Mitteln der Montage und des Zitats arbeitet und damit zugleich einem Hörspieltypus zuneigt, den eine Reihe im 3. Programm des Westdeutschen Rundfunks ›Dokumente und Collagen‹[87] überschrieben hat, ist ›Die Falle oder Die Studenten sind nicht an allem schuld‹ in erster Linie nicht als Dokumentation aufzufassen, sondern als eine spielerische Demonstration des Möglichen und Wahrscheinlichen.

Es ist vielleicht nicht alles so gewesen, wie es hier dargestellt wird, und nicht alles, was dargestellt wird, ist bewiesen. Aber es könnte alles so gewesen sein, wie es dargestellt wird, und es ist wahrscheinlich, daß es so gewesen ist.[88]

Das Hörspiel von Chotjewitz hat vor allem der federführenden Sendeanstalt einigen Ärger beschert,[89] obwohl die Materialien, mit deren Hilfe es die durch den Berlin-Besuch des Schahs ausgelösten Vorfälle des 2. Juni 1967 rekonstruiert, auch vor den Augen eines Historikers bestehen würden. Allerdings werden diese rekonstruierten Vorgänge im Hörspiel für das Medium Rundfunk untypisch präsentiert, nämlich ohne weiteren Kommentar. Auf diese Weise behalten sie weitgehend ihren Materialcharakter, wird der Hörer praktisch aufgefordert, sich seinen eigenen Reim darauf, sich seinen eigenen Kommentar dazu zu machen. Hier läge auch das Moment seiner Aktivierung. Und hier findet sich zugleich eine Wurzel des Mißverständnisses derjenigen, die Anstoß nahmen. Denn indem sie unausgesprochen auf dem „lindernden Kommentar"[90] bestanden, erklärten sie im Grunde genommen den Hörer für unmündig, waren sie kaum entfernt von einer Position, wie sie Anfang der 30er Jahre der für den Überwachungsausschuß der Berliner Funk-Stunde zuständige Ministerialrat Scholz vertrat, wenn er ausführte:

(...) der Hörer selbst verlangt den verwaschenen, behutsamen, charakterlosen „goldenen Mittelweg". Niemand bedauert es mehr als die Zensoren selbst. Und sie betrachten es als ihre Aufgabe, den Hörer langsam, langsam, vorsichtig, nur nicht übereilt, zu größerer Sanftmut zu erziehen.[91]

Lebt Chotjewitz' ›Die Falle oder Die Studenten sind nicht an allem schuld‹ wesentlich von seiner Quasi-Authentizität, die den Hörer zum eigenen Kommentar auffordert, verwendet Ludwig Harig für seine O-Ton-Collage ›Staatsbegräbnis oder Vier Lektionen politischer Gemeinschaftskunde‹[92] nur authentisches Tonbandmaterial, dessen Collage zugleich sein Kommentar ist.

Orgel

Reporter: ja, ich bin wieder da, tun wir die sendung ein bißchen höher drauf, das ist nämlich der orgelklang, hier selbst, ja, gut, gut

Orgel

Lübke: die gemeinschaft der freien völker die gemeinschaft der freien völker vorgezeichnet hat unsern weg zurück in die gemeinschaft der freien völker vorgezeichnet und geebnet

Gerstenmaier: er hat dem souveränen nationalstaat mit seinen rangordnungen und politischen systemen so entschieden abgesagt, daß die rückkehr zu ihnen in deutschland nur noch als folge einer völligen verzweiflung an der verwirklichung der europäischen gemeinsamkeit und der schutzgemeinschaft der freien welt denkbar ist

Kiesinger: die zukunft seines volkes beruhte ihm in einer engen verbindung deutschlands mit der freien, westlichen welt, in dauernder versöhnung mit frankreich und in der einigung europas

Lübke: denn jedes gemeinwesen kann sich am besten entfalten, wenn es sich in einer größeren gemeinschaft geborgen weiß
Reporter: die menschen erheben sich von den plätzen, und die trauerfeierlichkeit wird beginnen mit antonio vivaldis sinfonia h-moll für streicher al santo sepolcro
Musik: Vivaldi[93]

Das Zitat ist ausreichend, zu erkennen, wie hier – ausgenommen die Einleitung – mit veröffentlichter Sprache gearbeitet wird, im Gegensatz zu späteren O-Ton-Hörspielen, die vor allem nicht veröffentlichte Sprache mit ihren unbekannten anonymen Sprechern montieren.[94] Ein solches Arbeiten mit veröffentlichter, oder besser: öffentlicher Sprache setzt beim Hörer Kenntnis des sprachlichen Materials voraus, da nur so durch Schnitt und überraschende neue Zusammenstellung Leerlauf, Geschwätz, aufgesetztes Pathos, aber auch Versprecher und sprachliche Fehlleistungen in Konsequenz deutlich werden. Analyse öffentlicher Rede und allgemein unseres sprachlichen Befindens ist dabei letztlich das Ziel derartiger Hörspielversuche, und das meint in einem weiteren Schritt, spielerisch die Frage nach der Glaubwürdigkeit von mit Sprache, in Sprache Vermitteltem stellen.

Diese Absicht steht unausgesprochen auch hinter den Hörspielversuchen Franz Mons. Mit ihm betritt 1969 ein Autor-Regisseur die Hörspiel-Szene, für dessen Arbeiten die Stereophonie unabdingbare Voraussetzung ist.

die stereophonie ermöglicht ein hörspiel, das sich endlich von der angestrengten illusion in der nähe des hörers agierender stimmen befreien kann, der das monophone hörspiel – gerade weil es geringere plastizität hat – immer wieder nachjagt. die größere realitätsnähe, die sich die erfinder der stereophonie erhofften, schwappt ins absurde über, wenn man mit dem finger genau auf den punkt weisen kann, wo einer spricht, ohne daß man ihn sieht, wo man schritte hört und keine füße findet, wo glocken klingen und keine hängen. der mit solch hochgedrillter illusion gefoppte hörer kommt sich als blinder vor, der an seinen platz gebannt ist, wenn er nicht auch noch seinen (hör)raum einbüßen will. und noch schlimmer, er muß – auf eine solche realitäts-realität vereidigt – an seinem zeitlichen orientierungsvermögen zweifeln, denn die von der realitätsillusion geforderte einheit der zeit funktioniert natürlich nicht.[95]

Entscheidend wird Mons Konsequenz, die Stereophonie nicht als „realistisches medium", statt dessen als „artifizielles mittel zur ordnung und unterscheidung von hörwahrnehmungen" zu werten, die in einer monophonen Realisation ineinander und damit ins Unverständliche fallen würden. Indem Mon die Stereophonie als „syntaktisches mittel zur ordnung von hörereignissen" interpretiert, muß Hörspiel für ihn konsequenterweise „sprachspiel" werden, „das sich auf den organisierten laut auch von wörtern und sätzen" einläßt, auf die „konkretheit des lautwerdenden sprachmaterials".[96] In diesem Sinne materiales oder konkretes Hörspiel, bedarf es für ›das gras wies wächst‹ keiner noch so rudimentären Fabel oder Handlung.

es handeln die sprachelemente. subjekte sind die wörter, die wörteragglomerationen, die gestanzten redensarten, fragepartikel, überhaupt fragen aller art, wie sie ›quick‹ und ›twen‹ in populären tests, in interviews, in briefkastenecken bereithalten. wörterreihen treten in spannung zu redensarten, redensarten hinterbauen dialoge. dialoge werfen fragen auf, die von wörterreihen beantwortet werden. Es ist gut, sich die verschiedenen strukturtypen klar zu machen, in denen sprachliches manifest wird. sie spannen sich hier von primitiven artikulationen über lexikalische wörterversammlungen, winzige dialoge bis zum wissenschaftlichen essay – im zitatausschnitt – und zur auflösung monologischer redeketten. eine entscheidende rolle spielt das bewußtsein des hörers, das das verwandte sprachmaterial wiedererkennt, das sich erinnert, wo diese prägungen herkommen, wie und von wem sie benutzt worden sind. das ganze material ist transparent auf einem riesigen hof gebrauchter sprache, der zugleich etwas von einer bahnhofshalle und einem friedhof hat.[97]

Daß Hörspiele solcher Art mit traditioneller Stimmenführung, mit einem bis dahin üblichen Hörspiel-Sprechen nicht zu bewältigen waren, liegt auf der Hand, und ein Blick in die Textfassungen macht es überdeutlich. Nicht als „Mann", „Frau", „Kind" oder ähnlich sind die Stimmen einleitend ausgewiesen, sondern als „normale männliche stimme", „normale weibliche stimme", „sonore männliche stimme", „altstimme" und „kinderstimme", wobei „kinderstimme" und „normale männliche stimme" jeweils zweifach vorgesehen sind. Innerhalb des stereophonen Hörraums sind diesen Stimmen jeweils feste Positionen zugewiesen, wobei weitere Anweisungen lauten: „tropfend, zwischen jedem ‚nein' ca. 1″ abstand" oder „abgehackt gesprochen, mit zunehmender beschleunigung. allmählich mehrfache überschichtung (. . .) mit phasenverschiebung" oder „alle stimmen als flatterstimmen, mehrfach sich wiederholend" oder „vervielfachung und verdichtung zur schallsäule".[98]

Eine derart musikalische Stimmenführung war nicht jeden Regisseurs Sache, so daß es im Umfeld des Neuen Hörspiels fast zu einem Generationswechsel der Regisseure kommt. Die Polemik Knillis nannte mit Heinz von Cramer, Raoul Wolfgang Schnell und Heinz Hostnig bereits drei dieser Regisseure, zu denen sich mit Klaus

Schöning und Johann M. Kamps auch Dramaturgen gesellen, einmal, weil beim Neuen Hörspiel die Regie wieder ins Stadium des Experimentierens getreten war, vor allem aber, um die Trennung von Dramaturgie und Regie aufzuheben. In den meisten Fällen wird vom Autor der Regisseur stillschweigend als „Mitautor" verstanden, gelegentlich wird dies auch ausdrücklich formuliert: „Der Regisseur ist ein Mitautor; auch die von mir fixierte Bezeichnung der einzelnen Sprecherpositionen (. . .) ist nur ein Vorschlag, der von ihm geändert werden kann."[99]

Auf dem Wege der Aufhebung spezialisierter Arbeitsteilung treten aber nicht nur Dramaturgie und Regie zusammen, geht der Autor vielmehr selbst ins Studio als sein eigener Regisseur, so Franz Mon oder – ebenfalls noch 1969 – Mauricio Kagel. Paul Pörtner möchte sogar die technischen Arbeiten bei einer Hörspielproduktion noch mit übernehmen und sähe einen Idealfall gegeben,

> wenn ein Autor oder Komponist zugleich sein eigener Toningenieur und Schnittmeister sein könnte und, wie der klassische Autor sein Werk zu Papier brachte, nun sein Hörwerk zu Band bringen könnte.[100]

Zwar ist dieser „Idealfall" mit Ausnahmen Prospekt geblieben, doch gilt es festzuhalten, daß im Umfeld des Neuen Hörspiels die traditionellen Arbeitsteilungen bewußter empfunden und – wenigstens zu Teilen – aufgehoben wurden, wobei hinzukommt, daß, wie kaum zuvor, die Autoren immer genauere Vorstellungen von dem entwickelten, was hinterher herauskommen sollte. ›artikulationen‹[101] hieß bezeichnenderweise eine frühe Buchveröffentlichung Franz Mons. Und Artikulationen in einem weiteren Sinne waren auch seine Hörspiele seit 1969.

Andererseits führte die Arbeit im Studio – sei es teilnehmend oder in eigener Regie – dazu, daß die Manuskripte, die von den Autoren den Dramaturgien eingereicht wurden, zunehmend Vorschlagscharakter hatten, Spielpläne oder Entwürfe waren, die erst nach ihrer Realisierung definitiv „renotiert" werden konnten, wie z. B. Franz Mons ›das gras wies wächst‹ für die Anthologie ›Neues Hörspiel. Texte Partituren‹.

Spielplan- oder Entwurfcharakter zeichnet auch die drei Hörspiele Jürgen Beckers aus, die nach/mit seinen Prosatexten ›Felder‹[102], ›Ränder‹[103], ›Umgebungen‹[104] in kürzester Zeit entstanden und alle 1969 zum ersten Mal gesendet wurden. Bereits ihre Titel – ›Bilder‹[105], ›Häuser‹[106], ›Hausfreunde‹[107] – deuten über die ihnen gemeinsame „offene Schreibweise"[108] hinaus auf tieferliegende Zusammenhänge, die hier im einzelnen nicht erörtert werden können. Im Grunde genommen geht es immer um die Lokalisierung des sprechenden, reflektierenden Ich in den Umgebungen, in seiner Umwelt, die Becker in einem wörtlichen Sinne als „Sprichwörterzeit" (Sprich-Wörter-Zeit) versteht.

So haben wir nun in der Sprichwörterzeit gelebt und es wird noch einige Fortsetzungen geben; wieder ist die Umgebung fremder geworden, es kommt bald nicht mehr auf die Umgebung an, das ist schon wieder so eine Weisheit; wenn nicht die Abnutzungen spürbar wären, dann hätten wir glattweg sogar gelogen, das wäre das einfachste auch gewesen, man müßte gar nicht mal erfinden, das Spruchzeug liegt ja nur so herum, und wenn mans mit der eigenen Stimme mal versucht, dann müssen wir gleich unterbrechen: das haben wir doch alles schon einmal irgendwo gehört; nun rede dann mal weiter, das passiert ja ständig auch, aber hinhören dann, da reden nämlich immer ein paar Stimmen mehr mit, und komische Geräusche sind dazwischen, Flötentöne, Gebrüll, Geheul, es wird gelacht, es heißt, man sagt das muß man wissen und was meinen wir dazu und wer sind wir eigentlich denn.[109]

Daß der Autor einer solchen Prosa auch das Hörspiel als eine seinen Intentionen gemäße Redeform entdecken würde, war zu erwarten. Daß dies relativ spät geschah, hat hörspielgeschichtliche Gründe. Wie bei anderen Autoren, bei Heißenbüttel oder Mon z. B., stand die Hörspielpraxis auch bei Becker im Wege. Nachdem er „vor zwölf und fünfzehn Jahren vergeblich in dieser Richtung gearbeitet habe", sagt er es selbst in einem Gespräch, sei er erst „in den vergangenen zwei Jahren auf ein Interesse gestoßen, das sich nicht mehr einseitig an einer traditionellen Hörspielpraxis" orientiere.[110]

Die Folge waren eine Reihe von Hörspielkommentaren, u. a. zu Hörspielen der Nouveaux Romanciers[111], zu Ludwig Harig[112], Max Bense[113] oder Peter Handke[114], für die er festhält, daß sie nicht mehr „über etwas schreiben, sondern (. . .) mit der Sprache selber eine Wirklichkeit herstellen, in der etwas von der außersprachlichen Wirklichkeit erkennbar"[115] werde. Eine Charakteristik, die auch für Franz Mons ›das gras wies wächst‹ wie für Beckers ›Häuser‹ in Anschlag gebracht werden kann. Beckers ›Häuser‹ enden: „Ich gehe jetzt hier wieder weg", was mit dem ersten Satz des Hörspiels negativ korrespondiert. Der letzte Satz hebt den ersten auf: „Hier gehe ich jetzt nicht mehr weg." So gesehen hat Beckers Hörspiel sogar so etwas wie eine Handlung. Aber das, was geschieht, geschieht außerhalb des Spiels. Nationalsozialismus, Nachkriegszeit, Adenauer-Ära, die Gegenwart der Jahre 1968/69 werden allenfalls indirekt in sprachlichen Reflexen faßbar.

Daß Hörspiele gleichsam kreisförmig an ihren Anfang zurückkehren, war bis dahin vereinzelt bei Frisch, Dürrenmatt, bei Günter Eich vorgekommen. Im Neuen Hörspiel wird es durchgespielt. Bei ›Fünf Mann Menschen‹ von Ernst Jandl/Friederike Mayröcker, indem die Eingangssequenz wortwörtlich wiederholt wird; bei Becker in der Negation des eingangs mitgeteilten Entschlusses, hier nicht mehr wegzugehen, die ihrerseits durch einen neuen Entschluß, hier nicht mehr wegzugehen, negierbar wäre und so fort.

Eine weitere Möglichkeit demonstriert Gerhard Rühm mit ›Ophelia und die Wörter‹.[116] Man muß, um Rühms ›Ophelia und die Wörter‹ richtig einzuschätzen, daran erinnern, daß der Rundfunk, speziell die Hörspielverantwortlichen von Anfang an die Adaption von Bühnenstücken für das Programm vorsahen. Hier wäre Rühms ›Ophelia und die Wörter‹ eine Klassiker-Adaption, mit der Einschränkung, daß sie in radikaler Form einen bekannten Klassiker, Shakespeares ›Hamlet‹, ausschließlich auf die Verlautbarungen der Ophelia reduziert. Dieser chronologischen Textabfolge ist gegenläufig (kompositorisch gesprochen: als Krebs) derselbe Text, auf seine Substantive und Verben in der Grundform reduziert, zugeordnet. „Zweifelst du daran?" ist demnach die erste Äußerung Ophelias, „zweifeln" das letzte Wort des Hörspiels (und das erste Wort der Umkehrung). Zugeordnet sind diesem krebsgängigen Sprach- oder Sprechspiel Geräusche, „deren material aus der akustischen realisierung jener begriffe stammt, die hörbares bezeichnen".[117] Da diese Geräusche nicht zugewiesen, sondern in etwa gleichen Abständen über das Spiel verteilt sind, haben sie weniger unmittelbare als vielmehr die mittelbare Funktion einer akustischen Kulisse, vor der das Sprach- und Sprechspiel stereophon organisiert ist.

Die Legitimation für sein Wörterspiel bezieht Rühm aus einer Dialogsequenz Polonius/Hamlet, die er, einseitig verstanden, seinem Hörspiel als „Motto" voranstellt:

Polonius: Was leset Ihr, mein Prinz?
Hamlet: Worte, Worte, Worte.
Polonius: Aber wovon handelt es?
Hamlet: Wer handelt?[118]

Rühm, der mit vielen seiner Hörspiele im Rundfunk Ideen realisieren konnte, die oft älteren Datums, noch aus den Zeiten der Wiener Gruppe, Ende der 50er/Anfang der 60er Jahre stammten,[119] hat 1969 auf der „Experimenta" in Frankfurt vom Forum-Theater Berlin seine ›Ophelia und die Wörter‹ auch in einer Theaterfassung spielen lassen. In ihr wurde das „visuelle Geschehen von den Begriffen der Ophelia her abgeleitet".[120] Indem die Verben die Regiehinweise „für die Bewegungsmotive", die Substantive die Hinweise auf Requisiten und Projektionen hergaben, entstand ein Spiel mit Multi-Media-Charakter.

Von einer Mixed-Media-Komposition für acht Vokalsolisten, Tonbänder, Filme, Dias, Informationsmedien, Akteure und Gäste geht Ferdinand Kriwet bei seinem 5. ›Hörtext‹, ›One Two Two‹[121] aus.

Die Texte der acht Vokalsolisten sowie alle anderen, gleichzeitig oder nacheinander stattfindenden Ereignisse waren in einer ersten, mit den traditionellen musikalischen Notationsweisen verfertigten Partitur zeitlich genau fixiert. Während der Aufführung wurden über mehrere im Raum verteilte Mikrophone alle akustischen Äußerungen der Sprecher und Angesprochenen zusammen mit den Tonbandeinspielungen und allen durch Aktionen verursachten Geräuschen (z. B. Knallkörperexplosionen) in einem Übertragungswagen außerhalb des Kinos mitgeschnitten. Da sowohl die während der Vorführung live gesprochenen als auch die über Lautsprecher vom Band in den Saal eingespielten Sprechertexte zur eventuellen späteren Kontrastierung zuvor bereits im Studio aufgenommen, korrigiert und gespeichert worden waren, verfügte ich nach der Essener Aufführung für die zweite Phase der Arbeit über folgende Ausgangsmaterialien für eine neue Konzeption von ONE TWO TWO:

a) Studio-Aufnahmen mit Sprechern,
b) Studio-Montagen (Mischungen) mit Sprecheraufnahmen und Archivmaterial,
c) Mitschnitt der Essener Vorführung, zu welcher auch ein Auftritt der amerikanischen Musikgruppe ›The Mothers of Invention‹ gehörte, die ursprünglich als Gast in den Ablauf der MIXED MEDIA Demonstration integriert werden sollte, was organisatorisch jedoch nicht funktionierte.[122]

Das Zitat hält über die ansatzweise Beschreibung der Entstehung von ›One Two Two‹ hinaus für die ›Hörtexte‹ Ferdinand Kriwets grundsätzlich fest, daß sie neben den „Möglichkeiten der menschlichen und (...) künstlichen Stimmerzeugung" auch „alle elektronischen Möglichkeiten ihrer Analyse und Synthese mittels Aufnahme, Transformation und Montage"[123] nutzen. Wenn Ferdinand Kriwet notiert, daß „neben unterschiedlichen Aufnahmepraktiken und der Verwendung spezieller Mikrophone (...) vorläufig Schnitt und Mischung" die bei seiner Arbeit „dominierenden Praktiken"[124] seien, weist er sich als einer jener „Autoren oder Komponisten" aus, die „zugleich" ihr „eigener Toningenieur und Schnittmeister" sind, von denen Paul Pörtner als Idealfall einer Aufhebung spezialisierter Arbeitsteilung ‚geträumt' hatte.

Man wird für Hörtexte dieser Art, die sprachliches, aber auch vor-

und außersprachliches Material demontieren und neu ordnen, um nicht zu sagen: komponieren – man wird für Hörtexte dieser Art allgemein geltend machen müssen, daß sie „zu komplex" sind, um schon beim ersten Hinhören erfaßt zu werden. Es sind Hörspiele, die eigentlich mehrfach gesendet, mehrfach wiederholt werden müßten, die sich – trotz Kommentierung – in ihren vielfältigen Spannungen und Bezügen erst allmählich erschließen. Von einem Musikstück, für das bei komplexer Struktur Ähnliches gilt, unterscheiden sie sich durch ihre sprachlichen Partikel, die zum Hören das Verstehen fordern. Von einem „assoziativen Hören" spricht sinnvollerweise eine Kritik des ›Evangelischen Pressedienstes/Kirche und Rundfunk‹ und sieht auf einem solchen Weg Schritte zu einem „neuen kritischen Bewußtsein", die Chance einer

Erziehung zur Laut- und Sprachkritik als Umweltkritik. Die noch nicht voll erkundete Form solcher Hörtexte als „Partitur" schafft gleichzeitig einen musikalisch-rhythmischen Raum; hier ergeben sich Spannungsmomente ganz anderer Art. Das Erkennen von Informationsspots tritt zurück, und im Idealfall wird unterschwellig die wortlose Verständigung erreicht, die den Hörer selbst produktiv macht.[125]

Womit noch einmal vom Hörer die Rede ist, an dem – wie gern kolportiert wird – das Neue Hörspiel vorbei inszeniert worden sei. Das Gegenteil ist richtig. Wie nie zuvor haben sich nämlich die einzelnen Rundfunkanstalten beim Neuen Hörspiel um Vermittlung bemüht. Man muß sich schon einmal die Mühe machen, die Rundfunkprogramme auf begleitende Sendungen hin durchzuschauen, die Manuskript-Archive, die Band-Archive aufzusuchen, um schnell eines Besseren belehrt zu werden.[126] Auch die von Klaus Schöning 1970, 1974 und 1982 herausgegebenen Essay- und Materialienbände[127] sprechen hier eine beredte Sprache. Ja, bis ins Hörspiel hinein ist der Hörer angesprochen, gehen die Versuche, ihn aus verkrusteten Hörgewohnheiten instruktiv hinauszuführen.

Daß diese versuchte „Ansprache" nicht nur von „Sprachkunstwerken" ausgehen kann, erweist ein Überblick über den ARD-Spielplan 1969, der dem Hörspiel in einer nicht voraussehbaren Breite eine/seine offene Form zurückgewann, der an die Stelle des Endzustandes, den das Hörspiel Ende der 50er/Anfang der 60er Jahre erreicht hatte, wieder seinen Aufnahmezustand setzte. So gesehen ist es mehr als ein spielimmanenter Hinweis, wenn Mauricio Kagel, Komponist und Hörspielmacher, 1969 sein erstes Hörspiel überschrieben hat: ›(Hörspiel) Ein Aufnahmezustand‹.[128]

3. EIN HÖRSPIEL MUSS NICHT UNBEDINGT EIN HÖRSPIEL SEIN[129]

Ausschnitte nur, Momentaufnahmen aus einer vielfältigen Arbeit am Hörspiel, neue Erkenntnisse, neue Gesetze, und welches Glück, beinahe alles noch zu tun.[130]

Mit dieser Aussicht hatte der Intendant der Schlesischen Funkstunde, Fritz Walther Bischoff, 1931 auf der Funkausstellung und Phonoschau in Berlin die Zuhörer seines ›Hörspiels vom Hörspiel‹[131] entlassen. In einem Hörspiel des Jahres 1969 vernahm der möglicherweise verblüffte Hörer mitten im Spiel plötzlich folgende Auslassung des Autors Wolf Wondratschek:

Ein Hörspiel muß nicht unbedingt ein Hörspiel sein, d. h. es muß nicht den Vorstellungen entsprechen, die ein Hörspielhörer von einem Hörspiel hat. Ein Hörspiel kann ein Beispiel dafür sein, daß ein Hörspiel nicht mehr das ist, was lange ein Hörspiel genannt wurde. Deshalb ist ein Hörspieltext nicht unbedingt ein Hörspieltext.[132]

Zwischen beiden Zitaten liegen fast 40 Jahre Hörspielgeschichte, Geschichte seines politischen Mißbrauchs und einer Entwicklung, die anders verlief, als sie Fritz Walther Bischoff und mancher Pionier in Ansätzen und Experimenten eigentlich vorgezeichnet hatten. Die Hörspiele, die um 1930 und zu Beginn der 30er Jahre populär wurden, entstanden weniger aus den Bedingungen des Mediums, waren vielmehr oft dem Medium angepaßte literarische Adaptionen – wie Hermann Kessers ›Schwester Henriette‹[133], Albert Ehrensteins ›Mörder aus Gerechtigkeit‹[134], Arnolt Bronnens Kleist-Adaption ›Michael Kohlhaas‹[135] – oder laienspielnahe Produkte – wie Eduard Reinachers ›Der Narr mit der Hacke‹[136].

Es ist vielleicht kein Zufall, wenn sich jetzt herausstellt, daß das wegen seiner Montagetechnik dem Medium noch am nächsten stehende dieser „literarischen" Hörspiele, Alfred Döblins ›Die Geschichte vom Franz Biberkopf‹, 1930 zwar auf Platten mitgeschnitten, öffentlich aber nie gesendet wurde,[137] wenn Döblins Thesen zu ›Literatur und Rundfunk‹ zunächst praktisch unbekannt blieben.[138] Gelten heute auch Döblins Überlegungen zum Hörspiel, seine ›Geschichte vom Franz Biberkopf‹ als ein früher Höhepunkt der Gattungsgenese, der zeitgenössische Hörer kannte beides nicht. Gehört hatte er dagegen Eduard Reinachers ›Der Narr mit der Hacke‹. Und in Richard Kolbs ›Horoskop des Hörspiels‹ konnte er nachlesen, welchen Wert er diesem Hörspiel beizumessen habe.[139]

An Kolbs ›Horoskop‹ aus dem Jahre 1932 orientiert, galten vielen Nachkriegstheoretikern und Hörspielverantwortlichen denn auch weder Bischoffs Experimente noch Döblins ›Geschichte vom Franz Biberkopf‹, galt vielmehr Reinachers ›Der Narr mit der Hacke‹ als historisches Musterbeispiel der Gattung.

„Man war sich damals schon einig“, versicherte z. B. 1964 Heinz Schwitzkes ›Dramaturgie und Geschichte‹ des Hörspiels ihren Lesern, „daß dieser Dichter der Idee des Hörspiels näher gekommen war als irgendein anderer bis dahin, und wir können dem heute nur beipflichten.“[140] Schon zwei Jahre vorher hatte sich Schwitzke festgelegt, daß erst „eigentlich mit Reinacher und diesem Stück (. . .) die Geschichte des modernen Hörspiels“ anfange, „zur Erfüllung zu gelangen“,[141] und, geprägt vom Eindruck des erhaltenen Tondokuments der Erstsendung, bei der der Intendant des Westdeutschen Rundfunks, Ernst Hardt, die Regie führte, als Leistung besonders hervorgehoben:

Reinacher hat in diesem Werk zum erstenmal verwirklicht, was später Günter Eich in seinen Stücken zu voller Reife entwickelt hat: ein lyrisches Sprachwerk, bei dem alle Sichtbarkeit irrelevant ist, das vor uns heruntermusiziert wird wie ein Musikwerk aus Sprache, und das direkt, ohne kompakte Verwirklichung durch leibhaftige Darsteller und Bühnenbilder, in die Seele des Lauschers aufgenommen werden kann.[142]

Vom 21. bis 27. März 1968 veranstaltete die Deutsche Akademie der Darstellenden Künste in Frankfurt zusammen mit dem Hessischen Rundfunk die schon genannte „Internationale Hörspieltagung“, auf der entschieden die Weichen für eine Neubesinnung des Hörspiels gestellt wurden. Nicht zuletzt durch ein Referat Helmut Heißenbüttels, das in gezielter Anspielung ebenfalls ›Horoskop des Hörspiels‹ überschrieben war. In seinem neugestellten ›Horoskop‹ bezieht sich Heißenbüttel ausdrücklich auf Reinachers Hörspiel und seine Wertschätzung durch Kolb und Schwitzke, kommt aber zu ganz anderen Schlüssen.

Wenn Kolb und Schwitzke das als frühes Musterbeispiel bezeichnete Hörspiel ›Der Narr mit der Hacke‹ von Eduard Reinacher (. . .) analysieren und hier den Zusammenklang der Sprache mit dem Geräusch der Hacke hervorheben, so bezeichnen sie nicht etwas, was für die poetische Imaginationsfähigkeit der Sprache charakteristisch wäre, sie weisen auf symbolische Versatzstücke, wie sie in der Theaterliteratur zum Beispiel von Maeterlinck verwendet wurden.

Das aber würde in diesem Falle bedeuten, daß das Hörspiel Reinachers der allgemeinen Entwicklung um 30 bis 40 Jahre hinterherhinkte. Ein anderes Beispiel: wenn auch die „Träume" von Günter Eich ihren bestimmten Platz innerhalb des individuellen Eichschen Werks haben: Verglichen mit der allgemeinen Entwicklung zeigen sie doch nur mehr ein spätes Echo auf den Surrealismus; die Aggression und Kritik, die aus ihnen sprechen, sind, verglichen mit Arbeiten von Benjamin Péret oder Henri Michaux, bereits für den gemütlichen Konsum gebrauchsfertig gemacht.[143]

Nimmt man die hier genannten Hörspiele Reinachers und Eichs in einer gewissen Verkürzung für Prototypen des literarischen Hörspiels der Weimarer Republik, des Hörspiels der Innerlichkeit in den 50er Jahren,[144] läßt sich der Hörspielsatz Wondratscheks, „Ein Hörspiel kann ein Beispiel dafür sein, daß ein Hörspiel nicht mehr das ist, was lange ein Hörspiel genannt wurde", relativ leicht in einer ersten Bedeutungsschicht auflösen. ›Paul oder die Zerstörung eines Hörbeispiels‹ ist Oppositionsunternehmen zum traditionellen Hörspiel und Hörspielverständnis. Hier ist es exemplarisch gedacht und wohl auch so verstanden worden. Birgit Lermen weist ihm jedenfalls in ihrer (historisch allerdings manches kurzschließenden) Untersuchung ›Das traditionelle und neue Hörspiel im Unterricht‹[145] großen Raum zu. Frank Göhre, der an der Volkshochschule Marl mit einer Arbeitsgruppe junger Gewerkschafter vor allem ›Hörspiele aus der Arbeitswelt‹[146] abhörte und diskutierte, stellte es als „experimentelles", als „schwieriges Stück" zur Diskussion,

> um auch einmal zu prüfen, wie reagieren junge Arbeiter auf ein so collagiertes Hörspiel. Und wir sind dann so vorgegangen, daß wir also mehrere Hörspiele gehört haben, und uns dann für dieses Hörspiel (. . .) entschieden haben, weil es eben auch dieser Gruppe sehr viel Spaß gemacht hat, das anzuhören, weil es eben etwas ganz anderes war.[147]

Daß ›Paul oder die Zerstörung eines Hörbeispiels‹ kein traditionelles Hörspiel mehr war, sondern in Opposition zu ihm anderes und Neues wollte, registrierte auch die Jury des Hörspielpreises der Kriegsblinden und begründete – zwei Jahre nach der Frankfurter „Internationalen Hörspieltagung" – die Preisvergabe an Wolf Wondratschek unter anderem mit dem Hinweis auf die gleichsam didaktische Seite des Hörspiels.

> Wolf Wondratschek macht es den Hörern leicht, die geläufigen Hörgewohnheiten zu verlassen und eine neue Hörfähigkeit zu entwickeln. Er negiert mit seinem Stück überkommene Formen, die eine Geschlossenheit vorgeben, wo Realität sich heute nicht mehr als eine Totale begreifen läßt. Konsequent setzt er an Stelle eines Bewußtseinflusses exakt gefügte Bewußtseinssplitter

und läßt aus Mentalität, Umwelt, Biographie und Psyche eines Lastwagenfahrers, aber auch des Autors, der über ihn reflektiert, ein Mosaik entstehen, das neue Denkschemata erkennbar macht und dessen akustische Musterung das Ohr auf eigentümliche, ganz dem Rundfunk zugeordnete Weise reizt.[148]

Würde man diese Begründung leicht umformulieren und etwa sagen: Konsequent setzt der Autor an Stelle von Handlung oder Bewußtseinsfluß exakt gefügte akustische Splitter und läßt aus ihnen ein akustisches Mosaik von Betriebsschluß/Wochenendbeginn entstehen, das neue Denkschemata erkennbar macht und dessen akustische Musterung das Ohr auf eigentümliche, ganz dem Rundfunk zugeordnete Weise reizt – würde man derart umformulieren, könnte die Begründung der Jury auch für Walter Ruttmanns Montage ›Weekend‹[149] aus dem Jahre 1930 gelten, könnte mit gleichem Recht der Preis rückwirkend auch diesem Versuch eines akustischen Spiels zugesprochen werden.

Marschtritte
Startender Automotor
Geige/Klavier
Männliche Stimme: Hallo Fräulein
Klingel einer Ladenkasse
Männliche Stimme: Bitte Döhnhoff zweiundvierzig vier null
Klingel einer Ladenkasse
Kinderstimme: Erlkönig
Geräusch eines vorbeifahrenden Autos
Trillerpfeife eines Verkehrspolizisten
Klingel einer Ladenkasse
Stimmen einer größeren Versammlung
Rednerstimme: Ich verbitte mir das
Männliche Stimme: Bitte
Kinderstimme: Wer reitet so spät durch Nacht und Wind
Klingel einer Ladenkasse
Kinderstimme: Es ist der
Geräusch einer Säge
Geräusch einer Schreibmaschine und -klingel
Männliche Stimme: Fräulein, Sie haben mich ja falsch verbunden
Trillerpfeife eines Verkehrspolizisten
Männliche Stimme: Döhnhoff zweiundvierzig vier
Kinderstimme: Vier mal vier
Stimme eines Aufzugführers: Vierter Stock, Spielwaren, Schuhwarenlager, Lebensmittelabteilung
Klingel einer Ladenkasse
Geräusch eines vorbeifahrenden Autos.[150]

Zum Vergleich sei hier direkt eine Sequenz aus ›Paul oder die Zerstörung eines Hörbeispiels‹ angeschlossen:

Männerstimme C: Lyriker hören auf zu weinen und beginnen zu schreiben.
Männerstimme D: Das ist links und rechts immer noch so üblich.
Sprecher 3: Verschiedene Geräusche, die etwas mit Paul zu tun haben.
Sprecher 3 (andere Akustik): Geräusch 1
Geräusch eines laufenden Motors eines Lastkraftwagens
Sprecher 3: Geräusch 2
Geräusch einer Autohupe
Sprecher 3: Geräusch 3
Geräusch von Hühnern
Sprecher 3: Geräusch 4
Geräusch eines länger anhaltenden Tones
Männerstimme E: Scheiße
Sprecher 3: Geräusch 5
Geräusch einer Schreibmaschine
Sprecher 3: Geräusch 6
Geräusch von Pferden, dann Schüsse, dann akustische Kulisse eines Western
Sprecher: Geräusch 7
Geräusch eines leisen, länger anhaltenden Tones
Frauenstimme: Ich wußte, daß mein Leben in eine Sackgasse geraten war.[151]

Die Gegenüberstellung zeigt für einen speziellen Fall, den Umgang mit Geräuschen, Nähe und zugleich Unterschied dieser beiden knapp 40 Jahre auseinanderliegenden Hörspiele. Würde man diese Gegenüberstellung erweitern im Vergleich mit der eher musikalischen Auffassung der Geräusche in Mauricio Kagels ›(Hörspiel) Ein Aufnahmezustand‹, dem vorgeschriebenen Einsatz aller „möglichen Arten von Hörspielgeräuschen" in Peter Handkes ›„Hörspiel"‹,[152] ließe sich leicht eine kleine Typologie der Geräusche im Neuen Hörspiel erstellen, denen bei aller Unterschiedlichkeit dennoch gemeinsam wäre die grundsätzliche Entfernung von jenem „Zusammenklang der Sprache mit dem Geräusch der Hacke", der in Reinachers Hörspiel soviel Bewunderung fand.

Gegen solche spätsymbolische Musikalität, gegen „lyrisches Sprachwerk" und illusionäres Handlungsspiel ist Wondratscheks Hörspiel sogar gezielt angelegt. „Die Zerstörung eines Hörbeispiels" meine „die Zerlegung eines Hörtextes in seine einzelnen Teile", formuliert es die Vorbemerkung und betont, daß „dabei (. . .) die Analyse der Illusion selbst thematisch" werde.[153]

Fast wie eine Explikation der von Heißenbüttel in Frankfurt vorgetragenen Forderung, die „Hörsensation" „aus ihrer Rolle als Akzidenz der poetischen Illusion"[154] zu befreien, klingt eine Erklärung Wondratscheks anläßlich der Erstsendung von ›Paul oder die Zerstörung eines Hörbeispiels‹ im Westdeutschen Rundfunk:

(...) das hängt zusammen mit (...) dem Titel ›Hör-Beispiel‹. Ich habe deswegen nicht Hörspiel gesagt, weil bei diesem Hör-Beispiel versucht wird, das, was an Illusion mir so sehr dran hängt am Begriff des Hörspiels, wird hier auseinandergelegt. Es kommen keine unmittelbaren Geräusche mehr, sondern es wird zitiert: Geräusch. Es kommen keine Zitate mehr, sondern es wird zitiert: Zitat. Das heißt, durch diese Unterbrechung wird dem Hörer emotional von uns beiden (= Autor und Regisseur, R. D.) nichts mehr untergeschoben, sondern es wird ihm angeboten. Er kann davon Gebrauch machen, aber es wird nicht unmittelbar eine bestimmte Illusionsstimmung erzeugt.[155]

Neben ihrer Hervorhebung des Regisseurs als Co-Autor, wovon noch zu sprechen sein wird, ist Wondratscheks Erklärung vor allem wichtig wegen des Hinweises auf die Analyse-Funktion des Hörspiels, auf die schon die Vorbemerkung gewiesen hatte. Es ist bisher kaum bemerkt worden, daß in vielen dem Neuen Hörspiel zuzurechnenden Stücken ein Moment der Analyse enthalten ist. Das fächert – um hier wenigstens Breite und Verschiedenartigkeit anzudeuten – von Mauricio Kagels Analyse eines Hörspiel-Aufnahmezustandes über Wondratscheks analytische Zerstörung von Hörspiel-Illusion bis zu Peter O. Chotjewitz' spielerisch-kritischer Analyse der Trivialästhetik des Italowestern.

Dollar stand im Gebüsch hinter Floth und rief. Mr. Floth drehte sich um und zog wie der Blitz. Dollar warf sein Messer. Das Messer blinkte. Es traf ihn tief. Mr. Floth fiel hin. „Die ganze Stadt könnte uns beiden gehören", sagte Floth zu Dollar mit sterbendem Blick. „Ja", sagte Dollar, „aber sie gehört uns nicht." Mr. Floth war ihm immer noch sehr sympathisch.
Als Ramon die Leute hinter sich gelassen hatte, sah ich Ramon von vorne, eine Hand am Bauch, den Körper verkrampft, während die Leute auf dem Platz wie leblose Figuren eines Brettspiels so starr standen, wie sie die ganze Zeit schon gestanden hatten, nachdem der Gutsherr erschossen worden war.
Ich breitete die Arme aus und ließ die Goldstücke gegen meine Brust schlagen. Ich erstarrte in diesem Bild.
Wir säuberten die Stadt von Mr. Floth's Gesindel. Die Stadt gehört uns, den Bürgern, nicht ihnen.
Das Liebespaar ritt durch eine große Wiese. Man sah sie von hinten. Das Land war friedlich.
(Orgel)
Zack zack!
(Musik)
Wumm wumm waff bumm zech krenk watsch boing zack!
(Musik).[156]

Hier wie im Falle der ›Zerstörung eines Hörbeispiels‹, in der Wörtlichnahme des ›Aufnahmezustandes‹ bedienen sich die Autoren medienimmanenter Möglichkeiten der Illusionsbrechung (Schnitt und Verschnitt, Collage und Decollage), zielen darüber hinaus auf eine Entideologisierung des Hörspielbegriffs. Beides – Illusionsbrechung und Entideologisierung – soll zu kritischem Konsum anhalten. Daß dies implizit auch als Kritik an Konsumhaltung und Konsumerwartung des Medienbenutzers, an bundesrepublikanischer Medienwirklichkeit zu hören war, machen Ausführungen Wondratscheks anläßlich eines Drucks seiner Hörspiele deutlich.

Die Hörspiele der alten Machart sind mittlerweile ganz im Stile beliebter Verdiarien sonntäglich geworden, rubriziert fast unter „gern gehört, viel verlangt“. Sie erfüllen kaum noch ihre historische Aufgabe. Dagegen müßten sich neuere Arbeiten so entschieden wie möglich, d. h. mit adäquaten Mitteln wehren. Bevor wir durch solche beliebig oft reproduzierbare Konserven um den Verstand musiziert werden, sollten wir kapieren, was destruktiv gegen diesen Apparat sich wirklich gebrauchen läßt. Der einen Entfremdung gerade entronnen, betrügen den Konsumenten die Konserven abends noch einmal über die einfache Erkenntnis, sogar in seiner Freizeit sich unfrei verhalten zu müssen, weil ihn dort eine nächste Entfremdung, die der Medien, empfängt und herunterdressiert. Das heißt, die neueren Arbeiten hätten ebenso an einer neuen Form von Unterhaltung: einer Unterhaltung ohne Aura zu experimentieren.[157]

Diese Ausführungen Wondratscheks liefern neben der inzwischen hinreichend deutlich gewordenen Abwehr der „Hörspiele der alten Machart“ zwei Stichworte, auf die im Umkreis der Hörspielneubesinnung, eines Hörspielneuansatzes Ende der 60er Jahre ebenfalls zu achten ist. Das ist zunächst der Anspruch, eine „neue Form von Unterhaltung“ erproben zu wollen. Hier könnte man ›Paul oder die Zerstörung eines Hörbeispiels‹ ebenso wie ›Zwei Sterne im Pulver‹ als Beispiele nehmen, instruktiv auch deshalb, weil sie in der Zerstörung von Unterhaltung unterhalten.

Das zweite Stichwort lautet: „Unterhaltung ohne Aura“ und verweist auf Walter Benjamins vielzitierten Essay über ›Das Kunstwerk im Zeitalter seiner technischen Reproduzierbarkeit‹. Dort versteht Benjamin unter Aura „die Einzigkeit des Kunstwerks“,[158] „das Hier und Jetzt des Originals“.[159] Im „Zeitalter seiner technischen Reproduzierbarkeit“ verkümmere diese Aura des Kunstwerks. Während in einem Bilde noch „Einmaligkeit und Dauer“ verschränkt seien, seien es in einer Illustrierten, in der Wochenschau lediglich „Flüchtigkeit und Wiederholbarkeit“.[160] „Das reproduzierte Kunstwerk wird in immer steigendem Maße die Reproduktion eines auf Reproduzierbarkeit angelegten Kunstwerkes."[161]

An dieser Stelle seines Essays macht Benjamin die Anmerkung, daß bei „Filmwerken (. . .) die technische Reproduzierbarkeit des Produktes nicht wie zum Beispiel bei den Werken der Literatur oder der Malerei eine von außen her sich einfindende Bedingung ihrer massenhaften Verbreitung" sei. „Die technische Reproduzierbarkeit der Filmwerke" sei vielmehr „unmittelbar in der Technik ihrer Produktion begründet. Diese" ermögliche „nicht nur auf die unmittelbarste Art die massenweise Verbreitung der Filmwerke, sie" erzwinge „sie vielmehr geradezu".[162]

Man kann diese Anmerkung Benjamins relativ leicht auf das Hörspiel ummünzen. Sie würde dann besagen, daß sich bei Hörspielen, die diesen Namen wirklich verdienen, die technische Reproduzierbarkeit nicht wie bei Werken der Literatur (auch Adaptionen) von außen her einfinde, mit anderen Worten, daß ein Hörspiel keine gesendete Literatur sei, sondern daß die technische Reproduzierbarkeit des Hörspiels unmittelbar in der Technik seiner Produktion begründet liege.

Das wären mit anderen Worten die nichtliterarischen Bedingungen des Hörspiels. Und das wäre für die Hörspielentwicklung Ende der 60er Jahre konkret die Technik der Stereophonie, die jetzt konstitutiv wird.

Der Verlust der Aura, ihre Zerschlagung ist für Benjamin aber nichts Bedauernswertes, kein „Verlust der Mitte". Die im Massenzeitalter bereitstehenden Apparate der Reproduktion wälzen vielmehr „die gesamte Funktion der Kunst um": „An die Stelle ihrer Fundierung aufs Ritual tritt ihre Fundierung auf eine andere Praxis: nämlich ihre Fundierung auf Politik."[163]

Es ist auffällig, daß man Ende der 60er Jahre nicht nur auf Versuche stößt, oft sogar in Unkenntnis, technisch und formal an eine Hörspielvielfalt und -breite wieder anzuschließen, die Fritz Walther Bischoff, Hans Flesch, Walter Ruttmann und andere um 1930 dem Hörspiel gewonnen hatten, sondern daß plötzlich auch Gedanken eines Autors fruchtbar werden, der ebenfalls zum Hörspiel der Weimarer Republik beigetragen hatte mit medienkritischen Kinderhörspielen[164], Hörmodellen[165], theoretischen Beiträgen[166]. Daß Benjamins 1936 im Exil erstmals veröffentlichter Essay über ›Das Kunstwerk im Zeitalter seiner technischen Reproduzierbarkeit‹ erst jetzt eigentlich zum Tragen kommt in Ausmaßen und Nuancen der Auswirkung, die noch einer gründlichen Untersuchung harren, zeigt aber auch, wie vergeßlich die mit dem Hörspiel Befaßten waren, wie historisch fahrlässig sie oft gehandelt haben. Denn Benjamins Aufsatz hat einen Vorläufer, der – 1924 zum ersten Mal erschienen – spätestens seit 1950 jedem Interessierten in dem von Hans Bredow edierten Sammelband ›Aus meinem Archiv‹ zugänglich gewesen wäre, Rudolf Leonhards ›Technik und Kunstform‹.[167] Ein kurzes Zitat muß hier seine Bedeutung für Rundfunk- und Hörspielgeschichte andeuten.

Es versteht sich, daß in einem Zeitalter, das man ganz eigentlich als das Zeitalter der Technik bezeichnet hat, die Wirkung der Technik auf die Übermittlung des Kunstgehaltes, auf die Kunstform besonders groß sein wird – mag man sie nun als Wirkung oder als Rückwirkung ansprechen, mag man sie bedauern oder begrüßen. Es versteht sich, daß das 'Zeitalter der Technik' seine eigene Kunst haben wird –, mag es die Art der Wiedergabe und der Aufnahme sein, die von der Technik entscheidend bestimmt wird, mag sie sogar die Möglichkeiten der künstlerischen Produktion vergrößern oder vermehren.[168]

Die „Internationale Hörspieltagung" der Deutschen Akademie der Darstellenden Künste in Verbindung mit dem Hessischen Rundfunk 1968 in Frankfurt ist für die Hörspielgeschichte von ähnlich zentraler Bedeutung wie die Kasseler Arbeitstagung der Preußischen Akademie der Künste und der Reichsrundfunkgesellschaft von 1929, „Dichtung und Rundfunk"[169]. Auf ihr hatte Döblin seine allerdings folgenlosen Thesen zu Dichtung im Rundfunk, speziell zum Hörspiel als einer radioeigenen Mischform vorgetragen.

Der Rundfunk kann zwar nicht die Epik und Dramatik der Literatur übernehmen; aber er muß sich nur wie Antäus auf seinen eigenen Boden zurückbewegen, dann kann er sich Epik und Dramatik auf eigene Weise assimilieren und kann eine spezifische, volkstümliche Rundfunkkunst, eine besonders große, interessante Kunstgattung entwickeln. Es ist mir sicher, daß nur auf eine ganz freie Weise, unter Benutzung lyrischer und epischer Elemente, ja auch essayistischer in Zukunft wirkliche Hörspiele möglich werden, die sich zugleich die anderen Möglichkeiten des Rundfunks, Musik und Geräusche, für ihre Zwecke nutzbar machen.[170]

Richard Kolbs ›Horoskop des Hörspiels‹, das statt dessen hörspielgeschichtlich Schule machte, ging davon aus, daß Rundfunkhören ein für den Hörer je individuelles Erlebnis sei. Daraus leite sich als eine der Hauptaufgaben des Hörspiels ab, „uns mehr die Bewegung im Menschen, als die Menschen in Bewegung zu zeigen".[171] Durch die Intensität inneren Erlebens werde die Erlebnisfähigkeit des Hörers so in Gang gesetzt, daß die Stimmen des Hörspiels „zu Stimmen seines Herzens oder Gewissens" würden. „Die entkörperte Stimme des Hörspielers wird zur Stimme des eigenen Ich."[172]

Das bedeute für den Sprecher, den Hörspieler, äußerste Zurückhaltung seiner Stilmittel. Für den Hörspielautor, daß vor allem „das Immaterielle", „das Überpersönliche, das Seelische im Menschen" zur Darstellung im Hörspiel besonders geeignet, „grob Realistisches" dagegen völlig ungeeignet und dem Wesen des Funks widersprechend sei. Damit erfuhr die von Döblin implizit, von Hermann Pongs sogar ausdrücklich geforderte „Aktualität"[173] des Hörspiels eine für lange Zeit folgenreiche deutliche Abfuhr zugunsten seiner „Verinnerlichung", zugunsten eines illusionären Spiels der Innerlichkeit, wie es dann in den 50er Jahren von vorrangiger Bedeutung wurde. Erst Heißenbüttels Referat auf der Frankfurter Tagung dispensierte das Kolbsche ›Horoskop‹ und seine poetologischen Folgen.

Das Hörspiel ist eine *offene Form*. Die *Hörsensation*, die allein den Hörer vom Fernsehapparat weglocken kann und die, so gesehen, auch das Horoskop des *Hörfunks* bestimmt, wird realisiert von Autoren, Dramaturgen und Regisseuren. Sie sollten sich stets bewußt sein, daß sie machen können, was sie wollen, daß es für das, was sie ausprobieren wollen, keine Grenzen gibt und daß auch die Pole, von denen ich versuchsweise gesprochen habe, nur darauf warten, überschritten zu werden. (...)
Alles ist möglich. Alles ist erlaubt. Das gilt auch für das Hörspiel.[174]

In welchem Maße bereits experimentiert wurde, welche Entwicklungen sich angebahnt hatten, die es jetzt zu verfolgen galt, darüber gaben in Frankfurt mehrere Referate über das Hörspiel des Auslands – in dieser Ausführlicheit zum ersten Mal – wichtige Auskunft.[175]

Wiederholte Hinweise – auch bei Heißenbüttel – auf das Fernsehen orten die immer wiederkehrende Fragestellung Hörspiel und Experiment zugleich in Medienopposition. Die in Referaten und Diskussionen immer wieder zu beobachtende Nachbarschaft der Fragestellungen Hörspiel und Experiment *und* Hörspiel und Stereophonie deuten dabei einen nichtliterarischen Zusammenhang für die Gattungsentwicklung an, der etwas ausführlicher darzustellen ist.

Selbst wo im Grunde anderes zur Diskussion stand, etwa in dem Referat des Frankfurter Hörspielleiters Ulrich Lauterbach zur Frage „Manuskript und Produktion", ist zunächst von einer zweifachen Gefährdung des Hörspiels als „Ausdrucksmittel seelischer Prozesse und gesellschaftlicher Auseinandersetzungen" die Rede,

von außen einerseits, vom Fernsehen, das in den menschlichen Behausungen den Vorrang vor dem Radio gewonnen hat, und von innen andererseits, von einer dem Rundfunk immanenten Entwicklung zur Stereophonie, die von der Technik und der Geräteindustrie als Fortschritt gewertet wird, in der Hörspieldramaturgie aber zu Begrenzungen und Verschiebungen führt, die wir nicht beabsichtigt, nicht gefordert haben, die uns vielmehr aufgezwungen wurden.[176]

Dazu ist zweierlei zu sagen. Sicherlich ist richtig, daß die Geräteindustrie dem Rundfunk Mitte der 60er Jahre die stereophone Technik zur Verfügung gestellt hatte und als technischen Fortschritt proklamierte. Wer das beklagt, übersieht aber, daß es Ende der 20er Jahre unter anderem Hörspielverantwortliche waren, die nachdrücklich die Entwicklung eines „stereophonischen Funks“ gefordert hatten. Zum Beispiel 1929 Hans Bodenstedt, Direktor und Intendant der NORAG, in einigen Überlegungen zum „Spiel im Studio“, zum akustischen „Raum“.

Wenn auch die Phantasie des Hörers immer als eines der wichtigsten raumschaffenden Momente in Rechnung gezogen werden muß, so bleibt doch das Ideal der Sendetechnik, ein räumliches Hören allein durch funkische Mittel zu erreichen. Als ein solches kann die Stereophonie betrachtet werden, die aber in der heute üblichen Form – Verteilung parallelgeschalteter Mikrophone im Senderaum – keineswegs genügt, vielmehr analog der Stereoskopie durch Ausbildung jedes einzelnen Mikrophons als stereophonisches Doppelmikrophon vervollkommnet werden müßte. Wie zwei Augen erst ein plastisches Sehen ermöglichen, so zwei Ohren ein räumliches Hören. Der stereophonische Funk bleibt eine Forderung der Zukunft wie der freilich viel schwieriger durchzuführende stereoskopische Film.[177]

Das zweite, was der Klage Ulrich Lauterbachs anzumerken wäre, betrifft seine Vorstellung des Hörspiels „als Ausdrucksmittel seelischer Prozesse“. Das meint natürlich das Hörspiel Kolbscher Provenienz mit seiner Tendenz zum Monologischen. Für ein solches Hörspiel, das weniger „die Menschen in Bewegung“ als vielmehr „die Bewegung im Menschen“ vorführen sollte, war natürlich ein monauraler Rundfunk, die Technik der Ultrakurzwelle mit ihrer schlackenlosen Umsetzung bedeutenden Sprechens und Schweigens nahezu ideal. Einem solchen Hörspiel, einer solchen Hörspielvorstellung mußte die Mitte der 60er Jahre aufkommende Technik der Stereophonie als Bedrohung gelten. Folgenreich übrigens, wie sich daran zeigen läßt, daß jetzt, wo die neue Technik den Spielraum gleichsam von innen nach außen verlagerte, kaum noch Monolog-Hörspiele in den Spielplänen erscheinen. Pointiert: Eine jetzt immer stärker eingesetzte stereophone Technik machte einem Hörspiel der Innerlichkeit den Garaus. Sie öffnete aber – und das muß man auch sehen – den Blick auf weitere Möglichkeiten des Hörspiels. Rückwärts gewendet hieß das, die Bedeutung hörspieltheoretischer Ansätze neben Kolb, hörspielpraktischer Versuche vor allem der Breslauer, aber auch Berliner

'Dramaturgien' neu einzuschätzen und besser zu verstehen. Vorwärts gerichtet hieß es, dem Hörspiel neue Spielmöglichkeiten zu entwickeln, wobei es vor allem der Sender Freies Berlin und der Saarländische Rundfunk waren, die hier wesentliche Schrittmacherdienste leisteten. Wieweit und wie kontrovers diese Entwicklung innerhalb kurzer Zeit gediehen war, belegen ebenfalls Referat und Diskussion der Frankfurter Hörspieltagung. Hans Joachim Hohberg, Hörspielleiter vom SFB, antwortet dem grundsätzlichen Referat Heinz Hostnigs vom Saarländischen Rundfunk:

Er sei nicht gegen die Suggerierung einer „Theaterszenerie" durch Stereophonie, auch wenn sie „unfreiwillig komisch" wirken sollte. Die dargebotenen Beispiele experimenteller Literatur seien trotz ausdrucksstarker Stellen für ihn über längere Zeit hin eine Strapaze; man könnte nicht solche Experimente 30 oder 60 Minuten lang einem Publikum bieten, das eine Geschichte, eine erkennbare Fabel wünsche. Er wolle keine 'Steriliphonie', nicht mit 'polemischen und zerhackten Sätzen angestottert' werden. Dagegen plädiere er für einen 'erholsamen' Monolog. Durch die Stereophonie bekämen solche Szenen mehr Hintergrund, die Personen mehr Profil, und das genüge.[178]

Dieses Plädoyer für den Monolog war zugleich Rettungsversuch des erprobten traditionellen Hörspiels auf einem technischen Schleichweg. Und genau diesen versagte sich Heinz Hostnig in seinem Referat. Bei der Musterung von damals rund 35 vorliegenden deutschsprachigen Stereo-Hörspielen kommt er zu dem Ergebnis, daß vor allem realistisch abbildende Hörspiele, aber auch Adaptionen von Bühnenstücken für eine stereophone Realisation kaum geeignet sind, da sie das Hörspiel „zum Quasi-Optischen, zum realistischen Schau- bzw. Hörplatz" entfremden. Solange in Hörspielen abgebildet werde, den Spielen auch nur entfernt etwas Theatralisches anhafte, entpuppe die Stereophonie diese Spiele immer auch als „kaschiertes Theater", habe Hörspiel-Komponist Enno Dugend recht, wenn er „von der Stereophonie als einem Lügendetektor" spreche. „Eine Alternative", eine sinnvolle stereophone Praxis zeichne sich dagegen ab, wenn man „experimentelle Literatur in das Hörspielrepertoire" aufnehme.

Unter experimenteller Literatur verstehen wir heute jene Gattungen, die die Sprache selbst zum Gegenstand der Darstellung machen. Wenn die Stereophonie das Theatralische des Hörspiels zu seinem Nachteil betont, dann, meine ich, müßten sich in ihr doch jene vorhandenen literarischen Modelle zum Versuch anbieten, die nichts mehr abschildern wollen, keine Psychologie, keine Figur, keinen Gedankenverlauf, keine Geschichte, keine innere oder äußere Handlung, sondern allein Sprachliches ins Bewußtsein rücken:

Sätze, Wörter, Silben, Laute; Phrasen, Sprichwörter, Sprachfloskeln, Sprechhaltungen. Das Chaos an vorgefundener, vorgeformter Sprache, in spielerische Ordnung gebracht, das heißt mit Absicht filtriert, kombiniert und auf ein bestimmtes Ziel hin komponiert – ist das nicht ebensogut Spiel wie das andere mit Figuren und kombinierten Handlungszügen? Und läßt sich mit derartigen Sprach- und Sprechspielen der stereophonische Hörraum nicht viel besser ausnützen als mit den herkömmlichen Figurenstücken, indem ich zu räumlichen Bewegungsabläufen komme, die in etwa den sprachlichen entsprechen? [179]

Wie ketzerisch im Grunde diese Überlegung war, zeigt die heftig umstrittene Hörspielproduktion der folgenden Jahre, wobei sich zum Saarländischen Rundfunk, nach Übergabe der WDR-Dramaturgie von Friedhelm Ortmann an Paul Schultes 1968, jetzt auch der Westdeutsche Rundfunk, vor allem in seinem III. Programm, gesellte. An Beispielen, wo räumliche Bewegungsabläufe den sprachlichen in etwa entsprechen, kann Hostnig 1968 vor allem auf Wolfgang Weyrauchs ›Ich bin einer, ich bin keiner‹, für das er 1967 den Stereo-Preis der deutschen Rundfunkindustrie zugesprochen bekam, und auf Wolf Wondratscheks erstes Hörspiel aus dem gleichen Jahr, ›Freiheit oder ça ne fait rien‹ Bezug nehmen. Was zugleich zum Ausgangspunkt zurückführt. Daß solche Hörspiele den über lange Jahre eingespielten Hörerwartungen, wie seinerzeit die Erstsendung der Eichschen ›Träume‹,[180] zuwiderliefen, war zu erwarten. Doch glaubte Hostnig dagegensetzen zu können,

daß es nicht nur die Aufgabe elitärer Studio- und Nachtprogramme sein kann, das Publikum über experimentelle Literatur und ihre Kriterien zu unterrichten. Auch das Hörspielpublikum darf den Anspruch erheben, mit modernen literarischen Formen konfrontiert zu werden. Denn wo anders als im Hörspiel läßt sich ein Sprachkunstwerk realisieren, das weder an das psychische noch an das innere Auge appelliert, sondern allein an das Ohr.[181]

Im größeren historischen Zusammenhang rücken – ließe sich ein wenig verkürzen – um 1967/68 eigentlich nur zwei hörspielgeschichtlich vorbereitete Positionen zusammen. Die Position des immer wieder vor allem von Hans Flesch und Fritz Walther Bischoff geforderten Rundfunk-Eigenkunstwerks, wie es in einigen Hörfolgen und -filmen der frühen 30er Jahre der Art ›Hallo! Hier Welle Erdball!!‹ [182] oder ›Weekend‹ [183] erprobt wurde, und die technische Position der von Intendant Hans Bodenstedt und anderen geforderten Stereophonie. Es ist mehr als Gedankenspiel, sich ›Weekend‹ z. B. in einer stereophonen Neuinszenierung vorzustellen. Nur sie könnte zum Beispiel den historischen Abstand ohrenfällig machen, der natürlich zwischen den Experimenten um 1930 und einer Hörspielneubesinnung und -bestimmung Ende der 60er Jahre auch besteht. Und es ist dennoch müßiges Gedankenspiel, denn der Hörer von Wolfgang Weyrauchs ›Ich bin einer, ich bin keiner‹, von Wolf Wondratscheks ›Freiheit oder ça ne fait rien‹, ›Zufälle‹[184] oder ›Paul oder die Zerstörung eines Hörbeispiels‹ war auf das Hören solcher Spiele nicht vorbereitet. Das mußte erst geschehen, indem man ihm zum Beispiel die „Illusion" nahm, „nun läuft hier eine Geschichte ab, hier ist nun einer unterwegs, der fährt nun und denkt nun", indem man ihm statt dessen fortwährend zeigte: „Hörer, Du sitzt hier vor dem Lautsprecher, vor dem Rundfunk, der Rundfunk bietet Dir das, der Rundfunk macht es so und so."[185]

Daß dies Autor und Regisseur im Falle von ›Paul oder die Zerstörung eines Hörbeispiels‹ weitgehend gelungen ist, davon spricht die eingangs zitierte Begründung der Jury für den Hörspielpreis der Kriegsblinden, wenn sie – irrigerweise allerdings nur dem Autor – bescheinigt, er mache „es den Hörern leicht, die geläufigen Hörgewohnheiten zu verlassen und eine neue Hörfähigkeit zu entwickeln". Daß es damit nicht getan war, sondern eines weiteren Bemühens um den Hörer bedurfte, davon berichtet Frank Göhres Diskussion mit einer Gruppe junger Gewerkschafter, Jahre später, über dieses Hörspiel, die der WDR 1975 in der Reihe ›Was haben wir gehört?‹ sendete.[186] Daß es damit nicht getan war, darüber waren sich Ende der 60er Jahre vor allem aber die Verfechter einer Hörspielneubesinnung im klaren. Davon spricht nicht zuletzt eine Aufgabe, die Hostnig in dem schon erwähnten Gespräch zwischen Autor, Regisseur und Dramaturg anläßlich der Erstsendung von ›Paul oder die Zerstörung eines Hörbeispiels‹ dem Rundfunk stellt:

Es ist die Aufgabe des Funks, jetzt dem Hörer dieses neue Hören plausibel zu machen. Wahrscheinlich wird es gut sein, immer wieder Einführungen in die einzelnen Hörspiele zu geben oder nachher zu diskutieren, wie wir es jetzt machen, um die Hörer allmählich neuen Hörgewohnheiten zuzuführen. Ich glaube, der Rundfunk ist ja immer derjenige, der die Gewohnheiten schafft, die er nachher befriedigt.[187]

4. VON DER KLANGDICHTUNG ZUM SCHALLSPIEL[188]

Mary: Jack! Jack, was ist denn geschehen?
Jack: Die Lampen sind ausgegangen.[189]

1. Stimme: Verdammt, jetzt ist das Licht ausgegangen.[190]

Während 1924 die europäische Hörspielgeschichte mit zunächst einer Flut von Sensations- und Katastrophenhörspielen derart im Dunkeln begann, veröffentlichte Kurt Schwitters in Hans Richters ›Zeitschrift für elementare Gestaltung‹ seine radikalen Thesen für eine „Konsequente Dichtung". „Klangdichtung", lesen wir dort, sei nur dann „konsequent, wenn sie gleichzeitig beim künstlerischen Vortrag" entstehe „und nicht geschrieben" werde. Dabei sei es „gleichgültig, ob" das „Material Dichtung ist oder nicht". Man könne „das Alphabet" durchaus „so vortragen, daß das Resultat Kunstwerk" werde.

Da „nicht das Wort (...), sondern der Buchstabe" das ursprüngliche „Material der Dichtung" sei, sei „konsequente Dichtung (...) aus Buchstaben gebaut. Buchstaben haben keinen Begriff, Buchstaben haben an sich keinen Klang, sie geben nur Möglichkeiten zum Klanglichen gewertet (zu, R. D.) werden durch den Vortragenden. Das konsequente Gedicht wertet Buchstaben und Buchstabengruppen gegeneinander".[191]

Und während Richard Kolb 1932 sein geschichtlich folgenreiches ›Horoskop des Hörspiels‹ stellte, dem Hörspiel „das Immaterielle, das Überpersönliche, das Seelische" anempfahl und den Hörspielautor beauftragte, „uns mehr die Bewegung im Menschen als die Menschen in Bewegung zu zeigen",[192] wurde im Stuttgarter Sender eine Lesung von Kurt Schwitters aufgezeichnet[193], die neben dem bekannteren Gedicht ›An Anna Blume‹ auch einen Ausschnitt der ›Sonate in Urlauten‹ umfaßte und damit ein exemplarisches Beispiel jener „konsequenten Dichtung", die er 1924 gefordert hatte.

Berührt diese Schwitters-Lesung die Hörspielgeschichte zunächst nur am Rande, aus dem historischen Abstand und in der Einschätzung des Rundfunks als akustischen Verlegers[194] ist sie ein Grenzfall, ist spätestens mit der ›Sonate in Urlauten‹ eine Annäherung gegeben zwischen einer auf merkwürdige Weise außerhalb und unabhängig vom Rundfunk entwickelten akustischen oder Lautpoesie und spezifischen Möglichkeiten akustischen Spiels, an die z. B. Hans Flesch theoretisch gedacht, die Walter Ruttmann aus der Erfahrung des Filmemachers 1930 mit der Tonmontage ›Weekend‹ praktisch erprobt hatte.

Man hat bisher die Geschichte der akustischen oder Lautpoesie als einer Alternative zur visuellen Poesie zumeist ohne besondere Berücksichtigung ihrer Medien zu schreiben versucht und dabei zu wenig die Rolle beachtet, die bei ihrer Entwicklung der Schallplatte, dem Tonband und – in Grenzen – dem Rundfunk zukommt.[195] Auf der anderen Seite hat der Rundfunk bis heute merkwürdigerweise an der Entwicklung dieser Literatur wenig praktisches Interesse gezeigt, sich seiner Aufgabe der Aufbereitung im Studio, der Bereitstellung zur öffentlichen Diskussion lange entzogen. Sein Interesse war, falls überhaupt vorhanden, eher zufällig und ähnlich kurzfristig, bald sogar abwehrend, wie im Falle der konkreten, der elektronischen Musik, deren Emanzipation weitgehend außerhalb der Funkhäuser stattfand, obwohl die ursprüngliche Entwicklung direkt an den Rundfunk gebunden war. So wurde 1953 elektronische Musik in einem eigens dafür vom Westdeutschen Rundfunk in Zusammenarbeit mit dem Bonner Universitätsinstitut für Phonetik und Kommunikationsforschung eingerichteten Studio erprobt, ohne zunächst daran zu denken, „eine neuartige, rundfunkeigene kompositorische Kunst ins Leben zu rufen. Man gab sich nur mit der Erzeugung und Montage besonderer Effekte für Wortsendungen ab, die außerhalb des Bereiches der traditionellen Instrumente und Aufnahmetechniken lagen."[196]

Was dies dennoch hörspielgeschichtlich bedeutete, kann ein kleiner Vergleich andeuten. Bertolt Brechts auf den Baden-Badener Musikfestspielen 1929 erstaufgeführter ›Lindberghflug‹ versuchte in einem Wechselspiel von Text und den Musiken von Paul Hindemith und Kurt Weill auch eine Lösung dessen, was man damals im Bemühen um eine rundfunkeigene Kunst „Hörspiel mit Musik" nannte. Blieben aber in seinem Fall, selbst bei stärkerem Musikeinsatz, die Stimmen z. B. des Nebels, des Schneesturms, des Schlafs immer noch verständlich, kamen jetzt bei einer das gleiche Thema behandelnden Hörfolge ›Gegen den Dezembersturm‹ elektronische Klänge ins Spiel, wurden „menschliche Stimmen mit Hilfe eines elektronischen 'Verzerrers'" derart verändert, „daß sie aus dem Telefonhörer zu kommen schienen", um „sie dann mit Sinustönen zu modulieren". Daß dabei „der Sinn der Worte (. . .) zwangsweise verloren" ging, wurde in Kauf genommen, da der Hörer noch hinreichend erkannte, „daß es sich um ein sprechendes Organ handelte, um das Organ hinter dem Rücken des Fliegers auftauchender und wieder verschwindender Phantome".[197]

Einen Schritt weiter belegte das 1954 im Mailänder „Studio di Fonologia Musicale" entstandene, retrospektiv Luigi Russolos ›Risveglio di una Città‹ von 1913 durchaus vergleichbare radiophone Bild der Stadt Mailand, ›Ritratto di Città‹, in welchem Maße konkrete und elektronische Geräusche und Klänge mit Worten eine fruchtbare Verbindung eingehen können:

Elektronische Komplexe, aus dem Leben kopierte Alltagsgeräusche in denaturierter Form, Filterklänge und der Text des Sprechers mischten sich zu einer eigenartigen und immer noch eindrucksvollen Reportage, die oftmals die lyrische Qualität wirklicher Dichtung erreicht.[198]

Die Vorgeschichte einer solchen „Radiophonie" (Prieberg verwendet den Begriff ohne Nachweis) reicht bis in eine noch radiolose Zeit zurück und könnte 1918 mit einem kleinen Essay Guillaume Apollinaires, ›L'Esprit nouveau et les Poètes‹, beginnen, einem überarbeiteten Vortrag, den man auch als „Testament" Apollinaires verstanden hat. Diese frühe Spur wäre einmal der Prospekt einer ästhetischen Entwicklung zur Synthese der Künste.[199] Diese frühe Spur wäre zweitens die Einsicht, daß künstlerische Produktion in einem zunehmenden Maße in Konkurrenz zu den Medien «cinéma» und «phonographe» treten werde.

Es wäre sonderbar gewesen, wenn die Dichter in einer Zeit, da die Volkskunst schlechthin, das Kino, ein Bilderbuch ist, nicht versucht hätten, für die nachdenklicheren und feineren Geister, die sich keineswegs mit den groben Vorstellungen der Filmproduzenten zufriedengeben, Bilder zu komponieren. Jene Vorstellungen werden sich verfeinern, und schon kann man den Tag voraussehen, an dem die Dichter, da Phonograph und Kino die einzigen gebräuchlichen Ausdrucksformen geworden sind, eine bislang unbekannte Freiheit genießen werden. Man wundere sich daher nicht, wenn sie sich, mit den einzigen Mitteln, über die sie noch verfügen, auf diese neue Kunst vorzubereiten suchen, die viel umfassender ist als die einfache Kunst der Worte und bei der sie als Dirigenten eines Orchesters von unerhörter Spannweite die ganze Welt, ihre Geräusch- und Erscheinungsformen, das Denken und die Sprache des Menschen, den Gesang, den Tanz, alle Künste und alle Künstlichkeiten und mehr Spiegelungen, als die Fee Morgana auf dem Berge Dschebel hervorzuzaubern wußte, zu ihrer Verfügung haben werden, um das sichtbare und hörbare Buch der Zukunft zu erschaffen.[200]

Eine zweite wichtige Spur, die sich vor diesem Hintergrund seit spätestens den italienischen Futuristen, den Züricher Dadaisten verfolgen läßt und in der ›Sonate in Urlauten‹ ihren ersten Höhepunkt erfährt, ist die Geschichte des Lautgedichtes, der akustischen Poesie. Sie entwickelte sich aus einer Opposition zur traditionellen Lyrik mit ihren Formen und Inhalten, in einer radikalen Reduktion auf das Alphabet als ein Ensemble von Lautzeichen und akustischen Bausteinen. Dichtung, sagt Raoul Hausmann, sei „gewollte Auflösung geworden" und bediene sich „der Buchstaben des Alphabets, dem letzten Phänomen rein menschlicher Klangform". Doch sei das nicht destruktiv, als „haltloses Gestammel anarchistischer Ungehemmtheit" zu verstehen, vielmehr handele es sich bei den Lautgedichten

> sehr oft um Wortballungen, die aus der Epimneme verschiedener Sprachen ins Bewußtsein steigen. Wenn wir die vielfachen Möglichkeiten, die uns unsere Stimme bietet, aufzeichnen, die Unterschiede der Klänge, die wir unter Anwendung der zahlreichen Techniken der Atmung hervorbringen, der Stellung der Zunge im Gaumen, der Öffnung des Kehlkopfes oder der Spannung der Stimmbänder, kommen wir zu neuen Anschauungen dessen, was man Wille zur schöpferischen Klangform nennen kann.[201]

Während der den Dadaismus ablösende Surrealismus in Frankreich andere Tendenzen der Kunst- und Literaturrevolution aufgriff und fortentwickelte, schien die Entwicklung der akustischen Poesie zeitweise zu stagnieren, glaubte man sogar schon ihr Ende gekommen. Da griff Isidor Isou 1945 noch einmal den Gedanken einer «évolution du matériel poétique» auf und radikalisierte zugleich den dadaistischen Ansatz, indem er einerseits erklärte, „die Zentralidee des Lettrismus" gehe „davon aus, daß es im Geiste nichts" gebe, „was nicht Buchstabe ist oder Buchstabe werden kann",[202] und entsprechend andererseits das traditionelle Alphabet um neunzehn neue Buchstaben wie Einatmen, Ausatmen, Lispeln, Röcheln, Grunzen, Seufzen, Schnarchen, Rülpsen, Husten, Niesen, Küssen, Pfeifen usw. vermehrte.[203]

Eine dritte komplexe Spur findet sich in der Nachfolge Apollinaires, 1928 in dem zu Unrecht vergessenen „Poetismus" Karel Teiges, und zwar im Entwurf einer „Radiopoesie" innerhalb des Versuchs einer auf die Sinne bezogenen Neuklassifizierung der Dichtung. Für Teige ergeben sich dabei als neue Kategorien eine „Poesie fürs Sehen", eine „Poesie fürs Hören", Poesien „fürs Riechen", „für den Geschmack", „für den Tastsinn", eine „Poesie der intersensoriellen Äquivalenzen", „der körperlichen und räumlichen Sinne" und schließlich eine „Poesie des Sinns fürs Komische". Die hier ausschließlich interessierende „Poesie fürs Hören" umfaßt nach Teige als Untergattungen die „Lärmmusik", den „Jazz" und die „Radiogenie", für die er auch die Bezeichnungen „Radiotelephonie", „radiogene Poesie" oder „Radiopoesie" verwendet.

Das Gehör, dieser zweite de facto und de jure ästhetisch anerkannte Sinn weist in der zeitgenössischen Psyche ein viel schwächeres Potential auf als die übrigen sogenannten außerästhetischen Sinne wie der Tastsinn, Geruchssinn u. a. Man kann jedoch erwarten, daß er unter dem Einfluß der *Radiothelephonie* rehabilitiert wird. Der heutige Rundfunk ist allerdings in dem Stadium, in dem bis unlängst der Film war: er ist reproduktiv, dolmetschend. Aber uns geht es darum, uns der Radiotelephonie als eines produktiven Elements zu bemächtigen. Wie man mit dem Film Gedichte realisieren kann, die aus Licht- und Bewegungsgeschehen komponiert sind, so schafft man eine *radiogene Poesie* als neue Kunst von Tönen und Geräuschen, die gleichermaßen von der Literatur, Rezitation entfernt ist wie von der Musik. (. . .) Der Poetismus erfindet eine neue radiogene Poesie (. . .), deren Auditorium der Weltraum und deren Publikum die internationalen Massen sind. Die Radiopoesie, auditiv, raumfrei, hat breite lebendige Möglichkeiten. Die bisher realisierten radiophonischen Dramen sind auditives Theater ungefähr so, wie viele Filme optisch verdolmetschtes Theater sind. So wie die reine Kinographie und photogene Poesie, so müssen auch die radiophonischen und radiogenen Gedichte nur mit elementaren Mitteln arbeiten (dort mit Licht und Bewegung, hier mit Ton und Lärm) und sich von der literarischen und theatralischen Eigenschaft lösen. Die radiogene Poesie als Komposition von Klang und Geräusch, in der Wirklichkeit aufgezeichnet, aber zu einer dichterischen Synthese verwoben, hat nichts gemeinsam mit der Musik oder der Rezitation, oder mit der Literatur oder auch mit der Verlaineschen Wortklangmalerei. Es ist ebenfalls eine Poesie ohne Worte und keine literarische Kunst. Zur Musik steht sie dann im selben Verhältnis wie der Film zur Malerei. Das erste Radioszenarium *Mobilisation*, das Nezval komponiert hat, zeigt konkret die Möglichkeiten einer solchen radiophonen Poesie.[204]

Wie richtig Teige hier vorausüberlegt hatte, wird schnell einsichtig, wenn man seine Definition der „Radiopoesie" als „Komposition von Klang und Geräusch, in der Wirklichkeit aufgezeichnet, aber zu einer dichterischen Synthese verwoben", mit der Formulierung vergleicht, die Prieberg seiner Beschreibung des Mailänder Experiments ›Ritratto di Città‹ gibt: „Elektronische Komplexe, aus dem Leben kopierte Alltagsgeräusche in denaturierter Form, Filterklänge und der Text des Sprechers mischten sich zu einer eigenartigen (. . .) Reportage, die oftmals die lyrische Qualität wirklicher Dichtung erreichte."[205]

Die dabei für Teige nicht voraussehbaren „elektronischen Komplexe" und „Filterklänge" führen zugleich auf eine vierte Spur, die wir ebenfalls 1928, auf der Programmausschußsitzung der deutschen Rundfunkgesellschaften in Wiesbaden aufnehmen können. Auf dieser

Sitzung referierte der Frankfurter Intendant Hans Flesch zur Frage der „Rundfunkmusik“ und ließ sich dabei auf ein Gedankenspiel über künftige Rundfunkkunst ein, in dem er als Möglichkeit beschrieb,

> daß neben der Vermittlertätigkeit des Rundfunks auch ein eigener Kunstausdruck im musikalischen Sinne zustande kommt. Wir können uns heute noch keinen Begriff machen, wie diese noch ungeborene Schöpfung aussehen kann. Vielleicht ist der Ausdruck 'Musik' dafür gar nicht richtig. Vielleicht wird einmal aus der Eigenart der elektrischen Schwingungen, aus ihrem Umwandlungsprozeß in akustische Wellen etwas Neues geschaffen, das wohl mit Tönen, aber nichts mit Musik zu tun hat; ebenso wie wir davon überzeugt sind, daß das Hörspiel weder Theaterstück, noch Novelle, noch Epos, noch Lyrik sein wird.[206]

Auf weitergehende Spekulationen mochte Flesch sich allerdings nicht einlassen. Statt ihrer forderte er, „schöpferische Kräfte“ enger an den Rundfunk zu binden, „ihnen einen Anreiz“ zu bieten, „sich mit unserem Instrument zu befassen und zu versuchen, ihre Produktivität mit den seltsamen Möglichkeiten elektrischer Wellenumwandlung künstlerisch in Einklang zu bringen“.[207] Fleschs Forderungen, die in ihrer Konsequenz auf die Entwicklung einer elektronischen Musik zielten, ließen sich in dieser Form noch nicht einlösen, müssen aber in Erinnerung gebracht werden in einem gedanklichen Umfeld, in dem schon zwei Jahre zuvor auf dem Kammermusikfest in Donaueschingen vorgeschlagen wurde, Schallplatten nicht ausschließlich zur Wiedergabe, sondern als Mittel zur Produktion von Musik zu benutzen, ein Vorschlag, der seit 1928 in der Rundfunkversuchsstelle der Berliner Musikhochschule praktisch angenommen wurde.

Um 1930 – und damit können wir eine fünfte und letzte Spur aufnehmen, die zur konkreten Musik führen wird – experimentierten Paul Hindemith und Ernst Toch mit instrumental verwendeten Grammophonen, indem sie durch 'falsche' Geschwindigkeiten Tonhöhe und Klangbild veränderten und aus solchen mechanischen Manipulationen und Überblendungen Kompositionen entwickelten, so Toch eine vierstimmige ›Fuge aus der Geographie‹, für die er „vier Stimmen verschiedene Städtenamen in wechselndem Rhythmus sprechen ließ und auf Platte schnitt, dann die Drehgeschwindigkeit variierte, so daß sich die Sprache in einen seltsamen orchestralen Singsang verwandelte“.[208]

Sicherlich in Unkenntnis dieser und anderer Experimente, aber zunächst durchaus vergleichbar, begann 1942 Pierre Schaeffer, der

Vater der konkreten Musik, mit Schallplatten des Archivs des Pariser Rundfunks zu spielen. Allerdings bot ihm eine verbesserte Technik in Verbindung mit den Bearbeitungsmöglichkeiten des Tonbands (Schnitt und Montage) bald ganz andere Möglichkeiten, vorgefundene Geräusche zu denaturieren, um dann mit diesen denaturierten Geräuschen und Klängen zu komponieren. Zwei seiner frühen Kompositionen seien hervorgehoben: die ›Etüde über Plattenteller‹ (Étude aux tourniquets), die schon durch ihren Titel auf die Versuche Hindemiths und Tochs zurückverweist, und die ›Etüde über Eisenbahn‹ (Étude aux chemin de fer), auf die sich konkrete Poeten nicht nur des akustischen Lagers immer wieder einmal berufen.[209] Dieser ›Étude aux chemin de fer‹ gingen Aufnahmen von Eisenbahngeräuschen auf dem Bahnhof von Batignolles voraus, deren Komposition ein Tagebucheintrag vom 5. Mai 1948 folgendermaßen beschreibt:

Acht Takte Anfahren. Accelerando für Solo-Lokomotive, dann Tutti der Waggons. Rhythmen. Es sind sehr schöne dabei. Ich habe eine bestimmte Zahl Leitmotive ausgewählt, die kettengleich montiert werden müssen, im Kontrapunkt. Dann Langsamwerden und Stoppen. Kadenz der Kolbenstöße. Da capo und Reprise der vorangegangenen Elemente, sehr heftig. Crescendo.[210]

Ein halbes Jahr später sendet der französische Rundfunk ein erstes kurzes, aus drei Etüden bestehendes ›Concert des bruits‹, hörspielgeschichtlich bedeutend wegen seiner Plazierung innerhalb des „Club d'Essai", einer Fortsetzung des „Studio d'Essai" der Radiodiffusion Française, das Schaeffer 1942 gegründet hatte. Leiter dieses „Club d'Essai" war damals Jean Tardieu, der allerdings weniger in dieser Eigenschaft als vielmehr als Autor kurzer Theaterstücke und Hörspiele, als Erfinder des Professor Froeppel[211] bekannt wurde. 1965 nach den „Zielen und Arbeitsmethoden" des „Club d'Essai" befragt, antwortete Tardieu:

Der „Club d'Essai" wurde nach dem Kriege gegründet und setzte die Arbeiten Schaeffers fort. Ich glaube, man muß Schaeffer dafür danken, daß er als erster in Frankreich neue radiophonische Formen zu erarbeiten suchte. Bevor ich bei der O. R. T. F. eintrat, gab es dort schon Freunde von mir wie Queneau (. . .), die mich baten, etwas für den Rundfunk zu schreiben. Der erste Club d'Essai war nur experimentell, während der zweite ein richtiges Radioprogramm wurde. Ich glaube, das wichtigste war, in allen möglichen Richtungen zu suchen und sich vor allem an junge Leute zu wenden und ihnen dabei alle möglichen Freiheiten zu lassen.[212]

Durch die Aufführung des ›Concert des bruits‹ am 5. Oktober 1948 innerhalb des Programms des „Club d'Essai" erreichte die konkrete Musik nach ihrer ersten Experimentierphase eine breitere Öffentlichkeit. Es ist bei der rundfunk- und hörspielgeschichtlichen Bedeutung dieser Aufführung bedauerlich, daß über die Reaktion der Hörer nur wenig bekannt wurde. Schaeffer selbst berichtet von einem Dutzend „freundschaftlicher und aufgeklärter" Hörerbriefe, deren einem zu entnehmen ist, man habe geglaubt, „eine großartige balinesische Musik" zu hören, eine „Musik, von der man sich vorstellen" könne, „daß sie im Innern des Atoms herrscht, ultrasonische Musik, die vielleicht durch die Bewegung der Planeten entsteht", eine „Musik, die Poe, Lautréamont und Raymond Roussel bei sich vernahmen".[213] Mit Recht ist darauf hingewiesen worden, daß sich hier eine „heimliche Neigung zum Surrealismus, zum Wunderbaren und Geheimnisvoll-Erregenden" enthülle, daß der Autor des „Abnormen und Grotesk-Phantastischen", Raymond Roussel, als „berühmter Neurosefall starb" und der 24jährig verstorbene Comte de Lautréamont den Surrealismus „anregte und vorbereitete",[214] dem auch der Autor Tardieu zeitweilig Tribut zollte.

Dem Surrealismus zentral verpflichtet ist das erste von zwei Hörspielen aus dem Umkreis des „Club d'Essai", die auch deutsche Rundfunkhörer, allerdings mit beachtlicher Verspätung, zur Kenntnis nehmen durften: André Almuros ›Nadja Etoilée‹ (1949) nach André Breton. Für seine Adaption hatte Almuro, den ein Nachschlagewerk als „Exponenten des Surrealismus im radiophonischen Bereich"[215] charakterisiert, zusammen mit dem Regisseur Jean-Jacques Vierne ein auf „Schock" und „klangliche Bezauberung" angelegtes „akustisches Ballett" (Friedhelm Kemp), ein „Klanggebilde" erarbeitet, „das die 'konvulsivische Schönheit', auf die Breton zielte, in der schizoiden Welt Nadjas nicht einfach illustrierte, sondern, in der Geräusch-Montage übersetzt, klanglich überhaupt erst schuf".[216] Neben Bretons/ Almuros ›Nadja Etoilée‹, von der unter Verwendung der originalen Musik- und Geräuschbänder 1959 auch eine deutsche Version hergestellt wurde,[217] ist erst Jahre später ein weiteres Hörspiel aus dem „Club d'Essai", Robert Arnauts ›Balcon sur le rêve: le western‹[218], für das Pierre Schaeffer Sprache, Musik und Geräusche arrangierte, wenigstens den Hörern des Saarländischen[219] und des Norddeutschen Rundfunks[220] in der Originalfassung vorgestellt worden. Wirkungsgeschichtlich in Saarbrücken noch zu früh, in Hamburg – auf dem Höhepunkt des Neuen Hörspiels – bereits zu spät, so daß weder diese beiden Hörspiele noch andere Experimente des „Club d'Essai", über die der Rundfunk immerhin berichtete,[221] in der westdeutschen Hörspiellandschaft direkte Spuren hinterlassen haben.

Auf eine indirekte Spur verweist dagegen der ›Hörspielführer‹, wenn er die „Arbeit" Almuros „etwa mit derjenigen Paul Pörtners" vergleicht, was allerdings keinesfalls intentional, allenfalls formal möglich ist, da viele Arbeiten Pörtners ebenfalls „nicht mit Buchstaben, sondern nur elektronisch aufgezeichnet werden"[222] können. Auf jeden Fall hat Pörtner, der etwa gleichzeitig mit neuen Spielmöglichkeiten des Theaters experimentierte, seine wichtigsten Hörspielanregungen im „Club d'Essai" erhalten, um sie dann auf sehr eigene Weise umzusetzen. In einem bisher unveröffentlichten Gespräch beschrieb er die Eindrücke, die er bei einem Besuch in der Rue de l'Université 37 empfing:

Ich kam damals über die Literatur, das Übersetzen, zu Tardieu. Ich hab' Dokumentationen gemacht. Dada, Expressionismus, kam über Surrealismus zum Lettrismus, also zu den damals in Paris aktuellen, „poetisch experimentellen Bewegungen". Und die versammelten sich im „Club d'Essai". Ich bin zufällig dahineingeraten, wollte Tardieu aufsuchen, der damals Leiter des „Club d'Essai" war. Rue de l'Université 37, ein schöner alter Bürgerpalais, wenn man reinkam, hallte es aus allen Räumen, Versuche mit Geräuschmusik. Damals hatte der Lettrismus dem Buchstabenalphabet ein phonetisches Sprechregister hinzugefügt mit 52 neuen Zeichen: das ganze Mundgeschehen, Räuspern, Schmatzen, Schnalzen, Röcheln, Brummen, Ziepen, die Ähäms und ah/ms – alle diese Geräusche der Stimme, die sich ins Reden einschieben, nicht nur Pausen füllen, nicht nur Verlegenheit und Nachdruck markieren, sondern die vielfältigsten Bedeutungen haben können.
Ich fand in diesen unterschiedlichen Ansätzen – bei Tardieu und bei den Lettristen – einen wichtigen Hinweis auf die unterschiedliche Bedeutung von Sprech- und Schreibsprache, auf die Ausdrucksweisen der menschlichen Stimme, die über diese wortlosen geräuschhaften Äußerungen viel mehr transportiert, als man gemeinhin annimmt, wenn man vom Schreiben ausgeht. Also lenkte ich meine Aufmerksamkeit auf die akustische Qualität von Sprache, kam damit – auch über die musique concrète – die ja auch im „Club d'Essai" entwickelt wurde, zu einer ersten Beschäftigung mit dem Medium Radio.[223]

Diese Erinnerung Pörtners illustriert recht anschaulich, in welchem Umfang eigentlich fast alle bisher genannten Spuren nach 1945 im „Club d'Essai" zusammenlaufen. Während im deutschen Rundfunk ein sogenanntes Hörspiel der Innerlichkeit, die Hörspielvorstellung vom literarischen als dem eigentlichen Hörspiel (Heinz Schwitzke) bedeutende Hörspielansätze der Nachkriegszeit zurückdrängen,[224] werden im „Club d'Essai" experimentelle Traditionen fruchtbar gemacht, treten bisher getrennte Tendenzen einer akustischen Literatur, der Geräusch- und Klangkompositionen, technisch erzeugter Musik zu Rundfunkeigenkunstwerken zusammen. Daß dieser Schritt nicht frei von Unsicherheiten war, läßt sich leicht mit den vielfachen surrealistischen Elementen belegen, mit denen er durchsetzt wurde. Doch war in der Nachkriegszeit eine Verbindung von technischem Element und surrealistischer Gedankenwelt naheliegender, als der heutige Abstand vermuten läßt, war Max Bense 1949 sogar von einem ursächlichen Zusammenhang überzeugt:

Die Technik erzeugt eine surreale Welt und die surreale Welt kann nur in der verfeinerten Sprache einer Surrationalität ausgesprochen werden. In jedem Falle ist die Kunst, die etwas, irgend etwas von dieser Technik berichtet, eine Kunst, die teilhat in ihr, die ein Element von ihr ist, die nicht portraitiert, sondern instrumentiert, also doch wohl eine surrealistische Kunst.[225]

Innerhalb der Arbeit des „Club d'Essai" von besonderer Bedeutung wurde die Annäherung von konkreter Musik und lettristischer Sprachbehandlung in Pierre Schaeffers/Pierre Henrys ›Symphonie für einen einsamen Menschen‹ (Symphonie pour un homme seul, 1950) in ihrer Verbindung von musikalischen – ein mit Hilfe eines präparierten Klaviers erstelltes Element wird bezeichnenderweise „Cage" genannt – und Sprechelementen. Von „sinngelöstem und lediglich phonetisch aufgefaßtem Sprachgeräusch", von einem „an das neue Alphabet der Lettristen" angelehnten „Schallmaterial"[226] spricht Prieberg, während Schaeffer selbst pointiert:

Der Mensch ist ein Instrument, auf dem man nicht genug spielt. Es handelt sich doch nicht mehr um Worte, pfui! Es handelt sich um eine Musik des Menschen. Ein Mensch singt, potztausend, er schreit, das ist besser: er pfeift, er pustet in die Hände, und zwar so: ffft! Er stampft mit den Füßen, schlägt auf seine Brust, kann selbst den Kopf gegen die Mauer schmettern (. . .).[227]

Besonders das „neue Alphabet der Lettristen", die durch seinen erweiterten Umfang gewonnenen kompositorisch-artikulatorischen Möglichkeiten haben Pörtner zusammen mit den im „Club d'Essai" auch erfahrenen geräuschkompositorischen Möglichkeiten in einer Entwicklung bestätigt, die ihn vom geschriebenen Wort weg zur gesprochenen Sprache führte, der er mit seinen Theaterimprovisationen bereits auf der Spur war. So blieb für ihn die Begegnung mit dem Lettrismus nicht nur Begegnung mit einem neuen, erweiterten Alphabet, sie führte ihn gleichsam zu einem Sprachwechsel, von den Festlegungen, den Fixierungen der geschriebenen zur gesprochenen Sprache, „vom Lesen zum Hören, von der abstrakten Vermittlung der Buchkultur zur konkreten Unmittelbarkeit des Sprechens".

In den Veranstaltungen der Lettristen – in den 50er Jahren – traten die 'sonoren Poeten' meist in Gruppen auf und trugen ihre Sprechgedichte mit chorischen oder geräuschhaften Begleitungen vor. Die Aufzeichnungen dieser unmittelbaren Produktionen im Studio des „Club d'Essai“ gaben der Mikrophontechnik und der Bandaufzeichnung eine neue Bedeutung: die Hervorbringungen der menschlichen Stimmen werden als akustische Phänomene verfügbar für eine weitere Bearbeitung, die unter dem Aspekt der musique concrète zu einem konkreten Hörspiel oder einer akustischen Poesie führt. So erklärt sich auch die enge Zusammenarbeit von Musikern und Dichtern des Hauses, z. B. zwischen Pierre Henry[228] und Francois Dufrêne (›B 47‹ z. B.). Für mich jedenfalls war diese Möglichkeit einer Arbeit, die zugleich die spontane und direkte Kunst des Sprechens und der Stimmgebärden wie auch die Technik der Aufzeichnung und der musikalischen Bearbeitung durch Schnitt und Überblendung umfaßt, damals etwas Neues und attraktiv, sozusagen eine Form, um Theaterarbeit und Schreibarbeit zu verbinden in einem anderen Medium.[229]

Eine Konsequenz, die Paul Pörtner aus diesen Erfahrungen zog, waren Hörspielexperimente, denen er den Namen „Schallspiele“ gab. Da von ihnen im folgenden ausschließlich die Rede sein wird, sie andererseits nur einen kleinen Teil der zahlreichen Rundfunkarbeiten Pörtners darstellen, ist ein kurzer Überblick angebracht. Pörtner hat bei seinen bis heute über 50 Rundfunkarbeiten auch relativ konventionelle Hörspiele/Theaterstücke (die Grenzen sind hier fließend) geschrieben, vor allem in den 60er Jahren ›Die Sprechstunde‹[230], ›Mensch Meier‹[231] und ›Was sagen Sie zu Erwin Mauss?‹[232], von denen er sich aber relativ früh löste. Bereits 1969 schrieb er sich als einer der ersten mit ›Treffpunkte‹[233] in die Geschichte des Originalton-Hörspiels ein, um sich 1973 – ähnlich vorzeitig – für den Dialekt im Hörspiel zu interessieren: ›Gew et Sengen draan‹[234]. Er experimentierte im Umfeld des „variablen Spiels“ oder „Mit-Spiels“ mit sogenannten „Hörerspielen“[235] und versuchte in ›Stimmexperimente‹[236] die künstlerische Therapie Alfred Wolfsohns und die Schreitherapie Daniel Casriels, in anderen Spielen das Psychodrama Levy Morenos, die Gestalttherapie Fritz Perls für das Hörspiel fruchtbar zu machen.[237] Er hat für den Westdeutschen Rundfunk in einer Reihe ›Stereophone Literatur‹[238] auf vergessene literarische Experimente, vergessene Avantgarde-Literatur akustischer Provenienz aufmerksam gemacht, den ›Ubu‹ Alfred Jarrys in Erinnerung gebracht[239] und in einer von ihm initiierten Reihe ›Thema Radio‹[240] im Norddeutschen Rundfunk zentrale Fragen des Mediums ansatzweise zu klären begonnen. Innerhalb derartiger Vielfalt von Interessen sind die „Schallspiele“ Pörtners wichtige Vorstufen zum und Varianten des Neuen Hörspiels.[241]

Diese von Pörtner so genannten „Schallspiele“ oder „Schallspielstudien“ entstanden – von den Produktionsdaten her gerechnet – in den Jahren 1963 bis 1969 und damit im zeitlichen Vorfeld eines Neuen Hörspiels. Ihnen 1961 vorausgegangen waren die gegen ein landläufiges Hörspielverständnis gerichteten und formulierten Überlegungen Friedrich Knillis über „Mittel und Möglichkeiten eines totalen Schallspiels", die die oppositionelle Entwicklung des Hörspiels Mitte/Ende der 60er Jahre wesentlich mitprägen halfen.

Wie häufiger in der wissenschaftlichen Hörspielliteratur der Nachkriegszeit ist auch die Begrifflichkeit Knillis bereits vorgeprägt, der Terminus „Schallspiel" bereits 1924 nachweisbar als Bezeichnung für „ein Spiel (...), dessen Zustandekommen wesentlich auf der Wirkung eines akustisch-elektrischen Vorgangs beruht".[242] Statt des Epithetons „total" verwendet die frühe Hörspieldiskussion wiederholt das Adjektiv „absolut", in den Verbindungen „absolute Radiokunst" bei Kurt Weill[243] oder „absolute Funkkunst" bei F. W. Bischoff[244], der im gleichen Zusammenhang von einem „Kunstprodukt" spricht, „das Wort und Musik" zusammenfüge „und in letzter endgültiger Totalität sich als akustisches Kunstwerk, als reines Hörspiel" darstelle.[245] Hansjörg Schmitthenner, der selber das Etikett „Radiokunst"[246] bevorzugt, hat, allerdings ohne genauen Beleg, die Erfindung auch dieses Begriffs Bischoff zugeschrieben.[247]

Da Pörtner Knilli persönlich kannte – Knilli trat um 1960 wiederholt als Moderator von literarischen Avantgarde-Veranstaltungen auf und moderierte auch eine Ulmer ›Mit-Spiel‹-Veranstaltung Pörtners[248] –, ist es wahrscheinlich, daß Pörtners Hörspielexperimente ihren Namen dem Buch Knillis verdanken, von dessen Thesen sie sich intentional jedoch deutlich unterscheiden lassen. Primär waren sie für Pörtner der Versuch, sich vom Schreibtisch (als Autor) ebenso wie von der traditionellen Inszenierung mit Schauspielern (Theater) oder Sprechern (Rundfunk) zu lösen durch ein elementares Arbeiten mit den sprachlichen und musikalischen Materialien.

Ich suche immer das Spezifische eines Mediums zu benutzen, und für mich ist alles, was durchs Radio vermittelt wird, primär Schall. Dieses Wort gefällt mir, denn es stammt aus der Physik und ist technisch definierbar. Ich gehe nicht von literarischen oder dramaturgischen Voraussetzungen aus, sondern von dem Material, das mir zur Verfügung steht. Kraß gesagt, ließe sich das zuerst einmal als unartikuliertes Geräusch bezeichnen, das allerdings erst erträglich wird durch eine Bearbeitung. Dann ist aber auch alles drin: von Musik bis zur Sprechsprache läßt sich alles aus diesem Schall herausholen. Wenn ich im Radio eine Stimme höre, so ist das Schall, wenn ich gesprochene Worte vernehme, so vernehme ich sie als Schallfiguren, also akustische Zeichen, die auf ganz bestimmten physikalischen Werten beruhen. Dieses Umdenken, also nicht vom geschriebenen Text her zu konzipieren, sondern vom akustischen Material, dem Schall her zu komponieren, erfordert eine ganz andere Arbeitsweise als die eines Autors, der schreibt, oder die eines Regisseurs, der mit Schauspielern umgeht. Der Umgang mit der Technik, das Arbeiten aus dem Hören und das Umwandeln des Klanges nach eigenen Vorstellungen erschien mir der Praxis des bildenden Künstlers näher als der des Literaten, und die Teamarbeit in Experimentalstudios war für mich sehr anregend, da ich anders als beim Schreiben von Texten hier ständig überprüfen konnte, wie das poetische Gebilde wahrgenommen und gedeutet wird.[249]

Für dieses Spielen mit Schall, für ein aus solchem Spielen zu gewinnendes Erfahren und Erkennen – und dies ist ein der ganzen Hörspielart Pörtners eigentlich innewohnender Prozeß – mußten die Voraussetzungen erst einmal gegeben sein. Sie ergaben sich fast zufällig. Pörtner hatte einen Lehrauftrag an der Hochschule für Gestaltung in Ulm, als der Geschwister-Scholl-Stiftung ein kleines elektronisches Studio übergeben wurde. Da die Filmemacher, denen es eigentlich zugedacht war, zunächst keine Verwendung dafür hatten, stand es plötzlich Paul Pörtner und seiner aus zwei Schülern bestehenden Klasse „Information" zur Verfügung. Pörtner nahm dieses Angebot, diese technische Herausforderung an und begann sofort mit einer ihm eigenen Intensität zu spielen, spielerisch zu erproben, was sich z. B. mit einem Vocoder alles anstellen läßt, wie er Sprache umsetzt, was für Verfremdungen, Umformungen, Modulationen möglich sind. Es lag nahe, nachdem erst einmal die Fülle der Möglichkeiten entdeckt war, die Variationsbreite in einem kleinen Spiel systematisch zu erproben. Damit war der Anlaß für die erste „Schallstudie" fast zwanglos gegeben, entstand ein Hörspiel, dessen Ausgangspunkt und Durchführung Pörtner wie folgt beschreibt:

Eine normale kurze Hörspielszene wurde zuerst mit der üblichen Studiotechnik aufgenommen: Fieberphantasien einer Frau im Krankenbett. Eine Szene, die aus gesprochenen Sätzen und Geräuschen besteht und einen konkreten Inhalt hat. Wichtig war für mich, daß in den nun folgenden Versuchen ausschließlich das in dieser Szene vorgegebene Material verwendet wurde, also nichts hinzugefügt wurde, keine Musik, kein Geräusch, sondern an dieser Vorgabe schrittweise eine Veränderung aufgezeigt wurde: in drei Versionen eine immer radikalere Übernahme der üblichen Gestaltungsmittel von akustischen Zeichen, also Schallgestalten, ausprobiert wurde. Die zweite Variation veränderte die Ausgangsszene durch eine Verlagerung des Ausdrucks von Worten auf Geräusche, die an Stelle der gesprochenen Sprache gesetzt wurden, durch Frequenzumsetzung rhythmisch-klangliche Werte gewannen. In der dritten Variation wurden die gesprochenen Worte allmählich zerstört, d. h. es wurden Phoneme herausgeschnitten, es wurde mit Überlagerungen und rhythmischen Wiederholungen gearbeitet und schon eine Modulation angelegt, die Sprache als Geräusch erscheinen ließ. In der vierten Version wurde dann die elektronische Bearbeitung so weit getrieben, daß Sprache gänzlich von Klängen übernommen wurde, die aus ihr stammten oder aus der Verschmelzung von Sprache und Geräusch. Eine Verkürzung der Szene war bei den drei Variationen erfolgt, die zum Schluß bis zu einer Verknappung auf eineinhalb Minuten ging.[250]

Experimente, auch im Hörspiel, haben nur dann einen Sinn, wenn sie für Fragen stehen, auf die eine Antwort gesucht wird, oder wenn sie Fragen klar stellen. Anders als beim naturwissenschaftlichen Experiment ist beim Hörspiel der Hörer als Adressat in die Überlegungen mit eingeschlossen. Nur so erklärt sich die didaktische Anlage, die so unterschiedlichen Versuchen wie Walter Benjamins „Hörmodellen"[251] auf der einen oder Pörtners „Schallspielen" auf der anderen Seite durchaus gemeinsam ist. Im Falle Pörtners ging es um die Frage, ob eine spezifische menschliche Situation (›Fieberphantasien einer Frau im Krankenbett‹), die in einer traditionellen Hörspielsequenz durch Worte und Geräusche dargestellt wird, durch deren Hilfe sie der Hörer als solche erkennt, ob eine solche Situation sich auch mit anderen Mitteln, mit Hilfe rein akustischer Zeichen darstellen läßt. „Verdichtet", formuliert es Pörtner, „oder verflüchtigt sich die Anteilnahme durch die Abstraktion? Oder anders: Wenn ich mich von der sprachlichen Aussage entferne und mich dem musikalischen Ausdruck nähere, wo überschreite ich die Grenze des Hörspiels?"

Pörtners ›Schallspielstudie I‹ war bereits von ihrer Anlage her geeignet, vorzuführen, daß hier das Hörspiel schnell an seine Grenzen stoßen würde, daß zwar – wie in den elektronischen Studios erprobt – eine Annäherung elektronisch erzeugter Klänge an die Sprache, nicht aber ihre Umkehrung sinnvoll sein kann, so daß es für Pörtner bei diesem einen, hörspielgeschichtlich dennoch wichtigen Versuch – wie z. B. der Einsatz von Vocoder-Stimmen in Max Benses/Ludwig Harigs ›Monolog der Terry Jo‹[252] belegt – geblieben ist, Pörtner für seine weiteren „Schallspielstudien" von anderen Materialien ausging, auch andere Intentionen verfolgte.

Es spricht von einem damals erstaunlichen Mut zum Experiment, daß es 1964 der Bayerische Rundfunk, d. h. der Leiter seiner Hörspielabteilung, Hansjörg Schmitthenner, wagte, diese ›Schallspielstudie‹ zu senden.[253] (Der Westdeutsche Rundfunk nahm sie z. B. als Übernahme erst 1967 in sein Programm.) Und dennoch erscheint Schmitthenners Mut so verwunderlich nicht, wenn man sich das Engagement vergegenwärtigt, mit dem er sich Ende der 60er Jahre für eine konkrete Literatur, der er eine Wanderausstellung aufbaute,[254] vor allem aber für eine „Radiokunst“[255] einsetzte, als die er alle „Kunstarten“ ausgewiesen wissen wollte, „die nur mit Hilfe der Rundfunktechnik verwirklicht werden können“.[256] Als eine solche „Radiokunst“ subsumierte Schmitthenner 1969 Hörspiel und elektronische sowie konkrete Musik, aber auch bestimmte Formen des Feature, „deren Montagetechnik gleichfalls mit ästhetischen Maßstäben gemessen werden“[257] müssen.

Dazu kommt in jüngster Zeit eine neue Kategorie der Radiokunst, radiophonische Klangbilder (...), Schallspiele, Kompositionen aus akustischen Elementen der verschiedensten Art: aus Sprache, Sprachpartikeln, aus Geräuschen und Klängen, die bald original, bald auf mannigfache Weise technisch manipuliert verwendet werden. Solche Kompositionen können, obwohl sie zum Teil sprachlichen und literarischen Ursprungs sind, in ihrer Entstehungsgeschichte nur bedingt mit der Literaturgattung Hörspiel in Zusammenhang gebracht werden. Ihre Auswirkungen auf die Entwicklung des Hörspiels aber sind von größter Bedeutung.[258]

Im gleichen Jahr nahm Johann M. Kamps in das Hörspielheft der Zeitschrift ›Akzente‹, das er unter das Motto Franz Mons – „Die Möglichkeiten eines zeitgenössischen Hör-Spiels lassen sich nur vermuten“ – gestellt hatte, auch ›Schallspiel-Studien‹ Paul Pörtners auf, veröffentlichte Klaus Schöning in der Anthologie ›Neues Hörspiel. Texte Partituren‹ Pörtners drittes „Schallspiel“ ›Alea‹[259], das mit der ›Schallspielstudie II‹[260] durch das Ausgangsmaterial, Stéphane Mallarmés berühmten ›Würfelwurf‹ (Un coup de dés jamais n'abolira le hasard), verbunden, in seiner Realisation aber knapper und vor allem konsequenter war.

Beiden Realisationen vorausgegangen war die Entdeckung des späten Mallarmé, ein Versuch Pörtners, ›Un coup de dés‹ zu übersetzen.[261] (Wobei einmal zu fragen wäre, wieweit auch die beiden „Schallspiel“-Realisationen noch als Übersetzungen, als Interpretationen durch Über-Setzen ins andere Medium gehört werden können.) Pörtners Entdeckung des späten Mallarmé bringt noch einmal den „Club d'Essai“ in Erinnerung, speziell die Rolle, die die Lettristen in ihm gespielt haben. In seiner Chronologie der «evolution du matériel poétique» wird von Isou auch Mallarmé aufgeführt:

Baudelaire: la destruction de l'anecdote pour la forme du POÈME.
Verlaine: annihilation du poème pour la forme du VERS.
Rimbaud: la destruction du vers pour le MOT.
Mallarmé: l'arrangement du MOT et son perfectionnement.
Tzara: destruction du mot pour le RIEN.

Isou: l'arrangement du RIEN – LA LETTRE – pour la création de l'anecdote.[262]

Für Pörtners Einschätzung der Bedeutung des ›Coup de dés‹ kam zweierlei zusammen. Zunächst durch die erste ›Schallspielstudie‹ die Erfahrung, daß ein reines Geräusch- oder Klangspiel nicht seine Sache sei, wohl aber die Sprache in Auseinandersetzung von „Sprechlaut" und „Lautgebärde", von „Stimmklang" und „Sprechklang". Mit dieser Erfahrung traf sich zweitens, daß Mallarmé seinen Text als Partitur deklariert hatte, daß bei ihm die Buchstaben in ihrer unterschiedlichen Größe, daß seine Typographie akustische Qualität haben und seine weißen Stellen als Pausen zu interpretieren sind. So lag der Versuch, eine solche Partitur im akustischen Medium Rundfunk umzusetzen, sie gleichsam akustisch zu erproben, eigentlich nahe. Hinzu kam die Erfahrung des Übersetzers, daß sich um die einzelnen Wörter und/oder Silben der Vorlage herum Bedeutungsfelder auftaten, die sich in einer Buchübersetzung kaum, in einer akustischen und überdies stereophonischen Umsetzung als Wortbündelung, als „Wortexplosion" (Pörtner) dagegen relativ leicht und einleuchtend realisieren ließen. Es ging also Pörtner bei seiner zweiten und dritten ›Schallspielstudie‹ letztlich ganz einfach darum, Mallarmés gelegentlich auch als Vorstufe visueller Poesie mißverstandenen ›Coup de dés‹ hörbar zu machen in der Vielzahl seiner Bedeutungsfelder und Valenzen, um einen „Textvollzug im Hören".

Der Vollzug des Textes findet im Hören statt, im Sprechen des Textes, im Hören des Textes. Ich vertraue bei der dirigierten Lektüre, also dem simultanen Sprechen des Textes aus vier verschiedenen Positionen der kombinatorischen Phantasie des Hörers, einem Wahrnehmen der Beziehungen, die zwischen den gesprochenen Wörtern entstehen: nicht so sehr die Sinnverknüpfungen durch Satzgebilde, sondern die Vieldeutigkeit der Assoziationen und Assonanzen regt den Hörer an. Durch den Vollzug der schwingenden und singenden Bezüge des vielstimmigen Hörtextes wird der Hörer an einer sprachschöpferischen Bewegung beteiligt: er rückt in die Nähe des Autors.[263]

Ganz offensichtlich wurden hier für Pörtner Erfahrungen aus der Pariser Zeit, die simultanen Sprechübungen im „Club d'Essai", aber auch seine Kenntnisse von Versuchen simultaner Produktion bei den Dadaisten fruchtbar. Zugleich aber deutet sich ein Dilemma an, dem Pörtner bei seinen „Schallspiel"-Versuchen nie ganz entgehen konnte: der Widerspruch nämlich zwischen dem gewollten simultanen Sprech-Hör-Erlebnis während der Aufnahme und dem Nur-Hör-Erlebnis beim Abhören der fertigen Produktion, so daß man pointieren darf: Die eigentliche Bedeutung der zweiten und dritten

›Schallspielstudie‹ liegt im Prozeß ihres Entstehens, und zwar für ihre Operateure und Produkteure. Pörtners eigener Bericht über die Entstehungsgeschichte von ›Alea‹ macht dies deutlich.

Zuerst einmal: ich ging von einem Text von Mallarmé aus: ›Un coup de dés n'abolira jamais le hasard‹. Und ich nahm die Aufforderung wahr, dieses grandiose offene Gedicht für mich zu erschließen, so wie es in Mallarmés ›Livre-Konzeption‹ beschrieben ist: d. h. ich lernte das Opus durch Operationen kennen, die jeweils Auszüge aus dem Textangebot realisierten. Ich ging ziemlich frei mit der literarischen Vorlage um. Es ergaben sich in meiner Version vier Lesarten des Textes, die von vier Lektoren vorgetragen wurden. Ich nannte diese vier Sprechpositionen: Alter Meister, Igitur, Sirene, Epistula. Wohlverstanden, es waren dies keine Rollen oder Figuren, eher Konfigurationen der Lektüre. Und ich inszenierte diese meine Version des Werkes mit vier Sprechern zuerst im Studio. Und obwohl ich dann schon die wortlosen Stimm-Expressionen von Roy Hart einbezog, war das noch eine Hörspielinszenierung im üblichen Verstand. Damals, 1964/65, begannen ja die Versuche mit der Stereophonie, die sich gerade im Bereich des Sprachspielerischen, also der Öffnung eines mentalen Raumes und einer Hörbarmachung simultaner Sprechverläufe, als brauchbar erwies. Wenn diese Fassung des ›Würfelwurfes‹ von Mallarmé gesendet worden wäre, so wäre das ein literarisches Hörspiel gewesen, eine „dirigierte Lektüre". Ich nahm diese erste Produktion aber als Material für eine elektronische Bearbeitung. Dadurch wurde dieses erste Ergebnis sozusagen hinweggearbeitet, was die Schauspieler auch geärgert hat, denn von ihrem sprecherischen Ausdruck blieb wenig erhalten. Es lag mir daran, diese Sprechpartien zu depersonalisieren, ihnen Natürlichkeit und persönliche Färbung zu nehmen und wieder die Prägungen der Letternschrift zurückzugewinnen, die bei Mallarmé im Sinne einer Partitur in Kursiv oder Majuskeln, in den verschiedensten Graden und Abständen gesetzt sind. Hätte ich das durchgehalten, wäre diese Bearbeitung sehr trocken und starr geworden, aber es ergab sich eine spielerische Form aus unseren vielfachen Versuchen, das Material elektronisch zu analysieren und neu zu formulieren. Aus den Schallauszügen wurden z. B. einzelne Buchstaben und Silben scharf umrissen hörbar, die, in Beziehung zu den vollautenden Sprechverläufen gesetzt, rhythmische und klangliche Muster abhoben: eine stereophone Differenzierung wurde so erzielt, die zur Dissoziation von Laut und Wort oder zu einem Widerspiel der Lautwerte innerhalb desselben Wortes führte. Also eine lettristische Spielform. Aber nicht nur abstrakte Übersetzungen des Textes, z. B. in Sinustonkombinationen oder Sprechklangmodulationen, ergaben sich, sondern auch eine starke Aufladung des Hörtextes mit musikalischen Mitteln, d. h. expressiven und emotionalen Werten. So ergab z. B. die Vocoderisierung der Schreie mit den Wogen und Brandungsgeräuschen eine starke Wirkung, die dann auch der Sprache aufmoduliert wurde. So kam eine Dramatisierung zustande, die wohl einigen Kennern Mallarmés unheimlich war: die Distanziertheit und Purheit der literarischen Vorlage wurden hier aufgehoben. Es war halt ›meine Version‹: ich las aus dem Gedicht das Scheitern der Vernunft, das Enden von Sprache und Orientierung im Todeskampf heraus. Und ich deutete den Satz: „Nie wird das Denken den Zufall besiegen" als eine Sentenz der äußersten Verzweiflung: als Wahrsage einer Katastrophe. Was dieses Schallspiel durch die Elektronik gewann, war eine Umsetzung von Sprache und Geräusch zu einer akustischen Einheit, die Rhythmisierung und klangliche Entfaltung von Lautwerten, die aus dem Sprechen gewonnen wurden, die Erweiterung des Ausdrucksbereiches vom vorsprachlich Unartikulierten bis zu abstrakt-lettristischen Zeichen. Vom Rationalen zum Emotionalen, von der Wortspielerei bis zur Wortleidenschaft und zum Wahnsinn reicht die Spannweite des Entwurfes, der dieses Schallspiel ›Alea‹ bestimmte.[264]

Wie schon die ›Schallspielstudie II‹ stellt auch ›Alea‹ noch keine definitive Fassung, kein endgültiges Ergebnis der „Schallspiele" dar. Bei der prozessualen Arbeitsweise, die die „Schallspiele" auszeichnet, kann jede Fassung nur ein augenblicklicher Zustand sein, Materialzustand für weitere Schritte. Daß Pörtner aus ›Alea‹ keine weitere ›Schallspielstudie‹ entwickelte, gibt ihr zwar innerhalb der „Schallspiele" das Gewicht der bisher geglücktesten Lösung. Es ist jedoch anzunehmen, daß die Arbeit weitergehen sollte. Überarbeitungen (u. a. Kürzungen), die Pörtner bei Wiederholungssendungen vorgenommen hatte,[265] deuteten jedenfalls in diese Richtung.

Für den Moment bleiben zwei hörspielgeschichtliche und typologische Überlegungen bzw. Fragen. Erstens: Pörtner hat mit seinen „Schallspielen" keine Literatur für den Rundfunk geschrieben. Er hat – ausgehend von Literatur – mit Hilfe technischer und elektronischer Apparatur Rundfunkliteratur hergestellt. Vergleicht man das in seiner Konsequenz einmal – falls dies überhaupt erlaubt ist – mit traditionellen literarischen Adaptionen, mit Hermann Kessers ›Schwester Henriette‹, Arnolt Bronnens ›Michael Kohlhaas‹, mit Günter Eichs ›Unterm Birnbaum‹[266] und Max Ophüls' ›Novelle‹[267], die als Musterbeispiele ihrer Gattung gelten, muß man typologisch deutlich zwischen derartigen literarischen Adaptionen (innerhalb deren eine weitergehende Differenzierung möglich ist[268]) und einer Rundfunkliteratur unterscheiden, wie sie z. B. Pörtners ›Alea‹, ebenfalls von einer literarischen Vorlage ausgehend, darstellt. Ja, man wird sich sogar fragen müssen, ob es nicht statt eines immer wieder geforderten „literarischen Hörspiels" gerade Spiele wie ›Alea‹ sind, die in exemplarischer Weise jenes „akustische Kunstwerk" (Bischoff), jenes literarische „Rundfunk-Eigenkunstwerk" repräsentieren, an das Flesch 1928 in Wiesbaden gedacht hatte[269] und für das er 1929 anläßlich der Eröffnung des Studios der Berliner Funk-Stunde forderte:

Nicht auf den technischen Teil beschränkt, außerhalb der Gesetzlichkeit physikalischer Formen, jenseits der maschinellen Gruppe Empfänger-Sender-Verstärker-Mikrophon, erobert sich das Experiment, die Freude am Probieren, auch die Darbietung selber. Nicht nur das übermittelnde Instrument, auch das zu Übermittelnde ist neu zu formen; das Programm kann nicht am Schreibtisch gemacht werden.[270]

Es scheint jedenfalls kein Zufall, wenn Paul Pörtner auf der für die neuere Hörspielentwicklung so bedeutenden „Internationalen Hörspieltagung", 1968 in Frankfurt, in seinem Referat über ›Schallspiele und elektronische Verfahren im Hörspiel‹ (in Unkenntnis übrigens der Forderungen Fleschs) als Konsequenz vorträgt:

Wenn ich als Autor, von der Literatur herkommend, mich dem Hörspiel zuwende, habe ich es nicht nur mit einem Medium zu tun, das Literatur vermitteln kann, sondern mit einer Produktionsmöglichkeit von akustisch-poetischen Spielen. Ich vertausche den Schreibtisch des Autors mit dem Sitz am Mischpult des Toningenieurs, meine neue Syntax ist der Schnitt, meine Aufzeichnung wird über Mikrophone, Aufnahmegeräte, Steuerungen, Filter auf Band vorgenommen, die Montage macht aus vielen hundert Partikeln das Spielwerk.[271]

Was Pörtner – und das ist das zweite, was abschließend anzumerken wäre – hier immer noch leicht utopisch formuliert, ist nicht Plädoyer für Experiment und technisches Spiel um seiner selbst willen. Pörtners ›Schallspielstudien‹ wie seine anderen Hörspielversuche sind keine technischen Glasperlenspiele. Hinter ihnen allen ist ein Ansatz, eine Erfahrung verborgen, die man vielleicht als das zentrale Anliegen und Problem Pörtners bezeichnen darf, eine existentielle Grundsituation und -erfahrung, die Pörtner folgendermaßen umreißt:

Die Wahrnehmung meiner Umwelt wird zum großen Teil von Geräuschen bestimmt. Wenn ich meine Reaktion auf die mich beeinflussenden, bedrohenden, durchstimmenden Geräusche darstelle, gehe ich von dieser Erfahrung aus. Der künstlerische Akt besteht darin, daß etwas Rohes, Formloses, etwas, das Angst macht, unheimlich ist, umgesetzt wird: Form gewinnt. Durch die Formulierung rückt das, was zuerst als Störung oder Schrecken oder Ungeheuer erscheint, in eine neue Dimension: es wird verarbeitet, bewußtgemacht, vertraut. Diese Aneignung des unannehmbar Erscheinenden, Vernichtenden ist das eigentliche 'Ereignis der Form'. Und wenn ich nun im Bereich der Akustik arbeite, habe ich es einerseits mit den schon gereinigten Klängen der Musik zu tun oder mit den Artikulationen der Sprechsprache, aber andererseits auch mit dem, was man als Lärm bezeichnet, der ständig ans Ohr brandenden Geräuschwelt mit ihrem Terror. Das ist ja für Feinsinnige wirklich zum Wahnsinnigwerden – und macht ja auch Angst! Und da einmal konsequent heranzugehen, das aufzunehmen, das zu bearbeiten und zu fassen und umzusetzen und in Form zu bringen, das war so mein Ansatz damals, als ich „Schallspiele“ machte. Auch aus dem Geräusch läßt sich etwas machen, was deutlich Zeichencharakter hat und den Wert von Sprache gewinnen kann. Indem es formuliert wird in Schallgestalten, spricht dieses Spielen an – wie es sonst nur Sprache tut oder die bildnerische Form. Allerdings ist im Bereich des Hörens die Einstellung auf bekannte und gewohnte Signale, also sprachliche oder musikalische Zeichen, vielleicht noch stärker als im Bereich des Sehens und damit auch die Abwehr des Ungewohnten und Unbekannten impulsiver und rigider als in anderen Wahrnehmungsbereichen. Und deshalb stößt diese Form des Hörspiels auf Widerstand, Abwehr beim Hörer, der gewohnt ist, Sprache oder Musik zu unterscheiden und Geräusche abzutun. Denn auch in der gefilterten und geklärten Form hat Schall immer etwas alarmierend Starkes, Kompaktes, Heftiges – selbst wenn er sich noch so spielerisch bewegt.[272]

5. ALLES IST MÖGLICH. ALLES IST ERLAUBT[273]

a) Montage[274]

Über erste Hörspielversuche

Das hat schon während des Krieges angefangen, und die zweite Phase begann 1947. Sie dauerte genau von 47 bis 53 – mit Unterbrechungen. Und irgendwann dazwischen habe ich auch versucht, eine solche Geschichte als Hörspiel umzuarbeiten, etwas mit Kurzdialogen, ein Flüchtlingsschicksal. Das habe ich beim NDR eingeschickt, und das ist damals von einem Dramaturgen abgelehnt worden. Der hat mich vorgeladen, wir haben uns längere Zeit unterhalten und ich erinnere noch, seine Hauptbegründung war, daß er sagte: wir sind uns jetzt darüber einig geworden, daß solche zeitbezogenen, aktuellen Themen doch allmählich überholt sind, und daß wir jetzt wieder auf das Alte, Gute, Wahre zurückkommen müssen, und unsere Themen sind Liebe, Tod, Treue, Ewigkeit und so weiter.

Über die alte Hörspieldramaturgie

„Das Wort des Hörspielers", sagt Kolb, „erhält seine innere Schwingung durch die stärkste dem Menschen innewohnende Erkenntniskraft, durch das innere Erleben. Wie die durch die Intuition gewonnenen schöpferischen Erkenntnisse zum eigenen – nicht nachempfundenen – Erlebnis werden, so auch die durch Influenz auf dem geschlossenen Stromkreis ‚Empfangsapparat Mensch' übermittelten verinnerlichten Worte des Hörspielers. Vergeistigtes Sprechen, vergeistigtes Hören – Hörspieler und Hörer treffen sich gleichsam im gemeinsamen Brennpunkt seelischer Akustik. Die Wand zwischen beiden – Raum und Körperlichkeit – ist gefallen. Die seelische Einheit zwischen Hörspieler und Hörer, zwischen Mensch und Mensch ist geschaffen."

Diese Rückführung der Hörspielphänomenologie auf ein Urerlebnis erweist sich nun tatsächlich nicht als theoretische Begründung einer Analyse, sie hat weltanschaulichen Charakter, und das heißt, sie setzt voraus, was die Literatur in der Arbeit ihrer immer ungewissen und offenen Orientierungsversuche nur erst andeuten könnte. Nicht das Fragwürdige, auf das die Literatur zu reagieren sucht, dem sie sich stellt, dessen ebenso fragwürdiges Spiegelbild sie sprachlich zu formulieren versucht, wird bei Kolb am Grund der Hörspielanalyse gesehen, sondern die Übereinstimmung im gewiß Gewußten. Das aber ist, auf die zeitgeschichtliche Situation hin gesehen, nicht Kennzeichen der aktuellen Literatur, sondern der Restauration, und darüber läßt sich nichts weiter sagen.

Über Veränderungen im Hörspiel

Die Auflösung des Spielcharakters im engeren Sinne, des Rollenspiels und der Spielhandlung, die Auflösung der exemplarischen Funktion der Konfliktsituation, die entsprechende Destruktion des Handlungsgefüges usw., all das bedeutet, daß die Literatur sich allmählich von bestimmten vorgegebenen Organisationsformen abgewendet hat oder in bestimmter Hinsicht durch sie hindurchgefallen, aus ihnen herausgefallen ist. Sie hat sich davon abgewendet, sofern solche vorgegebenen Organisationsformen gebunden waren an Vorverständigungen der Weltinterpretation, der Sprachregelung und der gesellschaftlichen Bedingungen. Die Orientierungsversuche der neuen Literatur bemühen sich, solche Vorbestimmungen zu durchschauen, die Plots des bürgerlichen Trauerspiels, die Konfliktlösungen, die Handlungsverschränkungen usw. Das Spiel, wenn es weiterhin ein Spiel ist, bezieht sich zurück auf das, was auch dem Theaterspiel als, allerdings spezialisierte, Basis diente, auf das Spiel mit der Sprache. In der Sprache selbst, und das heißt nicht in der Zersetzung oder Aufsplitterung der Sprache, sondern in den Formen der mündlichen Redegewohnheiten, der Sprachklischees, der Dialogsituationen, der Replikvarianten usw., aber auch in den Möglichkeiten frei kombinatorischen Spiels mit Wörtern, werden Modelle gesucht, die ein neues, von vergröbernden Vorbedingungen freies Spiel erlauben. Sprache wird dabei, so könnte man sagen, unmittelbar im Charakter ihrer Kommunikationsfunktion, ihrer Unbestimmtheitsrelation, ihrer signalisierenden wie ihrer zerstreuenden Wirkung, ihrer Bedeutungsspeicherung, ihrer Erinnerungsfunktion usw., und das heißt: in ihrer Materialität, verwendet. Sie entzieht sich der modulierenden Verfügbarkeit innerhalb der vorgegebenen literarischen Muster (diese Muster werden zu leeren Hülsen), aber sie ist zugleich weit freizügiger verwendbar. Man kann mit ihren Elementen wie mit ihren Funktionsmöglichkeiten variabel verfahren. Man kann, wörtlich, mit ihnen spielen.

Der Rückbezug auf die materialen Voraussetzungen der Sprache bedeutet einen Eingriff in die gewohnte Auffassung von Sprache, sie wird problematisch und unterliegt der kritischen Reflexion.

Über Voraussetzungen des Neuen Hörspiels

Dieses Neue Hörspiel könnte man, etwas vereinfacht, auch so definieren, daß in ihm das Hörspiel sich selbst zum Problem wird. In die Problematik würde dann zugleich ein Erkenntnisstreben eingeschlossen sein, das sich an der Problematik zu orientieren sucht, über das, was Problematik bewirkt. Das heißt etwa, daß das Hörspiel zunächst aufhört; oder der Autor und die Produzenten des Hörspiels aufhören, zunächst unbefragt, bestimmte vorgegebene Regeln oder Hilfskonstruktionen zu übernehmen, sich an Konventionen zu halten, sie zu füllen oder sie zu variieren, und daß sie statt dessen seine Mittel befragen. Die Entlarvung von Redeweisen wäre der Anfang. Die Konstruktion von Redeweisen, Sprachräumen bestimmte den Fortgang. Die Enthüllung des Zustands, in dem die Entlarvung von Redeweisen und die Konstruktion von Sprachräumen notwendig wäre, bestimmte das Ziel. Es wäre die Darstellung dessen, was Aufnahme, Mumifizierung, Weiterverarbeitung, Reproduktion von Rede im Zeitalter technischer Reproduzierbarkeit mit Rede, das heißt mit den Redenden macht, die von dieser Rede leben. Indem das Hörspiel aus sachbezogener Progression sich mit seiner eigenen Problematik beschäftigt, beschäftigt es sich mit der Problematik des Programms. Wer hier als Dramaturg oder Autor ansetzt, öffnet damit aber auch das Strukturmodell, aus dem auch das Hörspiel hervorgeht.

Über den Vorwurf der Esoterik

Wenn ich mich mit den Problemen herumschlage, dann ist es in der Literatur so wie in der Wissenschaft, es wird manchmal kompliziert, man kann nicht alle Dinge einfach übersetzen in ganz schlichte Sätze, sondern es sind komplizierte Erfahrungen, es sind komplizierte Gedankengänge, mit denen man die Erfahrungen ausdrücken kann, und es sind komplizierte, zunächst kompliziert erscheinende Versuche, das ganze literarisch umzusetzen. Wenn man es genau nimmt, ist es häufig gar nicht so kompliziert und ist häufig auch gar nicht so esoterisch, es ist nur einfach so, daß es, wenn man unvermittelt einfache Sätze aneinanderreiht, heißt: das ist esoterisch. Das ist also ein Text, der ist verschlüsselt und so weiter; wenn man jetzt aber sagt, jeder einzelne Satz ist für sich doch völlig verständlich, warum ist denn die Summe dieser Sätze nicht verständlich, dann kommt heraus, daß es für esoterisch gehalten wird nur, weil es nicht die übliche und festgetrampelte und schon seit wieviel Jahren gewohnte Übersetzungshilfe mitenthält, nicht das, was man immer wieder vorgekaut bekommen hat. Wenn man davon abgeht, dann unterliegt man häufig dem Vorwurf der Esoterik, aber ich finde, das läßt sich durch einfaches Nachdenken widerlegen.

Von Esoterik kann ich doch nur sprechen, wenn ich selbst davon überzeugt bin, daß ich im Besitze eines Wissens und einer Überzeugung bin, die mich heraushebt aus der Menge, ich schwebe also oben à la Stefan George und weiß besser Bescheid, der Dichter in den Zeiten der Wirren oder oben auf dem Berg der Alte, der alles weiß, zu dem die Jünger hinpilgern und sich dann Stoff holen für Bescheidwissen und so weiter. Das alles ist doch in unserer Zeit völliger Quatsch. Ich meine, wer sich heute esoterisch benimmt, dem kann man nicht helfen.

Über eine Literatur für alle

Wenn die Laien im Studio selber Hörspiel machen, dann führt dies ins Laientheater zurück. Das, würde ich auch sagen, ist nicht so besonders interessant. Denn das unterliegt wieder den Klischees, mit denen sie hereinkommen.

Laientheater würde bedeuten, was die Kinder für die Eltern zum Geburtstag aufführen oder zu Weihnachten, das ist Spiel nach bestimmten Vorstellungen. Das kann in seiner Naivität einen gewissen Reiz haben, aber meiner Meinung nach führt das nicht über das hinaus, was es schon gibt. Wenn aber jemand versucht, von sich selbst etwas zu sagen, wenn er in eine Situation gestellt wird, in der er reagieren muß, und das ausprobiert, ganz unbefangen, ohne

jede schauspielerische, ohne jede sprecherische Vorbildung, dann kann das außerordentlich interessant sein.

Es ist ein Mittel, das man benutzen kann, das in die breite Skala der Mittel, die durch das neue Hörspiel verfügbar geworden sind, hineingehört, und es kommt drauf an, in welcher Form es realisiert wird und wohin man dabei kommen kann.

Ich würde sagen, man müßte sich aber davor hüten, der Naivität allzuviel zuzutrauen. Ich glaube nicht, daß dabei soviel zu erschließen ist. Was herauskommen kann, kann nur dann herauskommen, wenn bestimmte Erfahrungen umgesetzt werden vor dem Mikrofon, und wenn die Leute dazu fähig sind, diese Erfahrungen umzusetzen. Wenn sie dazu fähig sind, dann sind sie potentiell überhaupt nicht unterschieden von irgendeinem Schriftsteller. Und daß die Literatur, die von den sogenannten Esoterikern gemacht wird, eine Tendenz hat, Literatur für alle zu sein, das habe ich ja auch selber schon seit vielen Jahren immer wieder gesagt; die Methoden, die entwickelt werden können, haben nur dann ihren Sinn und ihren Zielpunkt, wenn es Methoden sind, die die Möglichkeit haben, Methoden für alle zu sein; Literatur für alle.

b) Projekt Hörspiel

Es bedarf keines Kommentars, zu erkennen, daß die in der vorangestellten Zitatmontage gebündelten Äußerungen Helmut Heißenbüttels über die Positionsbestimmung der eigenen Hörspielpraxis hinaus zugleich und weitergreifend so etwas wie eine Poetica in nuce des Neuen Hörspiels sind. Schriftstellerische Praxis und kritische Theorie sind allerdings bei Heißenbüttel selten zu trennen, und wer von dem einen spricht, wird das andere berücksichtigen müssen.[275]

Bereits 1963 hatte Heißenbüttel in seinen ›Frankfurter Vorlesungen über Poetik‹[276] auf die Vielschichtigkeit seiner Interessen, die Wechselbezüge seiner Tätigkeiten hingewiesen. Er spreche, führte er damals aus, „als Leser, als Buchrezensent und als Schriftsteller". „Der Leser" sei „allein vom Interesse bestimmt; der Rezensent" sei „gezwungen, sich über das, was er gelesen" habe, „in unmittelbarer Formulierung Klarheit zu verschaffen, die Frage zu formulieren, die das Buch ihm aufgegeben" habe; „der Schriftsteller" schließlich werde „gelenkt von Faszinationen sprachlicher und vorsprachlicher Art, die erst literarisch werden wollen".[277]

Die Vielschichtigkeit der Interessen, die Wechselbezüge der Tätigkeiten sind aber erst vollständig aufgedeckt, wenn man dem Leser, Buchrezensenten und Schriftsteller den Fürsprecher moderner Kunst,[278] den Schallplattensammler und den Rundfunkredakteur hinzurechnet, der beruflich an jenes Medium gebunden war, für das er rund ein Dutzend akustisch realisierbarer Texte und Hörspiele schrieb, ›Was sollen wir überhaupt senden‹ zum Beispiel oder ›Nachrichtensperre‹.[279] Das parodistische Hörspiel ›Marlowes Ende‹[280] korrespondiert mit einem Radio-Essay über ›Das Kriminalhörspiel‹,[281] aber auch mit den ›Spielregeln des Kriminalromans‹, die der Kritiker und leidenschaftliche Leser von Kriminalromanen 1963 in ›Der Monat‹ veröffentlichte und später in den Sammelband ›Über Literatur‹ einfügte.[282]

Ist das literarische Werk Heißenbüttels einerseits durch ein hier nur andeutbares Hin und Her der Bezüge charakterisiert, zeichnet es sich andererseits durch Konstanz und Konsequenz einer Entwicklung aus, die von den ›Kombinationen‹[283] über die ›Textbücher‹[284] zu den ›Projekten‹[285] führt, denen die Hörspiele und akustisch realisierbaren Texte zugehören. Als ›Projekt Nr. 2‹ sind denn auch die meisten von ihnen unter dem Titel ›Das Durchhauen des Kohlhaupts. Dreizehn Lehrgedichte‹ 1974 in Buchform veröffentlicht worden. Formal „in gewisser Weise (. . .) eine summierende Fortführung des Prinzips" der ›Kombinationen‹,[286] sind manche dieser „Lehrgedichte"[287] inhaltlich eine Fortführung der ›Textbücher‹, greift das ›Lehrgedicht über Geschichte 1974‹[288] ein Thema auf, das wie ein roter Faden wiederholt im Werk Heißenbüttels begegnet.[289]

In ›Das Durchhauen des Kohlhaupts‹ nicht aufgenommen sind die beiden Hörspiele ›Projekt Nr. 2‹[290] und ›Zwei oder drei Portraits‹[291], die 1970 zum ersten Mal gesendet wurden. Beide basieren auf Materialien zu bzw. aus dem Quasi-Roman ›D'Alemberts Ende‹ (1970), den Heißenbüttel als ›Projekt Nr. 1‹ ausgewiesen hat. Damit läßt sich auch die verwirrende Titelei leicht erklären. Auf Materialien zu ›Projekt Nr. 1‹ basierend und sogar noch vor dessen Erscheinen gesendet, heißt das Hörspiel wegen der gemeinsamen Materialbasis, über die es allerdings sehr in Auswahl und durchaus eigen verfügt, ›Projekt Nr. 2‹, während ›Das Durchhauen des Kohlhaupts‹ innerhalb der Publikationsfolge der ›Projekte‹ das zweite Projekt darstellt.

Nach einem frühen vergeblichen Anlauf als Hörspielautor, über den die vorangestellte Zitatmontage andeutungsweise spricht, ist ›Projekt Nr. 2‹ Heißenbüttels erstes gesendetes Hörspiel und verdient – bisher unveröffentlicht – schon deshalb einige Aufmerksamkeit. Wie kurze Zeit später ›Zwei oder drei Portraits‹ in Hansjörg Schmitthenner und Heinz Hostnig, hat ›Projekt Nr. 2‹ in seinem Regisseur Raoul Wolfgang Schnell gleichsam einen Co-Autor, der allerdings durch vorangestellte ›Zusätzliche Anmerkungen‹ an die

Intentionen Heißenbüttels gebundener blieb, als es im anderen Fall Schmitthenner als Dramaturg und Hostnig als Regisseur waren, die einen „an einer bestimmten Stelle" abgebrochenen „Prozeß" durch die Realisation zu Ende führen und abschließen mußten.[292] Dennoch kann man in beiden Fällen von konsequenten Versuchen eines Hörspiels sowie einer Dramaturgie der offenen Form sprechen, von abgestuften Versuchen, in der Praxis zu erproben, was Heißenbüttel 1968 im ›Horoskop des Hörspiels‹[293] und 1969 in ›Hörspielpraxis und Hörspielhypothese‹[294] theoretisch vorgeschlagen hatte.

Die Radikalität der jetzt praktischen Vorschläge Heißenbüttels läßt sich im Vergleich verdeutlichen. 1965 stellte Peter Hirche seinem Hörspiel ›Miserere‹[295] Hinweise „Zur Produktion" voran, in denen er unter anderem forderte:

> Das ganze Hörspiel (. . .) muß sehr schnell ablaufen. Nur Bruchteile von Pausen jeweils. Kein Ausspielen der Situation. Kein Sentiment. Alles sachlich, beiläufig, gleichmütig, nichts bedeutungsvoll, eher eine gewisse Schnurzigkeit. (. . .)
> Keine Geräusche, außer den beiden im Text angegebenen. Und natürlich keine Musik. Keine Schritte, keine Türen, kein Klopfen usw. Das Kommen und Gehen der Personen soll angedeutet werden durch die Art, wie sie sprechen. (. . .)
> Die beiden einzigen Geräusche sind also der (. . .) Lärm des abstürzenden Kronleuchters, und (. . .) die Salve aus der Maschinenpistole. Das Lachen der Kinder (. . .) sollte (. . .) von Mal zu Mal so variiert werden, daß auch die Salve der Maschinenpistole wie eine weitere Variation in etwa wirkt. (. . .)
> Vor allem: Das Hörspiel enthält keine Aussage. Und keine Kritik. Das Hörspiel ist eine Darstellung; wenn man so will: in Form einer Collage.[296]

War eine solche Vorstellung, bezogen auf die bedeutungsschwangeren Hörspiele und Inszenierungen der fünfziger und frühen sechziger Jahre, nahezu Sakrileg, sie klingt ihrerseits konventionell, wenn man ihr Heißenbüttels ›Zusätzliche Anmerkungen‹ zu seinem ›Konversationsstück‹ gegenüberstellt. Nicht mehr um Bedeutung, um Stellungnahme geht es in diesem Redemuster-Spiel, sondern um sprachlichen Leerlauf, nicht um ›Miserere‹[297], sondern um kritische Erkenntnis auf seiten des Hörers. Deuten die Dialogsequenzen in Hirches Hörspiel noch so etwas wie rudimentäre Handlung an, läuft Heißenbüttels ›Konversationsstück für 9 Stimmen und einen oder mehrere Sprecher‹ leer, wobei der stereophonen Realisation ein zusätzlicher Demonstrationseffekt zukommt.

> Dieses Konversationsstück ist in 3 Abläufen notiert. Der 1. Ablauf ist weitgehend festgelegt, der 2. nur in der Folge der Sätze, nicht aber in ihrer Verteilung, der 3. ist weitgehend frei verwendbar (. . .)

Die 3 Abläufe sind parallel vorgestellt. Sie können entweder ineinander geschoben werden oder aber stereo nebeneinander laufen. Im ersten Fall sollten die Sätze und Satzgruppen des 2. Ablaufs möglichst gruppenweise kulminieren, im zweiten Fall sollten sie in etwa gleichmäßig über den Gesamtablauf verteilt werden. Dies sind jedoch nur Vorschläge. Es sollten eher zufällige als bedeutende Koppelungen zustande kommen. Dasselbe gilt auch für den 3. Ablauf. Hier wäre es vielleicht am besten, wenn aus Zwischenrufen und Geräuschen ein Band hergestellt würde, das unabhängig von dem des ersten Ablaufs ist, aber die gleiche Länge hat. Dabei sollte nach Zeitplan ein Streuungsverhältnis hergestellt werden, bei dem sich längere Leerstellen und Kulminationsbündel ergeben. Beim Zuspielen dieses unabhängigen Bandes sollten die entstehenden Koppelungen möglichst zufällig bleiben.
Für eine Produktion ist vielleicht eine Unterteilung in kleinere Einheiten sinnvoll. Dafür sei darauf hingewiesen, daß in der Abmessung der drei Abläufe die Zahl 13 eine Schlüsselrolle spielt. Der erste Ablauf besteht aus 13 × 13 = 169 Einsätzen. Die ausdrücklichen Verzahnungsstellen liegen dabei meist am Übergang von einer 13er Gruppe zur nächsten. Der 2. Ablauf besteht aus 4 × 13 = 52 Sätzen bzw. Satzgruppen. Im 3. Ablauf sind je 13 Geräusche und Zwischenrufe notiert.
Es kann mit der Schlüsselzahl manipuliert werden, aber auch mit Zeitquantitäten. Derartige Manipulationen sind wichtiger als Sprechen auf Bedeutung hin. Spannung besteht allein in der Zu- und Abnahme der Wortquantitäten. Es wäre zu fragen, wieweit das durch variable Sprechtempi unterstützt werden kann. So könnte der Anfang z. B. sowohl sehr rasch als auch prononciert langsam gesprochen werden. Die 80-Wörter-Absätze können sowohl heruntergelesen wie auch doziert werden. Usw. Andeutung von Rollenspiel, wenn verwendet, könnte nur karikierend sein. Usw.[298]

Dieses knapp ein Drittel der ›Zusätzlichen Anmerkungen‹ umfassende Zitat belegt hinreichend die strikte Abwendung von bedeutendem Sprechen, wie sie im Umfeld des Neuen Hörspiels stattfand, und ist überdies bemerkenswert wegen seiner Vorschläge zur akustischen und rhythmischen Organisation des Sprach- und Sprechmaterials. Daß dabei der Zahl 13 der Wert einer „Schlüsselzahl" beigemessen wird, ist nicht etwa ein Ausrutscher in die Zahlenmystik oder -magie. Die Zahl 13 als ordnende Größe ist vielmehr eine zufällige Festlegung, an die sich Heißenbüttel seit 1965 vor allem zur Gliederung längerer Texte gerne hält, wenn er ›3 × 13 mehr oder weniger Geschichten‹ zu ›Textbuch 5‹ oder ›Dreizehn Lehrgedichte‹ zu ›Projekt Nr. 2‹ zusammenstellt. Aus drei mal dreizehn ›Kapiteln‹ setzen sich der Quasi-Roman ›D'Alemberts Ende‹ und aus jeweils dreizehn Abschnitten die sieben ›Neuen Abhandlungen über den menschlichen Verstand‹ in ›Textbuch 6‹ zusammen, deren Menge ihrerseits auf die ›siebenstrophigen‹ ›Siebensachen‹ in ›Textbuch 4‹ verweist. Daß eine der ›Neuen Abhandlungen über den menschlichen Verstand‹ auffällig ›Menge mit aufgeprägter Metrik‹ überschrieben ist, ließe sich ebenfalls als Hinweis auf eine zufällig bestimmte und übergeworfene Struktur lesen („aufgeprägt" und „Metrik").

Realisierungsvorstellungen dieser Radikalität stellen nachdrücklich die Frage nach dem Verhältnis von Vorstellung des Autors und Einlösung durch die Regie, verlangen nicht nur für die umfassende Analyse die Berücksichtigung des Autorwillens. Das rechtfertigt auch in unserem Zusammenhang das Zitat der „Charakterisierung", die Heißenbüttel als „Hinweis für eine mögliche Produktion" den 3 Abläufen seines Hörspiels vorangestellt hat.

Im ersten Ablauf sind innerhalb eines bestimmt abgrenzbaren Repertoires typische Redemuster gesammelt: Bildungsrhetorik Bundesrepublik Deutschland Ende 60er Jahre 20. Jahrhundert. Diese Redemuster (Stichworte Sätze Absätze, die überwiegend mit Zitaten und Halbzitaten bestritten werden) können als typische Vorlagen für typische Unterhaltungen innerhalb einer typischen Gruppierung aufgefaßt werden. Die Gruppierung wird dargestellt durch 9 Stimmen, 2 weibliche und 7 männliche. Inhaltlich ist der Ablauf völlig diskontinuiert. Jeder Sprechende setzt sozusagen immer neu zum grundsätzlichen Gespräch an, ohne daß es wirklich dazu kommt. Repetitionen sind als Verzahnungen eingefügt. Die Folge der Gesprächsteilnehmer ist zufällig, doch so, daß ein vages Gleichgewicht gewahrt bleibt (die beiden weiblichen Stimmen haben je 24 Einsätze, die 8. Stimme 22, die 7. Stimme 19, die 3. und 4. Stimme haben je 13, die 1. Stimme 14, die 6. Stimme 13).
Formal sind die Redemuster angeordnet nach der Wortmenge, die sie enthalten. Der erste Einsatz besteht aus einem Wort. Es folgt eine kontinuierliche Steigerung bis zu Absätzen von über 80 Wörtern. Mit einem zweimaligen: Nadenn tritt der Rücklauf ein. Dieser führt in verkürzter Folge wiederum bis zu Einwortzwischenrufen. Eine Zwischenrufkette, die in die kontinuierlich zunehmenden Wortquantitäten eingeschoben ist, gewinnt im Rücklauf die Oberhand.
Die Anordnung der Einsätze nach Wortquantitäten hat zur Folge, daß am Anfang und am Ende allgemeine, wenn auch konfuse Gesprächszusammenhänge erschlossen werden können, dieser Zusammenhang jedoch mit zunehmender Wortquantität zerfällt. Mit zunehmend zerfallendem Gesprächszusammenhang werden infolge der zunehmenden Länge die einzelnen Absätze in sich immer verständlicher. Der Gesprächszusammenhang, der am Ende quasi wiederhergestellt scheint, ist völlig inhaltslos.
Der 2. Ablauf besteht aus Sätzen und Satzgruppen, in denen die Träger der 9 Stimmen und auch ihre Gesamtgruppierung grob charakterisiert werden. Die Abfolge dieser Sätze ist festgelegt, kann jedoch abgekürzt oder repetiert werden. Sie sollen von einem oder mehreren Sprechern möglichst neutral gesprochen werden. Ihre Verteilung über den Gesamtablauf, der vom 1. Ablauf bestimmt wird, ist beliebig.

Der 3. Ablauf wird gebildet durch Geräusche und Zwischenrufe. Deren Folge ist nicht festgelegt. Sie sollen wahrgenommen werden von den Trägern der 9 Stimmen. Die Verteilung über den Gesamtablauf ist beliebig.[299]

Mit drei Wiederholungen,[300] davon einer im 1. Programm, ist ›Projekt Nr. 2‹ neben ›Marlowes Ende‹, das ebenfalls drei Sendungen erfuhr,[301] das vom Westdeutschen Rundfunk am häufigsten gesendete Hörspiel Heißenbüttels. Alle anderen Spiele und akustischen Texte wurden – wenigstens im Westdeutschen Rundfunk – nur einmal gesendet. Das läßt sich mit ihrer Exponiertheit erklären und ist dennoch bedauerlich. Denn gerade durch ihre offene Form, durch die Leerstellen, die sie für Dramaturgie und Regie bereithalten, bleibt jede Realisation, deutlicher und anders als bei einem konventionellen Hörspiel, lediglich Lösungsvorschlag, Aufforderung, zu überlegen, ob man es nicht auch anders, sogar ganz anders machen könnte. Heißenbüttel hat, soweit bekannt, zu diesem Sachverhalt nirgends ausführlicher Stellung bezogen, einige Bemerkungen ausgenommen, die die Realisation des ›Projekts Nr. 2‹ durch Raoul Wolfgang Schnell betreffen:

Ich kann nur im Ganzen sagen, ich bin eigentlich damit einverstanden, ich finde das also sehr gut, wie er das gemacht hat. Die Frage ist, ob man es nicht auch anders machen könnte. Und da waren also für mich (. . .) einfach Detailfragen, ob ich nicht vielleicht (. . .) jetzt, von dieser Produktion aus gesehen, mir vorstellen könnte, daß die Anfangspassagen schneller gehen und vor allem, daß da, wo jetzt die längeren Passagen übereinandergeredet werden, ob man da nicht dieses Durcheinander hätte benutzen können, um an einzelnen Stellen doch plötzlich einen wichtigen Satz ganz für sich, ganz klar und deutlich für sich stehen zu lassen.[302]

Man würde diese Bemerkungen Heißenbüttels mißverstehen, wenn man sie als Kritik an der Realisation lesen würde. Dem Vorschlagcharakter des Projekts entsprechend hat jede seiner Realisationen ebenfalls Vorschlagcharakter, für den Hörer und ebenso für den Autor, der sich, mit den Worten Heißenbüttels, dafür interessiert, was der andre sich für einen Vers draus macht.

Für mich ist es so: ich finde – ich weiß nicht, ob sich das immer realisieren läßt – aber ich finde, der Autor und der Realisator, wenn es zwei verschiedene Personen sind oder vielleicht sogar drei, die sollten versuchen, soweit wie möglich gleichberechtigt nebeneinander zu stehen und ineinander zu greifen in der Realisation und dem Ganzen, und das, was da rauskommt, müßte im Grunde etwas sein, was alle, die daran beteiligt sind, akzeptieren können.[303]

Wenn Heißenbüttel von „Realisation“, vom Regisseur als „Realisator“ spricht, signalisiert dies bereits von der Nomenklatur her das gegenüber dem traditionellen Hörspiel, seinem Manuskript und dessen Inszenierung jetzt neue Verhältnis von Autor und Regisseur, von Manuskript und – eben – Realisation. Diese im Umkreis des Neuen Hörspiels von Anfang an bevorzugte Bezeichnung war dabei gezielter Hinweis „auf die mediale Eigenständigkeit der akustischen Gestaltungsweise des Hörspiels sowie auf die Aufwertung der Interpretenfunktion gegenüber der Urheberschaft des Autors“[304] in einer veränderten Hörspiellandschaft, als deren Charakteristika eine Dissertation den „Vorschlagcharakter des Manuskripts“, die „Aufhebung spezialisierter Arbeitsteilung“ durch „Gruppenarbeit“, den „offenen Text“ und eine mögliche „Aleatorik der Realisation“[305] aufzählt.

c) Was sollen wir überhaupt senden?

Heißenbüttels theoretische und praktische Rolle in der neueren Hörspielgeschichte ist noch nicht hinreichend erkannt und gewürdigt worden. Sieht man von dem mißglückten Debüt Anfang der fünfziger Jahre ab,[306] betritt er die Hörspielszene Januar/Februar 1968 mit sechs einleitenden Essays zu einer ›Experiment und Kritik der Sprache im Hörspiel‹ überschriebenen Sendereihe, die mit Hörspielen von Ludwig Harig, Richard Hey, Rainer Puchert, Peter Handke, Nathalie Sarraute bereits ein zentrales Thema des Neuen Hörspiels vorstellte.[307] Heißenbüttel, der sich mit weiteren Essays zu Hörspielreihen (›Klischees und Modelle‹, 1969; ›Rückzug nach Innen?‹, 1977; ›Was sollen wir senden?‹, 1978)[308] und einzelnen Hörspielen unter anderem von Mauricio Kagel[309], Franz Mon[310], Paul Wühr[311] oder Ernst Jandl/Friederike Mayröcker[312] als einer der wenigen ernst zu nehmenden westdeutschen Hörspielkritiker auswies, stellte sich ebenfalls schon 1968 auf der Frankfurter „Internationalen Hörspieltagung“ auch als bedeutender Hörspieltheoretiker vor.

Auf dieser Tagung mit ihrer hörspielgeschichtlich folgenreichen Weichenstellung hielt Heißenbüttel das einleitende Referat. Dieses in der Spielplan-Analyse des Jahres 1969 bereits erwähnte zweite ›Horoskop des Hörspiels‹ geriet, für manche Tagungsteilnehmer sicherlich überraschend, zur entschiedenen Auseinandersetzung mit einem Hörspielverständnis, das sich aus Richard Kolbs ›Horoskop des Hörspiels‹ von 1932 herleitete, einer Hörspieltheorie, auf der das Hörspielverständnis der fünfziger Jahre, speziell der Hamburger Hörspieldramaturgie unter Heinz Schwitzke vor allem fußte. Kolb hatte, wie schon zitiert, seine Vorstellungen eines Hörspiels der Innerlichkeit unter anderem aus einem Hörspiel und seiner Inszenierung gewonnen, die zugleich einen Höhepunkt der frühen Kölner Dramaturgie darstellte: aus Eduard Reinachers ›Der Narr mit der Hacke‹ in der Inszenierung durch Ernst Hardt. Besonders die Künstlichkeit der Stimmenführung, der symbolische Einsatz des Hackenschlags hatten nicht nur Kolb damals beeindruckt, sie veranlaßten, wie gleichfalls bereits zitiert, noch nach dem Krieg Schwitzke, von dem „lyrischen Sprachwerk“ zu schwärmen, „bei dem alle Sichtbarkeit irrelevant“ sei, „das vor uns heruntermusiziert“ werde „wie ein Musikwerk aus Sprache“. Mit ihm habe „die Geschichte des modernen Hörspiels“ erst eigentlich angefangen, „zur Erfüllung zu gelangen“.

Von solchen „deklarierten Musterbeispielen her“ könne das bisherige Hörspiel jedoch, zeigte sich Heißenbüttel überzeugt, „eher als literarischer Nachzügler bezeichnet werden“. Zwar hätten auch Hörspiele dieser Art ihre Berechtigung und ihren Platz „innerhalb der unterhaltenden und vermittelnden Funktion des Rundfunks“, wolle man dagegen an das Hörspiel „ernstlich literarische Maßstäbe anlegen“, müsse man von anderen Kriterien ausgehen.[313]

Zentrales Stichwort wird für Heißenbüttel in diesem Zusammenhang die „Hörsensation“, die „vom Handwerklich-Technischen der Produktion her“ zwar „schon immer beachtet worden“ sei, nun aber „aus ihrer Rolle als Akzidenz der poetischen Illusion befreit werden“ müsse. Dabei könnte „aus der Produktion musikalisch konzipierter“ oder artikulatorischer „Spiele neue Hörerfahrung gewonnen werden“, doch müsse der Begriff „nicht auf das Artikulatorische beschränkt“ bleiben.

Wenn in einer weltpolitischen Krise eine bestimmte Entscheidung erwartet wird, wenn Ergebnisse von Fußballspielen ausstehen, Nachrichten über ein Unglück erwartet werden usw., liegt die Sensation in der *entscheidenden Information*. Gefälle und Befriedigung sind dabei offenbar größer, wenn man sie *akustisch* aufnimmt. Man könnte sagen, *Hörsensation* hat zwei Grenzpole: die pure Nachricht auf der einen und die musikalische Sublimation des Sprachlichen auf der anderen Seite. Zwischen diesen Polen entfaltet sich in kontinuierlichem Umgang das Feld der variablen und freikombinatorischen Möglichkeiten. Literarisch gesprochen: Auseinandersetzung, Kritik, Tabuverletzung, Schock usw. als purer Inhalt auf der einen, Laut- und Geräuschpoesie auf der anderen Seite wären die Grenzen, innerhalb derer sich ein umfassenderes und völlig frei disponierbares Hörspiel denken läßt.[314]

Es wird inzwischen allgemeiner vertreten und ist auch historisch hergeleitet worden, daß das Hörspiel als „vagabundierendes Kind“[315] des Mediums, als funkeigene Form durch die „drei Bestandteile des Programms – Nachricht, Unterhaltung und Kultur – in seiner Entwicklung mitbedingt ist, angesiedelt ist in einem durch diese drei Programmbestandteile formal und inhaltlich determinierten Spannungsfeld".[316] 1968 auf der „Internationalen Hörspieltagung" mußte Heißenbüttels Einordnung des Hörspiels als „Hörsensation" zwischen Musik und Nachricht, und damit zwischen den beiden zentralen Programmbestandteilen des Rundfunks, wie eine Provokation wirken und tat es denn auch, vor allem durch einen letzten Schritt, den Heißenbüttel in seinem ›Horoskop‹ ging, indem er auch das Hörspiel dem Anspruch des Rundfunks, aktuell zu sein, unterordnete und daraus formale Konsequenzen zog:

Literatur ist nur da aktuell, wo sie sich in Kontakt weiß mit dem zeitgenössischen historischen Anspruch. Dieser ist seinem Wesen nach unformuliert, und die Literatur hat ihre Aufgabe darin, ihn zu formulieren. Das aber geschieht in der Auseinandersetzung mit dem bis hierher noch Unbenennbaren und Unsagbaren. Erst was von der Literatur sagbar gemacht wird, bestimmt das Sagbare; ja, bestimmt das, was es *überhaupt gibt*, denn es gibt nur das, was ausgesprochen werden kann. Darüber hinaus gibt es keine *Vor*bestimmung. Alles ist möglich. Alles ist erlaubt.[317]

Heißenbüttels ›Horoskop‹ gewinnt noch an Brisanz, wenn man sich vergegenwärtigt, daß es seine Thesen nicht von außen an das Programm herantrug, sondern gleichsam aus dem Programm entwickelte, aus Erfahrungen herschrieb, die der Redakteur des Radio-Essays praktisch täglich machen konnte. So als wolle er diesen Praxisbezug besonders betonen, überschrieb Heißenbüttel einen 1969 dem ›Horoskop‹ folgenden Aufsatz mit ›Hörspielpraxis und Hörspielhypothese‹.[318] Dieser Aufsatz ergänzte die Überlegungen des ›Horoskops‹ in drei wesentlichen Punkten. Erstens wies er dem Feature, das seit Anfang der fünfziger Jahre aus den Hörspieldramaturgien der Innerlichkeit verdrängt und verbannt war, wieder seinen ihm gemäßen Platz zu:

Wenn der Hörspielentwicklung etwas abzulesen ist, das mediumeigene Gesetzlichkeiten reflektiert, so ist es zunächst nur die Verbindung, die sich von der grundsätzlichen Aufgabe der Information zum illusionären Spiel ziehen läßt. Im Gebrauchscharakter einer populären Hörspielform, die unmittelbar ins Feature übergeht und literarisch ästhetische Kriterien nur als grob handwerkliche Regeln anerkennen kann, zeigt sich die erste legitime Form, die sich aus dem Medium entwickelt.[319]

Vor allem aber verweist Heißenbüttel in diesem Aufsatz auf Auftragssituation[320] und Programmplazierung als zentrale Bedingungen der Hörspielpraxis, von denen vor allem die letztere interessiert, weil aus ihr folgt, daß auch das Hörspiel, als Teil eines Programms, den „Schematisierungsregeln" dieses Programms mit „unterworfen ist".

Kein Hörspielleiter oder Dramaturg kann sich darüber hinwegsetzen, daß er das Hörspiel placieren muß. Alle ästhetischen und werkimmanenten Kriterien müssen auf diesen Placierungszwang bezogen werden. Denn ungesendet ist das Hörspiel nichts als ein Manuskript unter anderen. Hier sind zunächst die Differenzen zu sehen, die das Hörspiel als Literatur von der übrigen literarischen Szene scheiden.[321]

Heißenbüttel war Praktiker genug, derartige Bedingungen als bedauerliche, aber apparatimmanente „Entfremdung" zu akzeptieren, und verfiel so auch nicht dem Kurzschluß anderer Hörspielkritiker und Medientheoretiker, es ließe sich aus dem „Distributionsapparat" – wenn nötig mit Gewalt – ein „Kommunikationsapparat" machen. In einem bereits zitierten Gespräch hat er 1970 einsichtig gemacht, warum er diese Bedingungen akzeptiert, und formuliert, was er gegen derart überzogene theoretische Forderungen einzuwenden hat:

So einfach (...) geht das nicht. Der Distributionsapparat, wenn man ihn so nennen will, ist das, mit dem wir arbeiten, und von dem müssen wir zunächst ausgehen. Und (...) hier ist bestimmt der Punkt, wo man sagen kann, daß Reformen von dem vorhandenen Zustand besser sind als Revolutionen genereller Art.[322]

Nun setzt Reform stets die Analyse des zu Reformierenden voraus. Und Analyse in mehrfacher Hinsicht sind Heißenbüttels hörspieltheoretischen ebenso wie seine hörspielpraktischen Arbeiten und Versuche, sei es, daß sie theoretisch die Möglichkeiten des Hörspiels aus den Eigengesetzlichkeiten des Apparats, seinen Programmbedingungen ableiten, sei es, daß sie einzelne Hörspiele oder Hörspielreihen kritisch befragen, sei es, daß sie in spielerischer Form selbst Aspekte des Mediums aufgreifen. Häufig läßt sich dabei ein Aspekt an verschiedenen Stellen antreffen. Etwa das von seinen Adepten so gründlich mißverstandene Diktum Brechts, das außer in dem zitierten Gespräch noch einmal in dem Hörspiel ›Was sollen wir überhaupt senden?‹ begegnet:

Redakteur männl.: das Radio ist ein liberales Medium das den Hörer bei allen möglichen Tätigkeiten unauffällig aber freundlich begleiten kann Fernsehn ist herrisch

Hörspielkritiker: Radio ist aus einem Distributionsapparat in einen Kommunikationsapparat zu verwandeln Radio wäre der denkbar großartigste Kommunikationsapparat des öffentlichen Lebens ein ungeheures Kanalsystem wenn es verstanden würde den Hörer nicht nur hören sondern auch sprechen zu machen

ehemaliger Rundfunkintendant: mit wem sollen wir überhaupt reden
Redakteur weibl.: alle Qualitäten des Radios müßten in einem einzigen Programm konzentriert und dieses gewissermaßen zu seinem Lieblingskind das heißt zu seiner Visitenkarte gemacht werden können
ehemaliger Rundfunkintendant: Massenkultur ist allerdings nicht als ursprünglich von den Massen aufsteigende Kunst aufzufassen.[323]

Wie schon in ›Projekt Nr. 2‹ setzen auch in dieser Sequenz die Zitatstimmen „immer wieder neu zum grundsätzlichen Gespräch", zu grundsätzlicher Erörterung eines Problems an, „ohne daß es wirklich" zu einem Gespräch, zum Ansatz einer Lösung kommt. Statt dessen werden in den zufälligen Verzahnungen der Zitatfragmente Zusammenhänge deutlich, überraschend hörbar, auf die der Hörer/Leser im ursprünglichen Kontext der Zitate kaum geachtet hätte, so gleich zu Beginn der zitierten Sequenz, wenn nach der vom männlichen Redakteur vorgenommenen Unterscheidung zwischen liberalem Radio und herrischem Fernsehen der Hörspielkritiker fordert, den „Distributionsapparat in einen Kommunikationsapparat zu verwandeln", was der Frage des ehemaligen Rundfunkintendanten, „mit wem sollen wir überhaupt reden", eine besondere Nuance gibt.

Die Eigengesetzlichkeiten der Montage/Collage als Mittel der Analyse zu nutzen, ist ein Charakteristikum des Neuen Hörspiels[324] und auch bei Heißenbüttel immer wieder anzutreffen, in ›Was sollen wir überhaupt senden?‹ ebenso wie in der parodistischen Krimi-Analyse ›Marlowes Ende‹ wie in dem Hörspiel ›Nachrichtensperre‹:

Rom reagiert erst am Wochenende Abschlachtprämie wirkt sich aus Kannibalen freigesprochen geschändete Frauen erzählen alles Mausbach zieht Frankfurt vor Paris verspricht guten Willen Rauschgiftwelle hat Bayern erreicht Triumpf läßt das Mieder eng schnüren Brutalität als ästhetische Botschaft.[325]

Zitatmontagen vergleichbarer Art sind in der Literaturgeschichte spätestens seit dem Futurismus/Dadaismus bekannt und auch im literarischen Werk Heißenbüttels bereits früh aufzufinden. Ihr Hörspieleinsatz erfolgt einmal wegen ihres spezifisch akustischen Reizes, hat aber noch einen besonderen Grund in der Korrespondenz von sprachlichem und technischem Verfahren, von Zitat- und Bandmontage, von überraschender sprachlicher Fügung und hartem Schnitt.

Vertrautes als unvertraut, als völlig Ungewisses erscheinen zu lassen, versuchen auch die Quasigespräche, in denen vertraute Redewendungen, Redemuster spitzfindig befragt werden:

es gibt jetzt neue Nachrichten
wer gibt jetzt neue Nachrichten
es
wem gibt es diese neue Nachrichten
zum Beispiel uns
hat es das uns diese neuen Nachrichten gibt diese Nachrichten
gemacht
Nachrichten werden nicht gemacht Nachrichten sind
sind was
Nachrichten sind Nachrichten über etwas.[326]

Überraschender kann man in einem Medium, das zu einem wesentlichen Teil Nachrichtenmedium ist, dessen Konsumenten vor allem auf sensationelle Nachrichten warten, nicht spielen. Und spielerischer kann man dem Hörer wohl kaum sein Medium als gedankenlos benutztes Nachrichtenmedium präsentieren, ihn auffordern, kritischeren Gebrauch davon zu machen.

Heißenbüttels Hörspiele, das deutete sich wiederholt an, sind mit seinem anderen schriftstellerischen Werk eng verknüpft. Eine Skizze seiner Hörspiele muß also auch dieses andere Werk mit einbeziehen. Ich beschränke mich dabei auf den Werkkomplex der ›Projekte‹, dem Heißenbüttels Hörspiele ja wesentlich zuzurechnen sind.

Wie schon in den sechziger Jahren die ›Textbücher‹, sollen in den siebziger Jahren die ›Projekte‹ auf das Unvollständige, das Vorläufige, auf Plan und Entwurf weisen. Es gehört zum Charakter eines Projekts, daß es nicht realisiert werden muß. „Alle Texte", dies zeigt eine Nachbemerkung zu ›Das Durchhauen des Kohlhaupts‹ an, „haben die Möglichkeit der akustischen Realisation; einige wurden als Hörspiele gesendet."[327] Im Extremfall kann ein Projekt gleichsam über den Zustand des Projekts eines Projekts nicht hinausgelangen, etwa im Falle eines dritten medienkritischen Hörspiels, dessen Inhalt Heißenbüttel 1977 für das Programmheft des Westdeutschen Rundfunks folgendermaßen skizziert hatte:

Das Hörspiel, das sich unter anderem auch der Intrige klassischer Komödie und der Monologe shakespearscher (sic! R. D.) Tragödie bedient, stellt eine Art Satire auf den Bürobetrieb, den Grabenkampf und die merkwürdigen Verwicklungen einer durchschnittlichen Angestelltenfirma dar. Bezeichnende Züge stammen aus dem eigenen Erfahrungsraum, das heißt: Medienbetrieb, Funk, Fernsehen, Zeitung. Allerdings werden allzu direkte Anspielungen, bis auf gelegentliche politische Anzüglichkeiten, vermieden. Es bleibt alles ganz allgemein, typisch, fast allegorisch. Gezeigt werden soll die beinahe tragische Situation, in die der Chef gerät, wenn sich Konflikte ergeben mit seinen engeren (besten) Mitarbeitern. Das Private bleibt nicht ausgeschlossen. Vor allem die Monologe des Chefs geben einen Begriff von der existentiellen Vereinsamung dessen, der einsame Entschlüsse zu fassen gezwungen ist. Widerlegt wird das Vorurteil, ein solcher handele egoistisch, karrieristisch, opportunistisch. Man kann auch von einem Planspiel sprechen, das begleitet und kommentiert wird von einem Chor in Form eines Gesprächs zwischen meinem Kollegen Schale und mir ohne Nennung von Namen.[328]

Dem Charakter der ›Projekte‹ entsprechend, kann Heißenbüttel bei ihrer akustischen Realisation den Regisseuren „die Freiheit von Mitautoren" einräumen, die „von den Materialvorlagen aus autonom agieren könnten".[329] Er kann von „Konzepten" sprechen, die „zum Weitermachen, zur Ergänzung, zur Reaktion" angeboten seien, von einer „Diskussion, die sich fortsetzen läßt".[330]

Was die ›Projekte‹ zur Diskussion stellen, sind Scheingespräche, Quasidialoge. Zwei Selbstinterviews[331] Heißenbüttels, vor allem aber sein Essay ›Gespräche mit d'Alembert und anderes‹[332], ein systematisierender Versuch über den „Dialog als literarische Gattung", lassen ablesen, wie und wo Heißenbüttel seine Scheingespräche, seine Quasidialoge eingeordnet wissen möchte. Nicht überlesen darf man allerdings den Hinweis auf die Dialoge Diderots, speziell seine ›Gespräche mit d'Alembert‹, deren „Gesprächsteilnehmer nicht nur historisch fixierbare Personen" seien. „Dadurch, daß der Autor Diderot selbst als Redender und Diskutierender auftritt, gewinnt die Aufzeichnung (. . .) Protokollcharakter."[333]

Diese Möglichkeit des Dialogs ist historisch erschöpft, nicht wiederholbar, und wenn, allenfalls in der modernen Spielform eines „Dialogs des Aneinandervorbei-Redens", des „Dialogs als bloß multipliziertem Monolog".[334] Die Dialoge der ›Projekte‹ sind in der Regel solche „Dialoge des Aneinandervorbei-Redens", wobei das, was in ihnen aneinander vorbeiredet, vorbeigeredet wird, in der Regel zusammengesetztes Zitat ist, Zitatbündelungen sind. Weil die Stimmen der ›Projekte‹ in der Regel Zitatträger und/oder zitierte Figuren sind, gewinnt Heißenbüttel aber auf einer neuen Ebene etwas von dem Protokollcharakter der klassischen Dialoge der Aufklärung zurück. Allerdings ist das, was seine Quasidialoge protokollieren, ein leerlaufender Strudel banaler und literarischer Zitate und Anspielungen, eine in sich kreisende Mischung „aktueller Erfahrungs- und Denkmuster", intellektuelles Geschwätz statt klärenden Gesprächs. Hier setzt die von Heißenbüttel beabsichtigte „Satire auf den Überbau" an; in dieser Form versucht er, was er an anderer Stelle „radikale Aufklärung" genannt hat.

Es ist als Hinweis ernst zu nehmen, wenn Heißenbüttel im ›Ersten erfundenen Interview mit mir selbst‹ es ablehnt, die sprechenden (und handelnden) Figuren aus ›D'Alemberts Ende‹ als „Personen" zu verstehen, wenn er sie – trotz „Anspielung auf alle möglichen existierenden Personen" – allenfalls als „synthetische Personen" verstanden wissen will.[335] Sie sind in der Tat, wie das Personal vieler akustisch realisierbarer „Projekte", Kunstfiguren, deren künstliche Rede (= das Zitat) die Realität nicht mehr greift. Und dies ist zugleich die Realität dieser verschränkten Zitatbündelungen.

„Die aus der Sprachkonserve entlassenen Figuren", formulierte ein Kritiker seine Leseerfahrung, „bleiben ‚homunculi', ihre Welt ein Schauplatz von Zitatenmüll. Nicht einmal der Tod kann, paradox gesagt, diese Welt beleben."[336] Doch reicht dies als Erklärung noch nicht aus. Indem nämlich die Zitate einerseits die Realität nicht mehr greifen, indem sie andererseits ihren ursprünglichen Kontext nicht mehr (mit)tragen, demonstrieren sie so etwas wie sprachliche Endsituation, Sprache am Ende. Sicherlich nicht von ungefähr tragen Heißenbüttels ›Projekte‹ Titel wie ›Max unmittelbar vorm *Einschlafen*‹, ›D'Alemberts *Ende*‹, ›Marlowes *Ende*‹, ›*Toter Mann* im *Traum* die Treppe herab kommend‹.[337] „Das Ziel", hat Heißenbüttel zu ›D'Alemberts Ende‹ notiert, „das drin steckt, das drin versteckt ist, ist das Ende, das definitive Ende, der Gedanke des Endes, der Gedanke, daß nichts getan und gedacht werden kann, was nicht unter dem Gedanken des definitiven Endes steht."[338]

Die auf ›D'Alemberts Ende‹ folgenden „Projekte" lassen sich jedenfalls zu weiten Teilen als akustische Illustrationen, als akustische Demonstrationen dieses „Gedankens des definitiven Endes" hören. Unter diesem Gedanken haben die beiden Hörspiele ›Was sollen wir überhaupt senden?‹ und ›Nachrichtensperre‹ noch einen denkwürdigen Hintersinn, den die ›Nachrichtensperre‹ auf ihre Weise ausspielt, wenn dort nach der „schnellsten" und nach der „bedeutendsten Nachricht" gefragt, wenn spekuliert wird, ob „die Nachricht über den Untergang der Erde" noch eine „Nachricht" sei:

es gibt keine Nachricht mehr wenn die Erde untergegangen ist
warum nicht
weil der Untergang der Erde ein so einmaliges Ereignis wäre daß mit diesem Ereignis jede nur mögliche Nachricht aufhören würde weil jede nur mögliche Nachricht von diesem Ereignis überholt in ihm verschluckt und in ihm aufgehen würde
es gäbe keine Nachricht mehr davon
diese Nachricht würde so schnell sein daß sie ein für allemal alle nur möglichen Nachrichten überholt hätte.[339]

6. HÖRSPIEL – EIN AUFNAHMEZUSTAND[340]

Mauricio Kagel hat sein Hörspiel ›Die Umkehrung Amerikas‹[341] im Untertitel als ›episches Hörspiel‹ ausgewiesen. Das ist auf der Oberfläche eine Plazierung zwischen einem subjektiven, lyrischen Hörspiel und einem objektiven, dramatischen Hörspiel, und zugleich eine Parallelisierung zum epischen Theater Brechts. Aber hat Mauricio Kagel dies wirklich mit seinem Untertitel sagen wollen? Ich glaube nicht. Doch wird man zum Verständnis einen kleinen Umweg gehen müssen.

Mauricio Kagels ›Die Umkehrung Amerikas‹ 'erzählt' die Eroberung Mexikos durch die Conquista, eine Eroberung, die fast 20 Millionen Menschenleben kostete und eine hohe Kultur zerstörte. Es ist dies ein Stoff der Art, wie er in den großen Epen – dem Nibelungenlied ebenso wie der Ilias oder dem Gilgamesch-Epos – gestaltet wurde. Nur: Mauricio Kagel ist Komponist, und seine Form ist das Epos nicht; wohl aber das Hörspiel, und zwar in dem Versuch, „durch die spezifischen Mittel des Hörspiels – Darstellung von Sprache und Rolle – eine Integration mit musikalischen Kompositionsformen zu finden".[342]

So gesehen ist die ›Umkehrung Amerikas‹ auch der Versuch einer Synthese von Musik und Epos im Hörspiel. Und genau dieses scheint mir der Komponist Kagel im Kopf gehabt zu haben, als er sein Hörspiel als „episch" auswies. Er zieht damit Konsequenzen aus Überlegungen, die die Hörspielgeschichte von Anfang an begleitet haben, von unterschiedlichen Standpunkten aus unterschiedlich formuliert wurden, vom Standpunkt des Epikers zum erstenmal ausführlich von Arnold Zweig 1929 auf der Kasseler Arbeitstagung „Dichtung und Rundfunk":

Nun haben sich auf der Basis des Hörens zwei große Künste entwickelt, die Musik und die Epik. Das Epische ist in der Geschichte der Menschheit die Kunstgestaltung, die ununterbrochen befruchtet wurde vom Aufnehmen der Welt, und ihre Wiedergabe oder besser Aussprache, Befreiung durch gehörte Sätze. Der Märchenerzähler, der große Rhapsode hat den Sinn für das Epische geschaffen, lange bevor das Niederschreiben der literarischen Werke jenes Übermaß an Intellektualität hinzufügte, das aus dem Dichterischen das Literarische herausgezüchtet hat. Der Unterschied zwischen Rundfunk und Buch nun stellt die Frage nach dem Plus von Kopfarbeit und Intellektualität, das verlangt wird vom Leser, aber nicht geleistet werden kann vom Hörer. Wer die Dinge sieht, wie ich sie hier zu betrachten versuche, wird sich auch nebenbei erinnern müssen, daß das lyrische Gedicht, ursprünglich von rhythmischen Körperbewegungen durchdrungen, ein Stück gesungenen Tanzes enthält. Das Erzählen einer Geschichte nun ist dasjenige, was dem heutigen Rundfunk die Möglichkeit gibt, gerade wieder auf die hörende, vom Hören, vom Ohr her angeregte Phantasie des Aufnehmenden zu wirken; sich dem Urquell der Erzählungen, dem Epischen wieder zu nähern; kurz, in einem unerhört starken Sinne fruchtbar und anregend vom Ohr her zu wirken.[343]

Was Zweig bei diesen Überlegungen im Sinn hat, ist der „leidenschaftliche Rhythmus des gesprochenen Dichtersatzes als Teilchen eines Ganzen", ist letztlich die Forderung: „Das von mir angeführte Erzählen kann nicht anders als improvisierend erfolgen."[344]

Dieses von Zweig so nachdrücklich geforderte improvisierende Erzählen kam über ein Versuchsstadium nicht hinaus. Es ist müßig, in diesem Zusammenhang die Gründe des Scheiterns zu diskutieren. Wichtig dagegen, daß sich Kagel dem Problem jetzt gleichsam von der anderen Seite nähert. Auch er beginnt mit der Improvisation, mit Hörspielen als ›Aufnahmezustand‹[345], dem Hörspiel ›Probe‹[346], das er im Untertitel als ›Versuch für ein improvisiertes Kollektiv‹ näher charakterisiert. Die Schwierigkeiten, die Epiker mit dem improvisierenden Erzählen jenseits des Buches haben, hat der Komponist und Musiker dabei nicht, da für ihn die Improvisation eine traditionelle musikalische Ausdrucksform ist, die es nun für das akustische Medium Rundfunk nutzbar zu machen gilt.

Da Kagel Komponist ist, haben alle akustischen Ereignisse im Studio für ihn zugleich Materialwert, treten Töne, Geräusche auf der einen und die Worte auf der anderen Seite nicht in Konkurrenz zueinander, wobei eine Seite der anderen zu dienen hätte. Sie stehen vielmehr gleichberechtigt nebeneinander, sind akustische Ereignisse, über die der Komponist nach der Aufnahme am Schneidetisch komponierend (dies in einem wörtlichen Sinne) verfügen kann.

Der Kunstgriff, dessen sich Kagel bedient, um zu seinen traditionellen Materialien Ton und Geräusch auch die Sprache, Wörter als zusätzliches akustisches Material zu gewinnen, ist die gewählte Aufnahmesituation, die Probe. „Das Proben von Musik", sagt Kagel, sein Manuskript ›(Hörspiel) Ein Aufnahmezustand‹ einleitend,

ist eine Klangsituation, in der das Wort eine wesentlichere Funktion als der Ton spielt. Eine stumme Probe wäre kaum möglich, die Sprache – als Träger der Verdeutlichung von Formen und Zusammenhängen – ist hier unerläßlich.[347]

Hörspielgeschichtlich sowie auf die Hörspielproduktion Kagels bezogen, ist die Proben-Situation bei Aufnahme der Hörspiele um 1970 mehrdeutig. Für die drei Hörspiele ›(Hörspiel) Ein Aufnahmezustand‹ ist sie Voraussetzung und Inhalt. Hörspielgeschichtlich signalisiert sie in praxi das Ausbrechen aus verkrusteten Hörspielvorstellungen und Gepflogenheiten, das Wiedereintreten in eine Phase des Erprobens, den Willen zum Experiment. Und bezogen auf die Hörspielarbeit Kagels ist sie schließlich Probe, Erprobung für Künftiges, ohne die die späteren Hörspiele ›Die Umkehrung Amerikas‹[348] und ›Der Tribun‹[349], ein „Hörspiel für einen politischen Redner, Marschklänge und Lautsprecher", weder möglich noch derart erfolgreich möglich gewesen wären.

Vor allem in der ›Umkehrung Amerikas‹ tritt zu dem bisherigen, improvisatorisch gewonnenen neuen Verständnis des Hörspiels als eines musikalisch-akustischen Ereignisses aus Klängen, Geräuschen und Sprachmaterial eine inhaltliche Erweiterung in die epische Dimension, in die Epik, die sich – wie Zweig hervorhob – neben der Musik als die zweite große Kunst „auf der Basis des Hörens" ursprünglich entwickelt hatte. Genau dieses soll auch der von Mauricio Kagel gezielt zugesetzte Untertitel ›episches Hörspiel‹ besagen. Was sich auch so formulieren läßt, daß sich Mauricio Kagel mit seinen 'improvisierten' Hörspielen das 'Instrumentarium' schuf, einen traditionellerweise epischen Stoff als Hörspiel präsentieren zu können.

Mauricio Kagels Beschäftigung mit dem Hörspiel, die von ihm angenommene Hypothese der ›Musik als Hörspiel‹[350] markiert seine Position im Spielfeld des Neuen Hörspiels. Und sie ist zugleich Position innerhalb einer Tradition, in der sich Komponisten immer wieder einmal mit dem Hörspiel intensiver beschäftigten innerhalb eines Spannungsfeldes zwischen Hörspielmusik, also Musik fürs Hörspiel und der Kagelschen Entscheidung einer Musik als Hörspiel. In diesem Spannungsfeld hat es von Beginn an die unterschiedlichsten Bemühungen gegeben. Uwe Rosenbaum verzeichnet in seiner ›Hörspiel‹-Bibliographie rund 50 Titel zu „Hörspielmusik und Hörspielgeräusch"[351] und belegt damit schon numerisch die Bedeutung von Musik für das Hörspiel. Nur ein Titel verweist auf die Veränderungen, die sich hier Ende der 60er Jahre anbahnen, spricht von einem Wandel der Hörspielmusik, einem ›Konzert aus Wort, Geräusch und Musik‹[352]. Dieser einsame Titel wäre zu ergänzen durch eine Reihe von Essays, die in der programmatischen Reihe ›Komponisten als Hörspielmacher‹ seit 1970 im 3. Programm des WDR gesendet wurden,[353] allerdings bisher nur als Manuskripte vorliegen.[354] Rosenbaums Bibliographie wäre aber auch zu ergänzen durch zahlreiche frühere Belege aus der Rundfunk- und Hörspieldiskussion, wie sie sich vor allem in den von Rosenbaum nicht ausgewerteten Programmzeitschriften ›Funk‹ und ›Der Deutsche Rundfunk‹ finden.[355]

Die Möglichkeiten des neuen Mediums diskutierend, fordern sie nämlich bereits 1924 und 1925 für die Entwicklung des Hörspiels, was erst das Neue Hörspiel einlösen sollte. Da ist zum Beispiel lange vor Friedrich Knillis scheinbar so avantgardistischen Überlegungen über ›Mittel und Möglichkeiten eines totalen Schallspiels‹[356] bereits 1924 von einem „Schallspiel" die Rede, „dessen Zustandekommen wesentlich auf der Wirkung eines akustisch-elektrischen Vorgangs" beruhe.[357] Da fordert ein Lothar Band, „das ganze, weite, rein akustische Gebiet nach Hilfsmitteln und Quellen zu durchforschen – heißen sie Musik oder Geräusch – um sich hieraus seine eigene Kunst erst zu formen".[358] 1925 wird gefordert, die akustischen Ausdrucksmittel „durch die Rundfunktelephonie ungeahnt" zu vermehren, gar eine „akustische Zeitlupe" zu erfinden, was in Konsequenz „zu einer absoluten Radiokunst führen"[359] könne.

Nachzulesen ist dies in einem Artikel über ›Möglichkeiten absoluter Radiokunst‹, dessen Verfasser kein Geringerer als Kurt Weill ist. Weill gehört wie Paul Hindemith, Werner Egk und andere zu den Musikern, die, sehr viel spontaner als die Schriftsteller, die Entwicklung des Rundfunks von Anfang an begleitet haben, zu ihr beitragend und sie kommentierend. Und wie 1969 für Mauricio Kagel, so war schon 1925 für Kurt Weill „absolute Radiokunst"[360] eine Erweiterung musikalischer Ausdrucksmöglichkeiten:

Nun können wir uns sehr gut vorstellen, daß zu den Tönen und Rhythmen der Musik neue Klänge hinzutreten (...): Rufe menschlicher und tierischer Stimmen, Naturstimmen, Rauschen von Winden, Wasser, Bäumen und dann ein Heer neuer unerhörter Geräusche, die das Mikrophon auf künstlichem Wege erzeugen könnte, wenn Klangwellen übereinandergeschichtet oder ineinander verwoben, verweht und neugeboren werden würden.[361]

Allerdings sind die Intentionen des frühen Weill, und das wird man auch festhalten müssen, mit denen Mauricio Kagels letztlich unvergleichbar, wie die Fortsetzung des Zitats schnell belegt.

Um das Wichtigste noch einmal zu betonen: ein solches Opus dürfte kein Stimmungsbild ergeben, keine Natursymphonie mit möglichst realistischer Ausnutzung aller vorhandenen Mittel, sondern ein absolutes, über der Erde schwebendes, seelenhaftes Kunstwerk mit keinem anderen Ziel als dem jeder wahren Kunst: Schönheit zu geben und durch Schönheit den Menschen gut zu machen und gleichgültig gegen die Kleinlichkeiten des Lebens.[362]

Was Weill „absolute Radiokunst“ nennt, was Band als „Klangphänomen“, als das „nur Akustische“[363] fordert, ist – so muß aus Gründen der historischen Korrektheit hinzugefügt werden – nicht Hörspiel, ist auch nicht an zeitgenössischen Hörspielansätzen orientiert. Eher am Rande erwähnte Weill, daß man davon spreche, „das Hörspiel gänzlich vom herkömmlichen Theater (sic! R. D.) loszutrennen, es als eine nach den eigenen Gesetzen und mit den eigenen Zielen des Senderaumes orientierte Kunstgattung auszubauen“.[364]

Dieser Ausbau des Hörspiels erfolgt parallel zu den Ansätzen seitens der Musiker; Hör- und Schallspiel treffen sich zunächst noch nicht; eine dem Medium entsprechende und gemäße, aus dem Medium entwickelte Radiokunst bleibt vorerst Utopie. Auffällig ist dagegen, daß das, was sich 1924 und 1925 aufeinander zuzubewegen schien, seit spätestens 1928 in den Prognosen und Prospekten deutlich voneinander getrennt erscheint als künftiges musikalisches Eigenkunstwerk *und* als künftiges Hörspiel, das sich Hans Flesch „aus dem Mikrophon heraus“ 'komponiert' vorstellt.[365] Bezogen auf eine künftige Rundfunkmusik referierte Flesch 1928 in Wiesbaden auf der ersten Programmrats-Tagung der deutschen Rundfunkgesellschaften:

> Wir können uns heute noch keinen Begriff machen, wie diese noch ungeborene Schöpfung aussehen kann. Vielleicht ist der Ausdruck „Musik“ dafür gar nicht richtig. Vielleicht wird einmal aus der Eigenart der elektrischen Schwingungen, aus ihrem Umwandlungsprozeß in akustische Wellen etwas Neues geschaffen, das wohl mit Tönen, aber nichts mit Musik zu tun hat; ebenso wie wir davon überzeugt sind, daß das Hörspiel weder Theaterstück, noch Epos, noch Lyrik sein wird. Es hat keinen Zweck, hier unsere Phantasie weiter spielen zu lassen; wir kommen damit nicht weiter. Aber das hilft uns weiter, wenn wir schöpferische Kräfte eng mit uns verbinden, wenn wir ihnen einen Anreiz geben, sich mit unserem Instrument zu befassen und zu versuchen, ihre Produktivität mit den seltsamen Möglichkeiten elektrischer Wellenumwandlung künstlerisch in Einklang zu bringen.[366]

Die Jahre 1929 und 1930 zeigen, in welchem Umfang und bis zu welchen Grenzen das Hörspiel von dieser Entwicklung Nutzen ziehen konnte. Praktisch unberührt blieb es von Experimenten, wie sie in der Rundfunkversuchsstelle der Berliner Musikhochschule veranstaltet wurden.[367] Anregungen des Donaueschinger Kammermusikfestes von 1926 folgend, versuchten dort – wie schon in der Lektion ›Von der Klangdichtung zum Schallspiel‹ dargestellt – vor allem Paul Hindemith und Ernst Toch, Schallplatten nicht ausschließlich zur Wiedergabe, sondern als Mittel zur Herstellung von Musik zu nutzen.

Heraus kamen kleine musikalische Montagen, hergestellt mit Hilfe unüblich verwendeter Grammophone. Veränderte Geschwindigkeiten veränderten Tonhöhe und Klangbild, wobei man sicherlich auch an Weills Forderung einer „akustischen Zeitlupe" zurückdenken darf.

Blieben diese Experimente für das Hörspiel und seine Entwicklung zunächst ohne Bedeutung, kam eine Montage aus Geräuschen, Musikfetzen und Sprachpartikeln sogar zur Aufführung: Walter Ruttmanns ›Weekend‹. Sie ist – auf Tonfilmstreifen aufgezeichnet – erhalten geblieben und nach ihrer Wiederentdeckung vor einigen Jahren inzwischen als hörspielgeschichtlich zentrales Dokument erkannt und mehrfach gesendet worden. Bis zu seinem Wiederauffinden galt lange Zeit Bertolt Brechts ›Lindberghflug‹[368] mit Musiken von Paul Hindemith und Kurt Weill als Paradigma einer sinnvollen Synthese von Literatur und Musik. Als „Meilenstein in der Entwicklung des Rundfunks und seiner Kunstübung" begrüßte die Programmzeitschrift des Westdeutschen Rundfunks, ›WERAG‹[369], die Erstaufführung des ›Lindberghfluges‹ 1929 auf dem Musikfest in Baden-Baden, auf dem noch weitere Möglichkeiten musikalischer Präsentation von Texten vorgestellt wurden.[370] Ein Jahr zuvor sprach Fritz Walther Bischoff vom „Kunstprodukt, das Wort und Musik" zusammenfüge „und in letzter endgültiger Totalität sich als akustisches Kunstwerk, als reines Hörspiel" darstelle.[371] Und 1931 nennt er als „besondere Marksteine in der Entwicklung des Hörspielwillens der Schlesischen Funkstunde"[372] Erich Kästners ›Leben in dieser Zeit‹, mit Musik von Edmund Nick,[373] Franz Joseph Engels ›Rummelplatz‹ mit Musik von Karl Sczuka und Alexander Runges ›Musikke‹, ebenfalls in Zusammenarbeit mit Karl Sczuka.[374] Auch der Frankfurter Sender bemühte sich 1930 um vergleichbare Tendenzen in der Entwicklung des Hörspiels, stellte in den Worten seines Intendanten Ernst Schoen für „die Neuschaffung von Hörspielen" die „Bedingungen":

> Sie müssen ihre künstlerische Notwendigkeit erweisen – die natürlich keineswegs immer gleich ein Geniestreich zu sein braucht –, sie müssen im wesentlichen von rundfunkgeeignetem Stoff und als kunstvollstem Rundfunkmaterial möglichst von der Musik ausgehen, sie müssen wegen der verhältnismäßig engen Grenzen akustischer Aufnahmefähigkeit kurz und szenisch einfach sein.[375]

Am 18. August 1929 wurde das von Hans Flesch initiierte „Studio der Berliner Funk-Stunde" exemplarisch mit einem „Hörspielversuch des Komponisten Werner Egk nach Worten von Robert Seitz" eröffnet. Bemerkenswert ist die Aufgabe, die Flesch diesem Studio zuwies.

Hier soll experimentiert werden, hier zeigt der Rundfunk den Hörern, die mitzuarbeiten gesonnen sind, etwas aus seiner Werkstatt. Die reinste Form des Ausprobierens, der Versuch um einer Idee willen, ohne Rücksicht auf das Resultat kann sich im Studio auswirken. Anregung zur Mitarbeit soll es vermitteln und nebenher mit den technischen Voraussetzungen einer Sendung bekanntmachen.[376]

Der Hörspielversuch Werner Egks und Robert Seitz' bringt zwei nicht Unbekannte zusammen. Seitz hat damals wiederholt für Komponisten Texte geschrieben, u. a. für Paul Hindemiths ›Spiel für Kinder‹, ›Wir bauen eine Stadt‹ (1930). Werner Egk hat bald darauf mit zwei „Singspielen" auch zur Geschichte des Kinderhörspiels beigetragen.[377] Ihr gemeinsames Opus, ›Ein Cello singt in Daventry‹, kann exemplarisch genommen werden für den Typus des musikalischen, des „von der Musik ausgehenden" Hörspiels. Obwohl sich ein Tondokument nicht erhalten hat, eine Wiedergabe ausschließlich des Textes also sehr unvollkommen ist, möchte ich den Text von Robert Seitz dennoch zitieren, einmal wegen seines Medienbezuges, vor allem aber, weil er geeignet scheint, im Vergleich zu einem Experiment wie Walter Ruttmanns ›Weekend‹ auf der einen und den Forderungen Bands und Weills an das neue Medium auf der anderen Seite anzudeuten, wie zögernd hörspielgeschichtliche Entwicklung vonstatten ging.

Zehn Stunden Büro – das ist lange genug. Dann – auf dem Heimweg die Hast turbulenter Straßen – das ist wild genug.
Hochbahnlaternen – Reklame. Trams. Autosignale. Reklame. Menschen. Reklame. Ausrufer: Horoskop und Streichhölzer. B. Z. und Reklame.
Endlich eine stillere Seitenstraße. Man geht langsamer und sagt: Ich.
Dann zu Hause.
Man geht im Zimmer auf und ab.
Man denkt: Hochbahnsignale. Autos. Reklame. Kladden. Additionen. Reklame. Schreibmaschinen. Bankdiskonte. Reklame.
Man denkt: Asphalt. Gewühl. Berlin. –
Auch eine Zigarette bringt keine Erlösung.
Ein Buch! Ja. Nein. Fort damit!
Ein anderes. Fort!
Kaffee. Zigarette. Zigarette. Kaffee.
Nein.
Man geht auf und ab.
Plötzlich: ein Cello.
Auf dem Schreibtisch wächst Musik.
Radio.
Man bleibt stehen, lauscht. Tritt näher, horcht.
Ein Cello singt.

Woher?
Auf Welle 1600 – –
Daventry.
Ein Cello singt in Daventry.
Ein Cello – –
Daventry – –
England.
Fremder, der du dort spielst, ich kenne dich nicht. Ich weiß deinen Namen nicht. Ich kenne deine Stadt. Das Meer liegt zwischen uns und fremdes Land. Zweierlei Sprache sprechen wir. Und würden, wenn wir uns begegneten, ohne Gruß aneinander vorbeigehen. Aber in diesem Augenblick sitzest du neben mir und spielst für mich.
Ein Cello singt in Daventry.
Das nur denke ich. Alles andere habe ich vergessen.
Was sind Märchen und Geschichten seltsamer Zauber?
Radio, schönstes der Wunder!
Ein Cello singt in Daventry.
Ein Fremder spielt mein Herz zur Ruh!
Ein Cello singt.
Ein fernes Land – –
O Radio du – –
Ein Cello singt – –
Ein fernes Land ruft einen Gruß mir zu.[378]

Nimmt man die Hörspielbedingungen Ernst Schoens, Hörspiele müßten „im wesentlichen von rundfunkgeeignetem Stoff und als kunstvollstem Rundfunkmaterial möglichst von der Musik ausgehen", sind in unserer Auflistung der Spielmöglichkeiten zwischen Musik als Hörspiel und Hörspielmusik vor allem noch zwei Varietäten zu nennen, die sich einer größeren Popularität erfreuten.

Ein literarischer Text, ein Gedicht, bei dem die Musik meist schon dabei ist, ist das Volkslied. Volksliedarbietungen waren von Anfang an Programmbestandteil des Rundfunks. Daß sie bald Anlaß für Hörfolgen und Hörspiele boten, lag nahe. Ein früher, wahrscheinlich der erste (theoretische) Versuch mit dem Volkslied ist für 1925 nachweisbar. Eine Realisation hat wahrscheinlich nicht stattgefunden. 1925 druckt die Programmzeitschrift ›Der Deutsche Rundfunk‹ einen Aufsatz Walter Grunickes ab, ›Dennoch: Hörspiele! Das Volkslied als Hörspiel – Eine Anregung in Theorie und Praxis‹,[379] nicht ohne sich einleitend redaktionell aus der Verantwortung zu stehlen mit dem Hinweis, daß gerade in einem solchen Fall „die selbständige schöpferische Leistung eines Dichters und Regisseurs entscheidend" sei, müsse man sich doch „sonst (. . .) auf schlimmsten Kitsch gefaßt machen", was „die so vielfach mißverstandene Idee des eigentlichen Hörspiels (. . .) in neue Irrwege" leiten würde.[380]

Grunickes „Anregung" unterbreitet dann – von der Redaktion offensichtlich nicht als „Irrweg" empfunden – folgende Hörspielidee. Ausgangspunkt sei das Volkslied ›In einem kühlen Grunde‹. Sein erster Vers, von einem gedämpften Männerchor gesungen, stelle zusammen mit dem Geräusch einer Wassermühle[381] eine geeignete Exposition dar. In der Wohnstube der Mühle frage ein heimkehrender Handwerksbursche nach dem Verbleib der Müllerstochter, erhalte aber nur ausweichende Antworten. Verzweiflung des Heimkehrers, wenig tröstende Worte des Müllers seien die weiteren Stationen der Minihandlung, im Verlaufe deren der Handwerksbursche dann den „Krug" aufsuche, wo er in die obligat fröhliche Runde gerate. Rund- und Wechselgesang: Der Heimkehrer singe den Anwesenden das Lied ›In einem kühlen Grunde‹ vor.

Am Schluß des letzten Verses (= Strophe, R. D.), nach den fortissimo herausgeschrienen Worten „Ich möcht am liebsten sterben!" bricht er kurz ab und sinkt zusammen. Nach ein bis zwei Takten Pause könnte hier der Männerchor stark gedämpft das Finale bringen: „Dann wär's . . . auf einmal still!"[382]

Als Hörspielversuch lachhaft, ist Grunickes „Anregung" dennoch zu zitieren als mit Sicherheit einer der ersten Versuche, aus Volks- oder populären Liedern heraus stimmungsvolle und wirkungsträchtige Hörspiele zu entwickeln. Die Zahl hier aufzulistender Versuche ist größer, als man vermutet. Zu ihnen zählen, um wenigstens zwei hörspielgeschichtlich wichtigere Beispiele zu nennen, Wilhelm Fladts im Odenwälder Dialekt geschriebene ›Traumlinde‹,[383] eines der sieben Hörspiele, die die Reichsrundfunk-Gesellschaft 1927 in Folge eines Preisausschreibens ankaufte. Aber auch Günter Eich trug 1934, in Zusammenarbeit mit Sigmund Graff und August Hinrichs, mit ›Szenen nach deutschen Volksliedern‹, ›Ich träumt' in seinem Schatten‹,[384] zu diesem Hörspielgenre bei.

Wie diese ›Szenen nach deutschen Volksliedern‹ ist auch ein anderes frühes Hörspiel Eichs, ›Leben und Sterben des Sängers Caruso‹, verlorengegangen. Einer Kritik der Zeitschrift ›Die Sendung‹ läßt sich entnehmen, daß es sich dabei um eine Auftragsarbeit der Berliner Funk-Stunde gehandelt hat, „die Lebensetappen des großen Sängers der Neuzeit mit sehr schönen Schallplatten zu verbinden".[385]

Auffinden konnte ich ein bisher unbekanntes Manuskript, ›Das Spiel vom Teufel und dem Geiger. Eine Ballade von Nicolo Paganinis

Leben‹,[386] das Eich zusammen mit A. Arthur Kuhnert verfaßte. In diesem Manuskript wird einleitend und im Text genau mit Firmennamen und Bestellnummer angegeben, welche Platten in diese „Ballade" einzuspielen seien.

Paganini: Hast du nicht gehört, daß ich der Teufel bin, das schwarze Skelett, ein Mörder, ein Galeerensträfling?
Maria: Aber das ist doch alles Lüge, Signor Paganini, ich höre Sie so oft spielen und weiß bestimmt, daß Sie kein schlechter Mensch sind.
Paganini: (zupft wieder die Melodie) Ich möchte gern, daß du heute abend in mein Konzert kämst. Ich werde ein Lied spielen, das du kennst, kleine Maria!
(Paganini stimmt seine Geige, allmählich ansteigendes Stimmengewirr im Konzertsaal, dann plötzliche Stille.)
Paganini: Ich habe die Ehre, ein florentinisches Volkslied in Sonatenform zu spielen, das ich für nur zwei Saiten setzte. Ich lasse die anderen Saiten springen.
(Zwei Saiten springen. Erstauntes Gemurmel im Saal.)
(Paganini-Sonate 1. Teil, Parlophon 39090.)
(Rasender Beifall, der allmählich erst verebbt.)[387]

Man kann darüber streiten, ob hier Szenen aus Paganinis Leben „mit sehr schönen Schallplatten" verbunden werden, oder ob das Ganze nichts weiter als die biographisch-spielerische Präsentation einer vorgegebenen Schallplattenauswahl ist; in beiden Fällen rückt ein solches Hörspiel in die Nähe der Wunschkonzerte und damit in einen Bereich, wo Rundfunk und Schallplatte eine probate Zweckehe eingegangen sind, bei der die Schallplattenindustrie Herstellung und Vertrieb ihres Produkts, der Distributionsapparat Rundfunk gewissermaßen die Werbung übernimmt.

Mit nur einem Musikstück kommt ein ebenfalls bisher unbekanntes Hörspiel von Rolf Gunold und Leon Richter aus: ›Ballade‹.[388] Nach dem Copyright-Vermerk auf dem Manuskript datiert das Hörspiel aus dem Jahre 1929; eine Sendung war bisher nicht nachzuweisen, darf aber angenommen werden. Inhalt ist diesmal keine spielerische Präsentation einer vorgegebenen Anzahl von Schallplatten, sondern die gleichsam „fabel"-hafte Exegese eines Musikstückes, die fiktionale Paraphrase der Chopinschen Ballade g-Moll, op. 23. In Sequenzen zerlegt, strukturiert sie akustisch die Lebensläufe dreier Freunde, um schließlich einen dieser Lebensläufe „formvollendet" zu beschließen.

Kurt: Wir legen ihn aufs Bett. Er wird die Krisis schon überwinden.
Georges: Er *hat* sie überwunden.
Kurt: Mach keine schlechten Witze – – Withold! – Wahrhaftig, Du hast

recht. Herzschlag. – – Wie ich Dich beneide, lieber Freund. Die Ballade Deines Lebens schloß formvollendet.

Georges: Und traurig – wie Opus 23 – G-Moll.

(Die Ballade spielt solo Takt 251 zweite Hälfte bis Takt 256 erste Hälfte und verklingt überirdisch fein.)[389]

Von dieser ›Ballade‹ Gunolds und Richters ist es nur noch ein kleiner Schritt zur Hörspielmusik. Daß man sich über sie intensiver Gedanken gemacht hat, belegen bereits die schon genannten rund 50 Titel der ›Hörspiel‹-Bibliographie Rosenbaums. Immer wieder ist Hörspielmusik aber auch Gegenstand der Programmausschuß-Sitzungen, gleichgültig ob diese sich mit der Musik, der Literatur oder dem Hörspiel befassen. Auch die erhaltenen Hörspielmanuskripte selbst bieten hier eine bisher nicht ausgeschöpfte Fundgrube, vor allem was die akustischen Vorstellungen der Autoren anbetrifft. Zwei Belege müssen ausreichen, der erste für die Seite der Hörspielverantwortlichen, für den Einsatz von Musik in der ›Dramaturgie des Hörspiels‹, wie Fritz Walther Bischoff 1928 sein Referat für die Programmausschuß-Sitzung in Wiesbaden überschrieb. In ihm legte Bischoff dar, daß mit „Wort" und „szenischem Aufbau" die „Hörspielpartitur" noch „nicht vollendet" sei. Es habe sich vielmehr „erwiesen",

daß das Wort, der Dialog im Hörspiel, einer vielfältigen, klanglichen Unterstreichung bedarf, die auf bestimmte Spannungen hinweist, Konflikte vorbereitet, thematisch auf das Aufeinanderwirken gleichgerichteter und widerstrebender Kräfte untergründig aufmerksam macht. Es handelt sich gewissermaßen um eine psychologische Instrumentierung der Sprachhandlung. Die Musik kommt zu ihrem Recht. Die musikalischen Ausdrucksmittel erhalten eine neue bedeutsame Abwandlung. Es gelingt durch sie, die Ausdrucksbewegung des Wortes sinnvoll zu steigern oder die Stimmung für die Sprachhandlung vorzubereiten. Zwei Beispiele: in der Szene am Weiher ›Wozzek‹, dumpfe, schwüle Abendstimmung, verwandten wir einen motivisch wiederkehrenden Flötenlaut, mit Flatterzunge hervorgebracht. Die in ›Kalkutta, 4. Mai‹ von Brecht–Feuchtwanger eingefügte Sprecherrolle, die unpersönlich wie ein Spruchband zwischen den einzelnen Szenen laufen sollte, lockerten und steigerten wir durch bestimmte Klangmittel, die Trommel, Pauke, Horn, das Becken, tremolierend geschlagen, hergeben mußten.[390]

Eine derart „psychologische Instrumentierung der Sprachhandlung", ein ihr verwandter Einsatz von Geräuschen oder akustischen Versatzstücken kann zum 'Wasserzeichen' einzelner Regisseure werden. So sind zum Beispiel Regien von Ernst Hardt, gleichgültig, ob es sich um Hör- oder Sendespiele handelt, am symbolischen Einsatz signifikanter Geräusche leicht zu erkennen, am Hackenschlag in

›Der Narr mit der Hacke‹[391], am Glockenschlag im ›Don Carlos‹[392], am rhythmischen Spatenstich im ›Hamlet‹[393]. Haben in solchen Fällen Hörspielgeräusch und Hörspielmusik eine symbolisch überhöhende, eine psychologisch instrumentierende Funktion, können in anderen Fällen Hörspielmusiken zu fast eigenständigen, gleichgewichtigen Sequenzen werden. Dazu ein zweiter Beleg, diesmal von seiten eines Autors.

Hermann Kesser sieht gleichlautend in zwei erhaltenen Manuskripten zu ›Straßenmann‹[394] folgende musikalische Einleitung vor:

> Musik leitet den Prolog ein: fugiert zwei Motive: 1) Trio des Herzog-Siegfried-Marsches: bayerische Militärmarsch-Komposition aus den neunziger Jahren mit dem Wagnerischen Siegfried-Ruf im Marschtakt. 2) Die ersten Takte der Internationale: „Wacht auf, Verdammte dieser Erde". – Das Marschtrio (Siegfried-Ruf) geht in Moll über. Der Prolog setzt auf das letzte Motiv aus der Internationale wie auf ein Stichwort ein.[395]

Bereits diese beiden Stichproben für Hörspielmusik machen deutlich, in welchem Maße selbst Hörspielmusik und -geräusch für die Analyse und Interpretation von Hörspielen von Bedeutung werden können. Damit wäre zugleich das Spannungsfeld zwischen Musik als Hörspiel und Hörspielmusik historisch abgeschritten, die Bandbreite skizziert, in der Musik und Hörspiel miteinander in Verbindung treten können. Da die historische Entwicklung, und zwar sowohl in der Praxis wie in der Theorie, die eine Seite zunehmend vernachlässigte, büßten Musik und Geräusch bald an Selbständigkeit ein, verkamen sie allmählich zu völlig untergeordneten akustischen Requisiten des Hörspiels. Eine zunehmende Dominanz des literarischen als des „eigentlichen" Hörspiels führte in den 50er Jahren dazu, daß hörspielgeschichtlich wichtige Ansätze der Vergessenheit anheimfielen oder durch Fehleinschätzung diskreditiert wurden, so Brechts ›Lindberghflug‹ in ›Reclams Hörspielführer‹.

> Brechts theoretische Darlegungen beweisen ebenso wie die weithin zum Singen bestimmten Texte, daß das Werk nicht als Hörspiel (. . .) gedacht ist. So beruhen Rundfunksendungen als Hörspiel eigentlich auf einem Mißverständnis. – Diese Feststellung schließt nicht aus, daß das Stück ohne die überwuchernde Musik, als reiner Text, durchaus auch als Hörspiel aufzuführen und in der (beabsichtigten) Naivität seiner Sprache nicht ohne Wirkung ist.[396]

Vielleicht ist es kein Zufall, daß es 1969 ein Musiker und Komponist ist, der den Fächer zwischen Hörspielmusik und Musik als Hörspiel wieder voll aufschlägt, indem er unter dem Vorwand, eine Hörspielmusik produzieren zu wollen, Musiker und Sprecher ins Studio einlädt und nun Aufnahmen von der Aufnahme macht, den Aufnahmezustand kompositorisch nützt. Damit nimmt er, wenn man so will, Hans Fleschs Eröffnungsrede von 1929 beim Wort, die für das „Studio" als Aufgabe festhielt:

Hier soll experimentiert werden, hier zeigt der Rundfunk den Hörern, die mitzuarbeiten gesonnen sind, etwas aus seiner Werkstatt. Die reinste Form des Ausprobierens, der Versuch um einer Idee willen, ohne Rücksicht auf das Resultat, kann sich im Studio auswirken.[397]

In dieser Werkstatt, in der Aufnahmesituation im Studio kann Kagel 1969 einholen, was Kurt Weill und Lothar Band 1924/25 noch als Fernziel forderten, „das ganze, weite, rein akustische Gebiet nach Hilfsmitteln und Quellen zu durchforschen – heißen sie Musik oder Geräusch –, um sich hieraus seine eigene Kunst erst zu formen".[398]

In der Aufnahmesituation kann Kagel eine konsequente Erweiterung der musikalischen Ausdrucksmöglichkeiten „um alles im akustischen Bereich Vorfindbare und Erzeugbare" vornehmen, eine Erweiterung, die Sprachliches ebenso einbezieht wie alles das, was akustisch in einer Aufnahmesituation anfällt. Wobei die letzte Konsequenz darin besteht, nicht das fertige Produkt, für das geprobt wird, sondern den Probenabfall, nicht den Sendesaal, sondern die Werkstatt zum Wesentlichen, zum eigentlich Bedeutsamen zu erklären.

Indem Kagel dabei das Sprachliche zunächst ebenfalls nur als Akustisches nimmt, wird – wie Helmut Heißenbüttel kommentiert hat –

Sprachbedeutung, wird der Sinn der gesprochenen Sätze und Wörter zurückgeholt, bildet das, was nun in den Bedeutungen als gleichsam imaginäre Klangfarbe mitspricht, Kompositionselement wie Elemente der Artikulation, der Melodik, des Geräuschs. Sprache, heißt es, entsteht als das, was sie ist, sozusagen neu, wird im Akt eines solchen Hörspiels wie in seinem Entstehungszustand gezeigt.[399]

Aber Kagel begnügte sich nicht mit seinen eigenen Versuchen. Er stellte seine Hypothese der ›Musik als Hörspiel‹ auf den VII. Kölner Kursen für Neue Musik,[400] die zusammen mit der Hörspielredaktion des Westdeutschen Rundfunks durchgeführt wurden, zur praktischen Diskussion und Erprobung. Das Ergebnis waren die drei Realisationen ›Innen‹, ›Innen/Außen‹ und ›Außen‹,[401] die positive, aber auch negative Erfahrungen mit kollektiver Hörspielarbeit erbrachten. Auf die Frage nach Thema und Absicht dieser VII. Kölner Kurse für Neue Musik antwortete Kagel damals:

Wie Sie ersehen können, ist das 'als' im Titel eminent ideologisch gemeint. Es sollte die Trennung vermieden werden, die ein 'und' suggeriert. Die Betonung müßte auf die Symbiose, auf die Durchlässigkeit der Gattung Musik/Hörspiel gelegt werden. Warum diesmal ›Musik als Hörspiel‹ und nicht „Musik als ... Musik"? Weil ich es bedauernswert finde, daß Komponisten sich zwingen und sich gezwungen fühlen, Worte unkenntlich zu machen, wenn sie sich der Sprache bedienen. So können sie wohl das Alibi einer musikalischen Verarbeitung in Anspruch nehmen. Aber ihre Interpretation gegenüber dem, was im Sinn des Wortes ausgedrückt wird, ist eher in dem instrumentalen Klangmaterial zu hören, das das Wort begleitet, als in der Worthandlung selbst. Wird Musik als Hörspiel deklariert, dann ist man grundsätzlich vom Zwang befreit, alles Sprechbare singen zu lassen, oder die Worte so zu artikulieren, daß Verzerrungen unvermeidbar sind.

Das Komponieren von Hörspielen soll kein Ersatz für alle anderen Möglichkeiten der Verwendung von Sprache in der Musik sein, sondern eine legitime Form mehr, welche allerdings eine semantische Entschärfung des Wortes vermeidet. Das musikalische Material kann im Kontakt mit dem Hörspiel bereichert werden und vice versa.[402]

Die bisherigen Lektionen haben für das Neue Hörspiel den Wiedergewinn an offener Spielform hinreichend belegt. Mauricio Kagels Beitrag besteht dann darin, daß er die Grenzen zwischen Hörspiel und Musik in beide Richtungen fließend gemacht hat. Seine Hypothese ›Musik als Hörspiel‹ entspricht ihrer Umkehrung: Hörspiel als Musik. Damit bringt er die Fragen Hans Fleschs nach einer arteigenen Musik *und* einem arteigenen Spiel des Rundfunks auf einen Nenner und demonstriert, wie die beiden eigentlichen Kunstformen des Rundfunks gleichsam vereint werden können, exemplarisch in der ›Umkehrung Amerikas‹. In ihr erzählt ein Musiker das Epos von der blutigen Eroberung Mexikos durch die Conquista mit (den) Mitteln des Neuen Hörspiels. Für die ›Umkehrung Amerikas‹ erhielt Mauricio Kagel 1977 den renommierten Prix RAI des Prix Italia. Daß ihm, dem Musiker und Komponisten, 1970 für ›(Hörspiel) Ein Aufnahmezustand‹ der nach dem Komponisten und Hörspielmusiker der Schlesischen Funkstunde benannte Karl-Sczuka-Preis und 1980 für das Hörspiel ›Der Tribun‹ der Hörspielpreis der Kriegsblinden zugesprochen wurden, ist über die Pointe hinaus hörspielgeschichtlich nur konsequent.

7. SPIEL MIT RADIO[403]

Ergänzend zu ›Ball‹, notiert am 10. 7. 1974 die mit langfristigen Hörspielankündigungen sonst sparsame ›FUNK-Korrespondenz‹, habe Kriwet in seinem ›Arbeitsbericht‹ einen weiteren ›Hörtext‹ des Titels ›Radioball‹ angekündigt, um fortzufahren:

Darin soll dokumentiert werden, wie die Stadionereignisse sich im Medium Rundfunk widerspiegeln – ein interessantes Projekt, auf das man nach ›Ball‹ sehr gespannt sein darf.

›Radioball‹[404] ist der letzte von drei Versuchen Ferdinand Kriwets zum Thema Fußball. Innerhalb des akustischen Œuvres dieses Multi-Media-Künstlers ist es der elfte von bisher siebzehn ›Hörtexten‹,[405] deren erster 1963 vom Sender Freies Berlin, deren bisher letzter 1983 vom Westdeutschen Rundfunk gesendet wurde. Daß diese ›Hörtexte‹ zuerst in den literarischen (Nacht-)Programmen plaziert waren, sei aus Raumgründen nur erwähnt. Daß Kriwets ›Hörtexte‹ seit 1969 ausschließlich in den Hörspielprogrammen gesendet werden, die exemplarische Aufnahme von ›Hörtext V‹, ›One Two Two‹, 1969 in die Anthologie ›Neues Hörspiel. Texte Partituren‹,[406] weist ihnen einen Platz in der Hörspielgeschichte zu, zumal Kriwet für ›Radioball‹ den renommierten Karl-Sczuka-Preis (1975) zugesprochen bekam, mit der Begründung:

›Radioball‹ stellt den gelungenen Versuch dar, aus einer durch das Radio vermittelten Realität – der der Sportreportage über die Fußball-Bundesliga mit Konferenzschaltung – eine durchkomponierte Hörspielform zu gewinnen, die aufbewahrt, was sie kritisch als Totalität zusammenfaßt. Indem der Hörer in einer aus O-Tönen der Sportreportage kollagierten Zusammenfassung Fußballgeschehen als Wortgeschehen erfährt, schärft ihm Kriwets ›Radioball‹ im Hörfunk sein Rezeptionsverständnis gegenüber dem Rundfunkmedium und erhellt gleichzeitig, daß der Sport auch und besonders im Hinblick auf seine Vermittlung in den Massenmedien stattfindet.

Die hörspielgeschichtliche und medienspezifische Bedeutung von ›Radioball‹ wird noch klarer, wenn man Kriwets ›Hörtext‹ mit anderen Hörspielen zum Thema Fußball in den akustischen Vergleich setzt. Wenn man sich vergegenwärtigt, daß das Hörspiel, von Anfang an in fast allen Programmsparten des Rundfunks Zaungast, immer wieder einmal mit der Sportredaktion eine Ehe auf Zeit einging. Es gibt wohl kaum eine populäre Sportart vom Boxen, Catchen bis zum Tennis, die nicht auch im Hörspiel Niederschlag gefunden hätte, so zum Beispiel der Fußball bereits 1928 in Arnolt Bronnens ›Halbzeit 1:1‹[407]. Vor allem im Umfeld des Neuen Hörspiels finden sich zahlreiche Hörspiele zum Thema Fußball, angefangen mit Jean Thibaudeaus ›Die Fußballreportage‹[408] über Ludwig Harigs ›Das Fußballspiel‹[409], Ror Wolfs ›Fußball-Spiele‹, ›Punkt ist Punkt‹[410] bis zu Ferdinand Kriwets ›Modell Fortuna‹[411], ›Ball‹[412] und ›Radioball‹.

Es ist sicherlich kein Zufall, daß bei etwa der Hälfte dieser Hörspiele die Reportage, der Reporter eine besonders gewichtige Rolle spielen. Auch die Reportage als strukturierendes Element, der Reporter als geeignete Hörspielstimme waren schon recht früh von den mit dem Hörspiel Befaßten entdeckt worden. Immer wieder kommen Diskussionen auf Reporter und Reportage zu sprechen, so auch die Kasseler „Arbeitstagung Dichtung und Rundfunk“ 1929, auf der Hans Kyser argumentiert: „Für den Rundfunk gibt es nur einen Märchenerzähler: das ist der Reporter. Der erzählt uns wirklich das große Märchen unserer Zeit.“[413]

Speziell der Einsatz von Reporterstimmen, die Verwendung von Sportreportagen unterscheidet Kriwets ›Radioball‹ von seinen beiden ersten Fußball-Hörspielen. In der Art des Einsatzes von Reporterstimme und Reportage liegt der wesentliche Unterschied zu den Fußball-Hörspielen der anderen Autoren, wobei allerdings der Hinweis notwendig ist, daß zwischen den Arbeiten Jean Thibaudeaus und Ludwig Harigs auf der einen und Ferdinand Kriwets auf der anderen Seite zeitlich die intensive Diskussion und Erprobung des Original-Tons im Hörspiel liegt, unter anderem mit der Unterscheidung von Innen- und Außenaufnahme. In einem ›Arbeitsbericht‹ zu ›Ball‹ und ›Radioball‹[414] hat Kriwet aufschlußreiche Auskünfte gegeben.

Die Arbeit an ›RADIO-BALL‹ vollzog sich ausschließlich dort, wo (. . .) Radio überwiegend gehört wird, nämlich *innen* – d. h. in meinem Fall im Atelier. Dort hörte ich mir die vom WDR und NDR zur Verfügung gestellten Mitschnitte von ca. 15 Bundesliga-Sendungen, das sind etwa 30 Stunden, erst einmal an.

Während dieses An-Hörens und Ab-Hörens (. . .) bildeten sich für mich immer prägnanter bestimmte Sprach- und Sprechtypen heraus, sprachliche Formeln, deren vervielfältigte Kombination jeweils die Reportage bildet.

Diese z. T. standardisierten Sprach- und Formeln (sic! R. D.) entsprechen den ebenfalls mehr oder weniger standardisierten Spielverläufen, die sie beschreiben und deren Unmittelbarkeit und Plastizität sie dem Hörer am Radio gleichzeitig, also live vermitteln sollen. (. . .)

Ich isolierte aus den Reportagen einzelne, mir für die Sprache des Fußballs typisch erscheinende Sätze und Begriffe, indem ich diese aus den Tonbändern herausschnitt und, mit Pausen versehen, zu neuen Tonbändern zusammenklebte. Diese neuen, thematisch, syntaktisch und semantisch gegliederten Tonbänder waren das Ausgangsmaterial für meine Komposition ›RADIOBALL‹. (...)

Nach der formalen und inhaltlichen Sortierung der Mittschnitte in eine Vielzahl von Tonbändern erfolgte seine schriftliche Erfassung in Form von Listen. Diese Listen ermöglichten mir einen Gesamtüberblick übers Material und damit erst seine Komposition.[415]

Man könnte ein solches Verfahren von Schnitt und neuer Montage, von Dekomposition und überraschender oder auch systematischer Komposition, wie auch geschehen, als Medien-L'art pour l'art bezeichnen. Aber das wäre ein Mißverständnis. Kriwet selbst hat, dieses Mißverständnis befürchtend, an anderer Stelle des Arbeitsberichts sein Hörspiel als „poetische Analyse" deklariert.[416] Doch scheint mir diese Deklaration ebenfalls mißverständlich, weil sie zwei in ihrer Funktion deutlich zu trennende Schritte vermischt. „Analyse" bei der Entstehung von ›Radioball‹ sind das „An- und Ab-Hören" des vorgegebenen Tonbandmaterials, der Reportagen, das Erkennen von „für die Sprache des Fußballs typisch erscheinenden Sätzen und Begriffen" und ihre Neuordnung zu „thematisch, syntaktisch und semantisch gegliederten Tonbändern", also die Herstellung des „Ausgangsmaterials". Und genau damit hört Analyse auf. Die jetzt einsetzende „Komposition", die Überführung des durch Analyse gewonnenen Materials in einen neuen, ästhetischen Zustand, verschleiert gleichsam die analytisch gewonnenen Erkenntnisse, entzieht sie der unmittelbaren Einsicht, macht ›Radioball‹ erst eigentlich zu einem Hörspiel.

Man hat für das Neue Hörspiel mit Recht sein kritisches Verhältnis zur Sprache in all ihren Ausformungen hervorgehoben. In diesem Verständnis sind auch Kriwets Fußball-Hörspiele durchaus Neue Hörspiele in ihrer analytischen und den Befund synthetisierenden Auseinandersetzung mit einem Sprachenspektrum, das von „der Sprache des Publikums" bis zur „Sprache der Vermittler", der Sportreporter, reicht. Das deutet zugleich an, in welchem Maße diese Hörspiele geeignet sind, sich auch gegenseitig zu ergänzen, so daß ihre gemeinsame Sendung durchaus einmal sinnvoll wäre.

Verallgemeinert man Sprache der Sportreporter zu „Sprache der Vermittler", läßt sich ein weiteres, den ›Hörtexten‹ Ferdinand Kriwets zentrales Problem, die Mediensprache, namhaft machen. Auch dieses Problem hat Kriwet mit vielen Autoren des Neuen Hörspiels gemeinsam. Und zugleich unterscheidet er sich von ihnen, indem er versucht, die fremde Sprache des Mediums zu seiner eigenen Sprache zu machen. Für ›Radioball‹ hat er dies im ›Arbeitsbericht‹ auf die Formel gebracht:

Ich spreche in Radio-Ball nicht *über* Sprache, sondern ich spreche mit fremden Zungen meine Sprache, deren Grammatik Kombinatorik ist, d. h. ich montiere mit dokumentarischem Material meinen kritischen, nicht etwa polemischen Eindruck.[417]

Will man diese zweite Themenkonstante der Kriwetschen ›Hörtexte‹ – Sprache der Medien/Mediensprache – belegen, bieten sich vor allem drei Realisationen an: ›Voice of America‹[418], ›Radioball‹ und ›Radioselbst‹[419], Kriwets 15. ›Hörtext‹ von 1979, wobei bereits die Jahreszahlen der Produktionen (1970, 1975, 1979) auf die Konstanz des Themas verweisen. Die genannten Titel deuten zugleich die Breite an, in der Kriwet dieses Thema angeht. Fächerten die Fußball-Hörspiele von der „Sprache des Publikums" zur „Sprache der Vermittler", fächern die Medienhörspiele von der Sprache des Fernsehens (›Voice of America‹) über eine spezifische Sprache innerhalb einer Programmsparte (›Radioball‹) zur Höreransprache[420] durch das Radio (›Radioselbst‹).

Daß die Medien, deren Sprache er „analysiert", auf Kriwet trotz allem gewisse Reize ausüben, allgemeiner gesagt: daß Kriwet von den akustischen, aber auch visuellen Erscheinungen seiner Umwelt, deren Analyse die materiale Voraussetzung seiner akustischen, aber auch visuellen Kompositionen ist, in gewissen Grenzen fasziniert bleibt, läßt sich seinen zahlreichen Arbeitsberichten abhören und ablesen.[421] Als Kriwet Mitte der 60er Jahre, von der ihm in der Öffentlichkeit überall entgegenspringenden „öffentlichen Schrift" beeindruckt, die Serie seiner ›PUBLIT poem paintings‹ herstellte, formulierte er sein eigenes Interesse an diesen Kompositionen und ihre Funktion für den Betrachter in einem Ausstellungskatalog wie folgt:

Erfahrungen der öffentlichen Schrift literarisch verwendend, zieht es diese Texte wieder in die Öffentlichkeit, um von dieser demjenigen zu berichten, dessen Sensibilität für sie noch nicht erweckt, noch nicht reif und geschärft ist.[422]

Für den ›Hörtext V‹, ›One Two Two‹ (1969), sind es die multimedialen Präsentationsformen von Beat und Rock, die Zerstörung traditioneller privater Kommunikation durch die übermächtige technische Apparatur, die Ferdinand Kriwet kritisch betroffen machen.

> Spezifische Eigenheiten des Gesprächs als der Vollform des Sprechens wurden von den neuen Idiomen der elektrischen Kommunikation verdrängt oder vollends ersetzt. (. . .) Musikalisch gedopt entsteht seit Jahren im Beat und Rock ein der neuen Kommunikation entsprechendes Idiom, das neben phänomenologischem auch soziologisches Interesse beansprucht,[423]

aber auch das Interesse des Autors, der kompositorisch eben mit den Medien spielt, denen analytisch sein Interesse gilt. Ähnlich ist der Befund bei Kriwets Fußball-Hörspielen, die kompositorisch verwerten, was sie kritisch-systematisch analysieren. Wobei dem Analysierten, „der Sprache des Fußballs", ein „durchaus-engagiertes Interesse" des Autors „gilt":

> Ich nehme Teil am Geschehen Fußball – und seine Sprache ist teils meine, teils war sie es – und Erinnerungen an meine Kindheit und Jugend will ich nicht verleugnen.
>
> Indem ich mir praktisch die Sprache des Fußballs zu eigen mache und teils an-eigne, wird sie zugleich Objekt meines auch beruflichen Interesses als Schriftsteller.[424]

Das Interesse Ferdinand Kriwets beim Komponieren seiner ›Hörtexte‹ ist, wie leicht ersichtlich, nicht nur inhaltlich bestimmt, es richtet sich nahezu gleichstark auf den technischen Prozeß der Komposition. Ich habe schon darauf hingewiesen, wie im Umfeld des Neuen Hörspiels auch versucht wurde, traditionelle Arbeitsteilungen, wie sie durch die Trennung von Autor, Dramaturg und Regisseur gegeben sind, aufzuheben und damit indirekt an Einsichten des Weimarer Rundfunks wieder anzuknüpfen. Daß Hörspielexperimente inhaltlich und formal nicht am Schreibtisch, sondern im Studio gemacht werden müssen, betonte, wie bereits zitiert, Hans Flesch schon 1930 anläßlich der Eröffnung des Studios der Berliner Funk-Stunde: „Nicht nur das übermittelnde Instrument, auch das zu Übermittelnde ist neu zu formen; das Programm kann nicht am Schreibtisch gemacht werden."[425]

1969 setzten, wie ebenfalls bereits zitiert, Überlegungen Paul Pörtners – in Unkenntnis der Ausführungen des ehemaligen Berliner Intendanten – genau und fast wörtlich bei Fleschs letztem Gedanken wieder an, indem sie den entscheidenden Schritt vom Hörspielautor zum Hörspielmacher benennen:

> Ich vertausche den Schreibtisch des Autors mit dem Sitz am Mischpult des Toningenieurs, meine neue Syntax ist der Schnitt, meine Aufzeichnung wird über Mikrophone, Aufnahmegeräte, Steuerung, Filter auf Band vorgenommen, die Montage macht aus vielen hundert Partikeln das Spielwerk.[426]

Aber was bei Pörtner noch Wunsch und Prospekt ist, die Aufhebung noch der Arbeitsteilung zwischen Autor-Regie und Technik,

Ferdinand Kriwet löst es mit seinen ›Hörtexten‹ ein. Ja, er muß es sogar einlösen in dem Maße, in dem seine kompositorischen Entscheidungen abhängig werden von den zur Verfügung stehenden technischen Möglichkeiten, in dem seine kompositorischen Entscheidungen technische Entscheidungen sind. Entsprechend notiert er ebenfalls 1969 und parallel zu Paul Pörtner:

Hörtexte verwenden theoretisch alle Möglichkeiten der menschlichen und auch künstlichen Stimmerzeugung sowie alle elektrotechnischen Möglichkeiten ihrer Analyse und Synthese mittels Aufnahme, Transformation und Montage. Neben unterschiedlichen Aufnahmepraktiken und der Verwendung spezieller Mikrophone sind vorläufig Schnitt und Mischung die in meiner Arbeit dominierenden Praktiken.[427]

Dieses durchgängig zu beobachtende Interesse am technischen Medium potenziert sich dort, wo die ›Hörtexte‹ Kriwets das Medium selbst thematisieren, in ›Voice of America‹, ›Radioball‹ und ›Radioselbst‹. Zwar geht es auch in ihnen zunächst um kritische Analyse, speziell der Sprache der Medien. Aber da Kriwet bei der ästhetischen Synthese die Grammatik und Syntax der Mediensprache benutzt, wird das analytisch Gewonnene stärker als in seinen anderen ›Hörtexten‹ wieder zugedeckt. Hier zeigt sich ein Dilemma, in dem sich jeder Künstler befindet, der beim Kritisieren die Mittel des Kritisierten in Anwendung bringt oder anwenden muß. Kriwets Dilemma ist dabei gleichsam ein Spezialaspekt des ›Hörspiels als verwaltete Kunst‹[428] und eine spezielle Antwort auf die Frage Helmut Heißenbüttels: „Was sollen wir überhaupt senden?"

Als 1978 Helmut Heißenbüttel eine Reihe von Hörspielen unter dem Obertitel ›Was sollen wir senden?‹ kommentiert, wiederholt der Westdeutsche Rundfunk neben dem Hörspiel Heißenbüttels, das der Reihe den Titel gibt, neben Dieter Schnebels ›Radio-Stücken‹[429] und Mauricio Kagels ›Soundtrack‹[430] auch Ferdinand Kriwets ›Voice of America‹. In seinem Kommentar spricht Heißenbüttel von der technischen „Zustimmung Kriwets", dem, „was man seine Zukunftsgläubigkeit nennen könnte", warnt aber gleichzeitig davor, diese „kritisch unter die Lupe zu nehmen", da „eine solche Kritik (. . .) lediglich (. . .) in Positionen" zurückführen würde, „die mit dem Versuch Kriwets bereits überschritten worden" seien.

Kriwet verhält sich der Stimme, die er hörbar macht, gegenüber nicht als Kritiker, auch nicht als kritischer Beobachter, eher als Ethnologe. Aber wenn (er, R. D.) ein Ethnologe dieser unserer Kultur, die wir haben oder nicht haben, ist, dann doch wieder nicht einer mit streng objektivierbarem, wissenschaftlichem Abstand. Er schließt sich ein. Er ist interessiert in jeder Weise. An die

Stelle der Kritik tritt der Enthusiasmus, die zustimmende Annahme dessen, was er hört.[431]

Heißenbüttel ist überzeugt, daß das, was Kriwet in ›Voice of America‹ versucht habe, an Hörfunkprogrammen nicht durchgeführt werden konnte. „Sie wären für das, was er demonstrieren will, immer noch zu privat, zu sehr noch dem Zugriff von Einzelnen, Gruppen oder Institutionen geöffnet."[432] Möglich wird Kriwet der analytische Umgang mit Hörfunkprogrammen aber dort, wo er – bei ›Radioball‹ – einen einzelnen Programmsektor auswählt oder – bei ›Radioselbst‹ – die Leerformeln der Höreransprachen und damit genau das zum Vorwurf nimmt, was im Rundfunkprogramm vordergründig persönliche Ansprache scheint, in Wirklichkeit aber völlig unpersönliche Formel ist, eine leere Sprachhülse in einem ununterbrochen sich abspulenden Programm, auf dessen Eigengesetzlichkeiten und Verselbständigungen noch viel zu wenig geachtet wird.

Kriwet ist auch nach 1979 dem Medium seiner ›Hörtexte‹ treu geblieben, hat in ›Radio‹ (›Hörtext 16‹, für den er 1983 den Premios Ondas zugesprochen bekam) und ›ZeitZeichen‹ (›Hörtext 17‹) weiter mit Radio gespielt. Daß mit Beschreibung dieser ›Hörtexte‹ das Œuvre Kriwets nur zu einem Teil erfaßt ist, habe ich mit dem Hinweis auf die ›PUBLIT poem paintings‹ wenigstens angedeutet, ferner, daß sich zwischen den ›Hör-‹ und ›Sehtexten‹ intentional Gemeinsames aufspüren läßt, in einem Werk, bei dessen inzwischen beachtlichem Umfang man annehmen müßte, daß es auch in Nachschlagewerken und Arbeiten zur neuesten Literatur- und Hörspielgeschichte hinreichend registriert ist. Aber diese Vermutung ist weit gefehlt. Lediglich ein Lexikon verzeichnet Kriwet als

Vertreter einer konsequenten Literarisierung und Mischung der Künste. Verwendung graphischer Effekte, Verbindung mit elektronischer Musik. Montage von Text und Bild; Zitation der Alltäglichkeiten des Environments (Zeitungen, Annoncen); Ästhetisierung der Oberflächenreize durch verfremdende und ironische Reproduktion der einzelnen Elemente. Verfasser von Hörtexten, Entwicklung einer Technik polyphoner Überlagerungen.[433]

Auch in der neuesten Literatur zur Hörspielgeschichte, in Arbeiten, die mit dem Anspruch auftreten, in Modellanalysen Altes und Neues Hörspiel zu kontrastieren,[434] sind die ›Hörtexte‹ Kriwets auffällig ausgespart. Selbst Stefan Bodo Würffels Realienbuch über ›Das deutsche Hörspiel‹[435] beschränkt sich auf einmalige Namensnennung und das auszugsweise Zitat aus einer Polemik Friedrich Knillis, die zwar auf Kriwets Hörtext ›Oos is Oos‹ einschlägt, aber allgemein das Neue Hörspiel meint.[436] So bleiben für den Interessierten – wenig genug – einige Hinweise auf Kriwet in praktisch unerreichbaren Radioessays,[437] und das, obwohl Kriwets ›Hörtexte‹ nicht nur innerhalb der Typenvielfalt des Neuen Hörspiels eine markante Position einnehmen, sondern auch rundfunkgeschichtlich ihren Stellenwert dort haben, wo sich eine neben den Rundfunkanstalten und unabhängig von ihnen einhergehende Entwicklung akustischer Poesie und die Geschichte des Hörspiels Ende der 60er Jahre endlich trafen.

Wie die Hörspiele Kagels zur Musik, so halten die ›Hörtexte‹ Kriwets im Umfeld des Neuen Hörspiels die Grenze zur akustischen Poesie offen. Diese Nachbarschaft zur akustischen Poesie, die Hörspielvorurteile der 50er und 60er Jahre sind sicherlich auch einer der Gründe dafür, daß die frühen ›Hörtexte‹ Kriwets in den literarischen Programmen gesendet wurden. Ebenso wie ein weiterer zentraler Hörtext aus dem Jahre 1959, der – obwohl damals als Buch mit Schallplatte erschienen – beinahe völlig in Vergessenheit geraten wäre, hätte ihn nicht das HörSpielStudio des Westdeutschen Rundfunks wieder ausgegraben, in aufbereiteter Form gesendet[438] und damit möglicherweise dem Hörspielrepertoire gewonnen. Die Rede ist von Hans G. Helms' einzigem größeren literarischen Text ›FA:M'AHNIESGWOW‹,[439] der nach seinem Erscheinen 1959 von Autoren der konkreten und experimentellen Literatur zwar stark beachtet worden, darüber hinaus aber nie ins öffentlich-literarische Bewußtsein eingedrungen ist (wie sich leicht mit dem völligen Fehlen von Autor und Buch in den einschlägigen Nachschlagewerken und Literaturgeschichten nachweisen läßt). Andererseits ist Helms' Wirkung auf Autoren experimenteller Literatur auch bei Ferdinand Kriwet aufzuspüren, der noch 1969 in einer Notiz zu seinem ›Hörtext‹ ›One Two Two‹ auf ›FA:M'AHNIESGWOW‹ ausdrücklich Bezug nimmt.

> Parallel mit der fortschreitenden Konservierung von Lautsprache und ihrer allgegenwärtigen Reproduktion mittels Tonband, Schallplatte und Rundfunk erfolgte eine von den optischen Bildträgern schließlich zusätzlich geförderte und beschleunigte Verminderung der menschlichen Fähigkeit zum spontanen Sprechen und ergo Denken, wovor Hans G. Helms schon in ›F:am' Ahniesgwow‹ graute ('nur noch Maschinen werden ticken').[440]

›FA:M'AHNIESGWOW‹ ist nicht nur Hans G. Helms' einziger literarischer Text, dieser Text hat auch eine bemerkenswerte Entstehungsgeschichte, die zugleich ein bezeichnendes Bild auf die literarische Landschaft der 50er Jahre wirft. Ausgelöst wird die erste Niederschrift durch eine Erfahrung, die Anfang der 50er Jahre von den meisten Schriftstellern geteilt wird, daß zwar mit 1945 „die uniformierten Nazis verschwunden waren, aber die wirklichen Drahtzieher des

Nationalsozialismus in der Wirtschaft immer noch existierten und weiterhin die Geschäfte führten".[441]

Die Fabel, auf der Helms, durch ein „persönliches Erlebnis" mitbedingt, aufbaute, war die „Geschichte um einen Jungen jüdischer Herkunft, der sich in die Tochter eines finnischen SS-Generals verliebt". Weder Story noch Plot – Helms hatte seine Geschichte zunächst, „an Henry Miller angelehnt", „in konventioneller Manier" erzählt – waren demnach sonderlich aufregend und dürften sich kaum von den Bemühungen anderer Autoren um Vergangenheitsbewältigung in der Gegenwart unterschieden haben. (Übrigens ist die Anlehnung an Henry Miller noch in der Hörtext-Fassung aus dem Jahre 1959 gelegentlich deutlich herauszuhören.) Daß Helms für seine erste Fassung aber keinen Verleger fand, auch selbst mit seinem Ergebnis nicht zufrieden war, führte zu einem jahrelangen Überarbeitungsprozeß, aus dem schließlich der experimentelle Hörtext ›FA:M'AHNIESGWOW‹ hervorging, in den Worten Helms':

Dann habe ich 8 Jahre lang versucht, aus diesem konventionellen Roman etwas zu erarbeiten, das meinen Bedürfnissen entsprach, und diese Bedürfnisse gingen dahin, die wirklichen internationalen Zusammenhänge, die politisch ja mit der Situation in Deutschland zu tun hatten, nun auch sprachlich zu artikulieren, aus einer Sprache herauszugehen in alle die Sprachen, die mit diesem politischen Phänomen involviert waren.[442]

Eine derartige Bearbeitung konventioneller Vorlagen, die Verlagerung von Tendenz ins sprachliche Experiment ist nur in dieser Radikalität ein Einzelfall, ansonsten für die 50er Jahre mehrfach zu beobachten, in der Hörspielgeschichte z. B. bei Günter Eich, der 1960 zwei konventionelle unbedeutende Hörspiele umarbeitet (›Blick auf Venedig‹ und ›Meine sieben jungen Freunde‹[443]) und mit der in ihnen durchgespielten Sprachproblematik ins Vorfeld des Neuen Hörspiels rückt. Nur: Helms geht es nicht um eine Blindensprache, die der Sprache der Sehenden (sprich: der Gegenwart) überlegen ist, nicht um die spielerische Utopie einer Sprache, die erst gesprochen und verstanden werden wird, wenn die Raumschiffe den Planeten Hesperos, die Venus und den Abendstern erreicht haben werden. Es geht ihm vielmehr viel konkreter um eine sprachliche Erfahrung, aus der heraus er seine Hörtext-Partitur entwickelt, von der ausgehend auch seine Intention leicht einsehbar wird.

Wenn man sich an diese Zeit zurückerinnert, wir hatten hier dieses von den Nazis her deformierte Deutsch, das war unsere Umgangssprache. Wir hatten darüber aufgesetzt ein fremdes Element aus den Sprachen unserer Besatzungsmächte. Es gab also schon diese Polyglottheit in diesem Lande selbst.[444]

Der Bearbeitungsansatz Hans G. Helms' ist unter diesem sprachlichen Blickwinkel also durchaus realistisch. Und Helms konnte in diesen realistischen Bearbeitungsansatz Erfahrungen als vergleichender Sprachwissenschaftler einbringen. Mit Hilfe von über 30 Sprachen komponiert er im Laufe von rund 8 Jahren eine Partitur, die immer weniger mit dem ursprünglichen Roman, dafür immer mehr mit Musik zu tun hat, und die dabei zugleich eine phonetisch-semantische Vielschichtigkeit gewinnt, die linear erzählte Prosa, ein konventionell ablaufendes Sprachspiel nie erreichen könnte. Gottfried Michael Koenig, der dem Manuskript 1959 bei seiner endgültigen Veröffentlichung ein kommentierendes Nachwort beigesteuert hat, macht deutlich, wie bereits ein genaues Beachten und Lesen des Titels zu einer wesentlichen Verständnishilfe werden kann.

Im Titel bereits sind die Male versammelt. Kaum übersetzbar – weniger noch Titel im hergebrachten Sinn – ist er ein Teil des Textes.

Ahniesgwow
meint, in die Umgangssprache gebracht, das zuerst unmittelbar, dann mittelbar von den Amerikanern besetzte Westdeutschland. Nichts aber wäre unangemessener als solch simplifizierende Übersetzung. Vielmehr enthüllt der Titel sich als Wortgerüst, das mehr trägt als den Amigau. Schon dessen letzte Silbe singt nicht bloß von deutschen Gauen, sondern erinnert zugleich jenen administrativen Bezirk der Nazis, dem der Gauleiter vorstand. In anderer Schreibung ist

gwow (guau)
im spanischen Südamerika ein provinzieller Ausdruck für Hund, dessen 'Laut' er zunächst bezeichnete. In

Ahnies
steckt das Gewürz, aus dem die Anisette destilliert wird, schließlich das geistige Getränk schlechthin samt seiner Wirkung. Das eingeschobene

h
deutet auf 'ahnen' – als Substantiv oder Verb. Die letzte Silbe

wow
ist im nordamerikanischen Slang ein Ausruf der Erleichterung (sic! R. D.), dem deutschen 'uff' entsprechend. – In

Fa:m'
steckt natürlich vorab 'fama', das Gerücht, die Sage; daß das Märchen aber nicht bloßes Hirngespinst sei, drückt das „vom" aus, das von Fa:m' sogleich herbeigerufen wird: 'from' (e), 'Fram' (schw.), 'fra' (dä).

Dieser Amigau (oder Amisgau) – genauer: Westdeutschland 'anthro jéminé 1952' (II, 12, b) – ist teils Hintergrund, teils Gegenstand des Werkes.[445]

Michael Koenigs Nachwort läßt beim Wiederlesen über die Hilfe, die es zum Verständnis des Helmsschen Hörtextes bietet, hinaus ablesen, wie sehr ›FA:M'AHNIESGWOW‹ bereits Literaturgeschichte ist, historisches Dokument einer Zeit, in der das literarische Experiment plötzlich in einer Breite da war, die heute fast vergessen ist. Ein paar Titel sollen dies andeuten. Nach den ›kombinationen‹[446] und ›topographien‹[447] beginnt Helmut Heißenbüttel 1960 mit der Publikationsfolge seiner ›Textbücher‹[448]. 1959 erscheinen unter dem Titel ›Hosn rosn baa‹[449] Dialektgedichte von Friedrich Achleitner, H. C. Artmann und Gerhard Rühm, machen auch über Wien hinaus auf die Aktivitäten einer „Wiener Gruppe" aufmerksam. 1959 veröffentlichen Dieter Rot seine ›ideogramme‹[450] und Franz Mon seine ›artikulationen‹[451]. 1960 stellt Eugen Gomringer seine wichtigsten ideogrammatischen Texte zu ›33 konstellationen‹[452] zusammen, beginnt Max Bense mit der Herausgabe der ›rot‹-Hefte[453], die neben dem ›augenblick‹[454] zum Publikationsforum der ›Stuttgarter Schule‹ werden und mit Ludwig Harigs ›haiku hiroshima‹[455] und Benses ›Monolog der Terry Jo‹[456] bereits die Vorstufen zweier späterer Neuer Hörspiele[457] veröffentlichen. 1961 schließlich erscheint Ferdinand Kriwets ›Rotor‹[458] mit dem vorangestellten Motto:

Ein Buch beginnt und endet nicht:
allenfalls täuscht es dies vor.
Un livre ne commence ni ne finit:
tout au plus fait-il semblant.[459]

Dieses Zitieren Mallarmés verweist auf einen größeren Traditionszusammenhang, in dem alle diese Texte gelesen, soweit sie visuell arrangiert sind, gesehen und, soweit sie akustisch gedacht sind, gehört werden müssen. Vordergründig ist dies das Aufbrechen traditioneller Literatur in ihren akustischen und visuellen Spielformen während der Literaturrevolution nach der Jahrhundertwende, der Versuch, zu neuen literarischen Ausdrucksformen vorzustoßen. Auf diesen Traditionszusammenhang, auf viele in Deutschland in Vergessenheit geratene Versuche und Ansätze machte 1960 auch eine wichtige, von Franz Mon und Walter Höllerer herausgegebene Anthologie, ›movens‹[460], aufmerksam und stellte zugleich in ihrer Auswahl die Verbindung zur Gegenwart her. Daß diese Anthologie wie die anderen genannten Titel damals in kleinen oder Privatverlagen erschienen, ist weniger überraschend als die Tatsache, daß Kriwets ›Rotor‹ und Helms' ›FA:M'AHNIESGWOW‹ ausgerechnet bei einem Kunstverleger erscheinen. Doch ist hier daran zu erinnern, daß im Bereich der bildenden Kunst und der Musik schon Ende der 50er Jahre der Anschluß an die entscheidenden Ansätze der Kunstrevolution ebenso wie an die internationale Kunst- und Musikszene wiedergewonnen war, wobei speziell im Falle der Musik das elektroakustische Massenmedium Rundfunk mit seinen elektronischen Studios als

Partner und 'Verleger' der neuen Musik vor allem in Köln auftrat, wo Helms damals in einem Kreise von Musikern und Komponisten wie Karl Heinz Stockhausen, Herbert Eimert, Nam June Paik und – schon zitiert – Michael Koenig verkehrte.

Doch auch innerhalb dieses Kreises bildet Helms' jahrelanges Bemühen um die unverwechselbare akustische Realisation einer nicht allzu aufregenden literarischen Vorlage einen erratischen Block, der weder eigentlich in die Musik- noch in die Literaturgeschichte recht passen will. Zu deutlich bleiben noch in der Studiobearbeitung von 1979 des ursprünglich als Platte veröffentlichten Hörtextes die inhaltliche Simplizität der Fabel, der ursprüngliche Versuch, wie Henry Miller zu erzählen, und die formale Anregung durch ›Finnegans Wake‹ von Joyce, für das 1979/1981 der Komponist John Cage mit ›Roaratorio – Ein irischer Circus über Finnegans Wake‹[461] praktisch nachgewiesen hat, wie man diesem Werk innewohnende akustische und geographische Hinweise in einen faszinierenden Hörtext umformen kann.

Sind Helms' ›FA:M'AHNIESGWOW‹ als erratischer Block und Cages ›Roaratorio‹ eher in einer *musikalischen* Tradition zu hören (hier träten z. B. Cage und Kagel hörspieltypologisch zusammen), ist es im Falle der Kriwetschen ›Hörtexte‹ eindeutig eine *literarische* Tradition, in der sie zu hören sind.

Diese Tradition stellt sich in einer literaturgeschichtlich immer wieder einmal auftretenden Trennung von akustischen und visuellen Texten dar. Ein Moment, das im 20. Jahrhundert, durch die italienischen Futuristen vor allem, hinzukommt, ist eine Bewunderung der Technik, was bis zu ihrem unkritischen, unreflektierten Einsatz bei Produktion führen kann. Wer über neuere Hörtexte Aussagen machen will, muß diese Linie ebenso verfolgen wie die rein artikulatorische Traditionslinie, die sich etwa von Raoul Hausmann, Kurt Schwitters über die Lettristen bis in die Gegenwart mit ihren ›text-sound-compositions‹[462] herleitet. Daß dabei die Grenzen zur Musik fließend werden, deuten Schwitters' ›Ursonate‹ ebenso wie Verbindungen der Lettristen zur Musique concrète über den „Club d'Essai" hinreichend an. Genau diese beiden Linien, die technische und die artikulatorische, treten bei Kriwet bewußt zusammen, wenn er 1969 schreibt:

> Hörtexte verwenden theoretisch alle Möglichkeiten der menschlichen und auch künstlichen Stimmerzeugung sowie alle elektrotechnischen Möglichkeiten ihrer Analyse und Synthese mittels Aufnahme, Transformation und Montage.[463]

Wieweit das technische Medium dabei mit konstitutiv werden kann und vielleicht sogar muß, belegen Kriwets medienbezogene ›Hörtexte‹ ›Voice of America‹, ›Radioball‹ und ›Radioselbst‹ in erstaunlicher Breite und sind doch nur Möglichkeiten innerhalb einer Geschichte des akustischen Textes, deren direkte Ansätze in der Literaturrevolution, im Futurismus/Dadaismus auszumachen sind, in einem durchaus vielfältigen Spektrum von Hörtexten, zu dem ›Roaratorio‹, an den Grenzen der Musik, ebenso zählt wie ›FA:M'AHNIESGWOW‹ im entwicklungsgeschichtlich bedingten Übergang von Literatur zum Hörtext.

8. WIE EIN REPORTER UND DOCH NICHT ALS REPORTER[464]

In einem der zahlreicheren Arbeitslosen-Hörspiele zu Beginn der 30er Jahre, in Karl August Düppengießers ›Toter Mann‹[465], unterbricht an zentraler Stelle ein Höreranruf das Spielgeschehen um den Arbeitslosen Hannes Rader.

Frau Geheimrat:	Um Jottes Willen, Herr Ansager, warum wieder so'n plattes Zeuch?!
Ansager:	Wer ist da?
Frau Geheimrat:	Hier ist Frau Jeheimrat Schulze aus Ostpreußen. Ich bin hier bei meiner Schwester zu Besuch, in der Ulmenallee. Können Sie nichts Vernünftiges spielen? Von Lienhardt oder von Sudermann oder – von Joethe?!
Ansager:	Im Moment nicht, gnädige Frau –
Frau Geheimrat:	Es jibt tausend Menschen, denen es jenauso jeht wie diesem Hannes Rader. Stellen Sie Ihr Mikrophon auf die Straße, das ist dasselbe. Wir wollen keinen Abklatsch von der Straße, wir wollen jehoben sein!
Ansager:	Vielleicht darf ich zu meiner Entschuldigung sagen, ich bin nur der Ansager.
Frau Geheimrat:	Aber Mannchen, das is ja abjründig – so was!
Ansager:	Ja, und scheußlich wahrhaft –
Frau Geheimrat:	Wie bitte?[466]

Diese Unterbrechung ist hörspielgeschichtlich ebenso von Interesse wie der Schluß des Stückes, der, vom Autor ursprünglich tragisch vorgeschrieben, bei der Produktion, wahrscheinlich durch den Regisseur Ernst Hardt, ins Happy-End umfunktioniert wurde. Nahm der Schluß damit auf die zahllosen Hörer ohne Arbeit Rücksicht, denen er – wenigstens für den Augenblick des Spiels – eine Lösung anbot, zielt die Unterbrechung des Hörspiels in Richtung der Hörer, die der Alltagsrealität im Hörspiel keinen Platz geben wollten, statt dessen ein gehobenes Kulturprogramm erwarteten, Affirmation statt Konfrontation suchten, wobei die vorgeschlagene Autorentrias Lienhardt, Sudermann oder Goethe einen zusätzlichen Reiz hat.

Der zweite Grund, warum diese Unterbrechung hörspielgeschichtlich interessant ist, liegt in der natürlich nicht ernsthaft gemeinten Aufforderung, mit dem Mikrophon doch gleich auf die Straße zu gehen, in der Auffassung, das Hörspiel dürfte nicht Abklatsch der Straße sein. Diese innerhalb eines Hörspiels und bezogen auf seine Realistik vorgebrachte Forderung bekommt ein zusätzliches Gewicht, wenn man sie über das Hörspiel hinaus auf die rundfunktechnische Entwicklung bezieht: die zwei Jahre zuvor erfolgte Entdeckung des sogenannten „aktuellen Mikrophons“ und ihrer Folgen.

Unter diesem Stichwort verstand man die technische Möglichkeit, mit dem Mikrophon 'vor Ort', nach draußen zu gehen, man sprach auch von „Außenarbeit“ des Mikrophons. Und man erprobte das „aktuelle Mikrophon“ in einer längeren Übertragungsreihe, ›Überall in Westdeutschland‹, deren abschließender „Querschnitt“ auch von anderen Sendern, u. a. dem Deutschlandsender Königs Wusterhausen[467] übernommen wurde. Hauptgedanke, schrieb damals der für diese Übertragungsreihe verantwortliche Bernhard Ernst, sei es, „mit mehr als trockenen, wohlgeformten Sätzen zu zeigen: Seht, das ist Westdeutschland!“

Einmal nun soll das Ganze vor uns erstehen. Überall wollen wir sein bei euch zwischen Ems und Rhein, wie unsere Wellen bei euch allen zu Hause sind. Eine gemeinsame Reise wollen wir machen von der alten Domuhr in Münster über das Tosen an der Ruhr bis an den Rebstock am schönen Rhein. Und zugleich wollen wir zwischen den zahlreichen Augenblicksbildern der Wirklichkeit Worte und Töne hören, die wie Fleisch und Blut zu ihnen gehören.[468]

Tondokumente dieser rundfunkgeschichtlich wichtigen Übertragungsreihe und ihres abschließenden Querschnitts haben sich nicht erhalten, wohl aber ein kurzer Ausschnitt eines Regiebuches, der hinreichende Schlüsse zuläßt, die sich weiter ergänzen lassen durch die von Bernhard Ernst fixierten „praktischen Erfahrungen“, die in diesem Zusammenhang vor allem interessieren.

Man denke immer daran, daß der Hörer kein Fachmann ist und optisch nicht orientiert wird. Demnach plastische Bildwirkung des Vergleichs (Martinsofen–Backofen), Herausgreifen der großen Linie eines Produktionsprozesses, ohne sich in fachmännische Einzelheiten zu verlieren. – Geräusche sind keine unerläßliche Notwendigkeit, stellen aber gerade hier, sofern eigenartig und unterschiedlich, die akustische Grundlage dar (Gefühl der Verbundenheit für den Hörer, Phantasieanregung!). Außerordentlich wesentlich für das Gelingen eines klaren Bildes die Persönlichkeit des Gesprächspartners (Fachmann). Anpassungsfähigkeit an Erfordernisse des Rundfunks, allgemein verständliche Ausdrucksweise, Vergessen des Mikrophons. Durchführung der Unterhaltung ohne merkliche Vorbereitung (hier ist das Mikrophon besonders feinfühlend!).[469]

Das Regiebuch sah zusätzlich den festen Part eines Erzählers vor, der mit vorgeschriebenem Text die einzelnen, frei gestalteten

Reportagen 'vor Ort' untereinander, aber auch mit Musikeinspielungen verband. Dieses Nebeneinander von Erzähler und Reporter, von fixiertem Text und improvisiertem Dialog führt bereits zum Hörspiel, in dessen Genese Wechselbeziehungen von Reporter und Erzähler eine Rolle spielen.

So verlangte Hans Bodenstedt, Intendant der NORAG in Hamburg, aber auch Hörspielautor und Reporter, vom Reporter gleichsam künstlerische Qualitäten, wenn er summierte und forderte:

Durch den künstlerisch mitschaffenden Reporter (...) wurde die Rundfunkreportage zu dem, was sie jetzt ist: zum Zeittheater im besten Sinne des Wortes. Auf diesem Zeittheater muß der Reporter ein Schauspieler sein.[470]

Und der Berliner Reporter, Hörspielregisseur und Hörspielautor Alfred Braun beschrieb seine experimentellen „akustischen Filme" in einer Art und Weise, die durchaus einen Vergleich mit Bernhard Ernsts Querschnitt ›Überall in Westdeutschland‹ nahelegt, ja sogar vermuten läßt, daß man bei diesen „akustischen Filmen" ebenfalls mit Originaltonaufnahmen gearbeitet hat, zumindest aber an diese Möglichkeit gedacht haben dürfte.

1 Minute Straße mit der ganzen lauten Musik des Leipziger Platzes, 1 Minute Demonstrationszug, 1 Minute Börse am schwarzen Tag, 1 Minute Maschinensymphonie, 1 Minute Sportplatz, 1 Minute Bahnhofshalle, 1 Minute Zug in Fahrt.[471]

Allerdings muß die Frage, ob Alfred Braun bereits mit Originalton gearbeitet hat, fürs erste offenbleiben, da sich keiner jener „akustischen Filme" als Tondokument erhalten hat, bisher auch keine Manuskripte auffindbar waren und Alfred Braun sich, als ich ihn kurz vor seinem Tode befragte, nicht mehr genau erinnern konnte.

Ein Tonfragment erhalten hat sich aber von einem, dem Kölner Querschnitt ›Überall in Westdeutschland‹ vergleichbaren Hörbild der Schlesischen Funkstunde, das schon mit seinem Titel ›Das ist Schlesien‹ offensichtlich auf den Kölner Versuch Bezug nimmt und zugleich, wie man dem ›Rundfunk-Jahrbuch 1933‹[472] entnehmen kann, produktionstechnisch von ihm zu unterscheiden ist.

In der Reichssendung ›Das ist Schlesien‹, die im Frühjahr des Jahres 1931 von der Schlesischen Funkstunde veranstaltet wurde, sollten Hörberichte von den wesentlichen Punkten der Provinz Schlesien aneinandergereiht werden. Wir gaben es auf, Sprecher an die ausgewählten Punkte zu stellen, um sie von dort aus unmittelbar in die Sendung einzublenden. Es sprachen viele technische und künstlerische Gründe dagegen. Zum ersten Male wollten wir den Grundsatz anwenden, vor der Sendung Schallplatten an Ort und Stelle unter einheitlichen Gesichtspunkten herzustellen und sie dann nach Bedarf bei der Sendung zu verwenden.[473]

Diesem Entschluß, nicht wie in Köln eine Konferenzschaltung mit direkten Reportagen vorzunehmen, sondern mit „unter einheitlichen Gesichtspunkten" hergestellten Aufzeichnungen die Sendung erst im Studio zusammenzustellen, verdankt die Hörspielgeschichte, speziell die Vorgeschichte des Originalton-Hörspiels jedenfalls ein frühes wichtiges Dokument. Von den Aufzeichnungen, die „Oberschlesiens Bergwerke und Hütten" ebenso wie „Niederschlesiens Großindustrie" akustisch eingefangen hatten, haben sich allerdings lediglich ein kurzer Bericht aus dem Granitbruch Strehlen und zwei kurze Sequenzen aus Langenbielau und einem Weberdorf des Eulengebirges erhalten, auf die speziell sich auch der Bericht im ›Rundfunk-Jahrbuch 1933‹ bezieht. So lassen sich wenigstens für einen Fall Intention und Realisation vergleichen. „Klangaufnahmen" waren zunächst in den mechanischen Webereien in Langebielau gemacht worden, „wo Hunderte von Spinn- und Webmaschinen einen betäubenden rhythmischen Lärm erzeugen".

Diese rein technischen Aufnahmen genügten uns aber nicht, wir wollten mehr; wir wollten vor allem etwas von der Seele dieses Landes erfassen, aus dem Hauptmanns ›Weber‹ gewachsen waren. Der Direktor der Fabrik nannte uns den Namen eines alten Handwebers in einem Gebirgsdorf, der sich noch immer nicht von dem Familienwebstuhl trennen wollte. Wir fuhren hinauf.

Der Ort selbst: ein Bild aus einer vergangenen Kulturzeit. An einem steilen Gebirgsweg winzige Holzhäuschen nebeneinander geduckt, immer höher steigend, bis zum Bergwald hinauf. Wir fanden das Häuschen des alten Hilse – und am Webstuhl saß ein 72jähriger Mann, so ganz wie ein Mensch, der aus Hauptmanns ›Weber‹ stammen konnte.

Als echter Schlesier gesprächig, gab er uns über seinen Lebenslauf Auskunft. Die kleinen blauen Augen leuchteten, ein behäbiges Lachen untermalte seine Schilderungen aus der alten Zeit. Der Webstuhl klapperte, in dem Vogelbauer unter der niedrigen Decke zwitscherte ein Zeisig, eine alte Uhr schlug. Auf der Ofenbank saß die Wirtin und schaute stumm und verwundert auf den fremden Besuch.[474]

Abends traf man sich noch einmal, wozu auch die Freunde des alten Webers eingeladen waren, und verschaffte sich in einer „lustigen Tafelrunde", zu der man „einen Korb Flaschenbier" gespendet hatte, die nötigen Hintergrundinformationen über das frühere Leben der Weber, ihre Arbeit, aber auch ihre Freizeitbeschäftigung. Die Aufnahme selbst sollte am nächsten Morgen stattfinden, scheiterte aber zunächst, weil der Zeisig nicht „zwitschern" und die Ziege vor dem

Mikrophon nicht „meckern“ wollte. Erst im zweiten Anlauf, als man auf den Zeisig verzichtete, klappte es.

Das Zicklein meckerte wacker, als der alte Hilse es „Hannchen“ rief. Dann sprach er. Das scharfe Anschlagen des Weberschiffleins ging ins Mikrophon, als er die Arbeit seiner Hände und Füße schilderte, die ohne Ende ist, die den Weber zwölf Stunden und mehr an seinen Webstuhl fesselt. „A dan Stuhl hoot schunt mei Voater georbt, hie hoot mei Großvoater georbt.“ Die alte Zeit erstand wieder vor unseren Augen. Wir erlebten noch einmal jene Tage, in denen die große Familie mit ein paar Groschen Verdienst ihr Leben fristete, wir hörten vom kärglichen Essen, den mühsamen Gängen hinunter nach Peterswaldau zum Fabrikanten, und von den Notjahren, von denen der Vater immer erzählt hatte, als sie das „ganze Zwanzigerding“ kaputt schlagen wollten. So schilderte der alte Hilse in seiner volltönenden schlesischen Gebirgsmundart, behäbig und breit, unterstützt vom Rhythmus des ererbten Arbeitsgerätes, ein Stück deutscher Wirtschafts- und Kulturgeschichte.

Sieben Minuten dauerte die Aufnahme – sie bedurfte keiner weiteren Ergänzungen. Der alte Hilse hatte im Bann seiner vertrauten Umgebung eine plastische und unübertrefflich echte Ausdrucksform gefunden.[475]

Fritz Walther Bischoff, künstlerisch-literarischer Leiter und Intendant der Schlesischen Funkstunde, der wie kein anderer in den ersten Jahren des Rundfunks ein Gespür für das Hörspiel als offene Spielform hatte, war von der „echten Ausdrucksform“ dieser Aufnahme so überzeugt, daß er sie anläßlich der Funkausstellung und Phonoschau 1931 in Berlin in sein ›Hörspiel vom Hörspiel‹[476] abschließend einfügte. Allerdings ist von den ursprünglich sieben Aufnahmeminuten nur noch rund die Hälfte übriggeblieben, wobei für den Moment nicht entschieden werden kann, ob diese verkürzte Sequenz bereits ins ›Hörspiel vom Hörspiel‹ eingefügt wurde, wofür manches spricht, oder ob es sich um einen späteren Verlust handelt, dem bemerkenswerterweise der Hinweis auf das historische Weberelend zum Opfer gefallen ist. Was im erhaltenen Tondokument des ›Hörspiels vom Hörspiel‹ abhörbar bleibt, ist Weberidylle. Und Begeisterung über die technische Möglichkeit, Schallplatten als Originalaufnahmen in ein Spiel einzublenden.

Sprecher:	Im folgenden hören Sie die Schallplatte als Bericht, als unerläßlichen Bestandteil, als Handlung selbst. Die Schallplatte wird als Originalaufnahme aus einem Weberdorf, einem Steinbruch in die Handlung eingeblendet. Also: die Hörfolge als Bericht, Spiel und Dichtung in der gesteigerten Form, wie sie sich in der Reichssendung „Das ist Schlesien“ darstellt.

(Klingeln)

Frauenstimme: Mechanische Weberei Dierig, Langenbielau.
Sprecher: Im Jahre 1781 wurde Christian Gottlob Dierig geboren als Sohn eines Freihäuslers und Handwebers im Weberdorf Langenbielau in Schlesien. Wir öffnen die Tür zu dem großen Websaal.
(Klappern der Webstühle)
Hier stehen sechshundert Webstühle reihenweise dicht nebeneinander. Wir hören das ohrenbetäubende Dröhnen der mechanischen Webstühle. Die Weblade gibt den Rhythmus der Arbeit, gibt das Geräusch, den Schlag. In der Weblade saust das Weberschiffchen hin und her. Nicht Menschenhand betreibt diese Maschinen.
Männerstimme: Aber noch heute sitzen Handweber uralt in den Dörfern am Eulengebirge. Vor den armseligen Hütten rauscht der Bergbach.
(Rauschen des Bergbachs)
Sprecher: Der Bergbach rauscht, in den Hütten am Hang klappert der Webstuhl.
1. Männerstimme: Guten Tag, Herr Hilse!
2. Männerstimme: (unverständlich)
1. Männerstimme: Sie haben ja so viele Uhren in Ihrer Stube –
2. Männerstimme: Ja, . . . die sein lebendig für mich . . .
1. Männerstimme: Und am Fenster haben Sie überall so schöne Blumentöpfe –
2. Männerstimme: Ja, das sein Eisbluma und weiße Lilie . . .
1. Männerstimme: Da hinterm Ofen, da haben Sie auch was versteckt –
2. Männerstimme: Da liegen . . . die heißen . . .
1. Männerstimme: Könn' Se se nich mal ruffa?
2. Männerstimme: O ja – „Hannchen!“
(Ziegenmeckern)
1. Männerstimme: An dem Webstuhl, wo Sie jetzt sitzen, da ist wohl schon immer gewebert worden?
2. Männerstimme: Oh ja, schon mein Großvater . . .[477]

Aber noch ein drittes Dokument gehört in die Vorgeschichte des Originalton-Hörspiels, Walter Ruttmanns erst vor einigen Jahren wieder aufgefundenes ›Weekend‹. Wie Bischoff hat auch Ruttmann seine „Klangaufnahmen“ erst im Studio endgültig komponiert. Aber während Bischoff zur Aufzeichnung Schallplatten benutzte, auf denen, wenn eine akustische Quelle wie der Zeisig oder die Ziege ausfiel, akustische Löcher entstanden, was zur Folge hatte, daß die Platten noch einmal aufgenommen werden mußten, wobei man überdies die Aufnahme dann so nehmen mußte, wie sie war – während Bischoff zur Aufzeichnung Schallplatten benutzte, verwendete

Ruttmann Tonfilmstreifen, die er im Studio schneiden und montieren konnte, wobei es ihm mehr auf die Töne und Geräusche als auf Sprache ankam.[478] In ihrem Fall hat er zum Teil sogar Sprecher bemüht, deren kurze Texte er dann ähnlich schneidend und montierend als Material für seine Komposition verwendete, die aus realen Partikeln das akustische Portrait eines Wochenendes in Berlin entstehen ließ.[479]

Derartige Hörspielaufnahmen auf Tonfilmstreifen, an denen Ruttmann 1930 nicht als einziger experimentierte,[480] setzten sich trotz ihrer kompositorischen Möglichkeiten, die man durchaus erkannte,[481] vor allem aus Kostengründen nicht durch. Sei es deshalb, sei es aber auch, weil die Hörspielverantwortlichen es in ganzer Konsequenz noch nicht erkannten, die Möglichkeit, schon im Weimarer Rundfunk ein Originalton-Hörspiel zu entwickeln, blieb in Ansätzen stecken.

Dennoch: Bereits im Weimarer Rundfunk ging man mit dem „Mikrophon auf die Straße", um Wirklichkeit „mit mehr als trockenen wohlgeformten Sätzen" in einer größtmöglichen Breite einzufangen. Man entdeckte den Wert der gesprochenen, der unveröffentlichten Sprache, den ›Volksmund vor dem Mikrophon‹, wie es im Untertitel zum Bericht über die Breslauer Hörfolge beziehungsreich heißt. Man sah aber auch, daß die Außenaufnahmen den „Erfordernissen des Rundfunks" anzupassen waren, näherte die Reportage dem Hörspiel und umgekehrt; erkannte, daß es mit der Aufnahme allein nicht getan war, daß sie vielmehr in ein Ganzes integriert (Bischoff), daß mit ihr eigentlich ein Ganzes erst komponiert (Ruttmann) werden mußte.

Als um 1970 das Originalton-Hörspiel neu entdeckt wurde, hatte man jedoch allenfalls ideologische Kronzeugen zur Hand, zitierte man Walter Benjamin und Bertolt Brecht, vor allem Brechts utopische Rede über den ›Rundfunk als Kommunikationsapparat‹ aus dem Jahre 1932.

> Der Rundfunk wäre der denkbar großartigste Kommunikationsapparat des öffentlichen Lebens (. . .), wenn er es verstünde, nicht nur auszusenden, sondern auch zu empfangen, also den Zuhörer nicht nur hören, sondern auch sprechen zu machen und ihn nicht zu isolieren, sondern ihn in Beziehung zu setzen. Der Rundfunk müßte demnach aus dem Lieferantentum herausgehen und den Hörer als Lieferanten organisieren.[482]

Aber man übersah, während man zitierte, daß der Rundfunk dies ansatzweise nicht nur versucht, sondern entsprechend seinen Möglichkeiten ansatzweise – wenn auch ungelenk – bereits geleistet hatte. Und weil man dies übersah, stellte man auch nicht die naheliegende Frage, warum es zunächst bei diesen Ansätzen geblieben war.

Eine Behauptung, wie sie Stefan Bodo Würffel in seinem Realienbuch über ›Das deutsche Hörspiel‹ noch 1978 aufstellt:

Erstmals korrigieren die Versuche mit dem O-Ton auch realiter die fünfzigjährige Praxis des Hörspiels, indem sie sich konkret bemühen, die institutionalisierte Trennung von Konsumenten und Produzenten außer Kraft zu setzen[483] –

eine solche Behauptung ist zumindest einzuschränken. Und die weitere Frage Würffels, „ob sich diese Hörstücke“ des neuen Originalton-Hörspiels „dem Begriff des Hörspiels überhaupt noch fügen“,[484] ließe sich bereits für das ›Hörspiel vom Hörspiel‹ stellen und ist hier wie bei Ruttmanns ›Weekend‹ bereits gegenstandslos.

Beide lassen sich nämlich leicht mit Beispielen neueren Datums vergleichen. So läßt sich zum Beispiel fragen, wie groß der Unterschied ist zwischen der siebenminütigen Aufzeichnung beim alten Hilse und Originalton-Stücken, in denen Bergleute, Rentner, Lehrlinge, Bauern, Gastarbeiter und so weiter durch Fragen eines, wie es jetzt sinnvoll heißt, Hörspielmachers veranlaßt werden, sich selbst darzustellen, in ihrer Selbstdarstellung vom Hörspielmacher zugleich geführt (um nicht zu sagen: manipuliert) und beteiligt. Und es läßt sich antworten, daß dieser Unterschied einmal in der besseren Aufnahmebedingung, den besseren technischen Arbeitsmöglichkeiten mit dem Tonband gegenüber der Schallplatte liegt, und zweitens in dem geschärfteren Blick, den der Rundfunk für soziale Gruppen, auch Randgruppen gewonnen hat, wobei für das Hörspiel der Weimarer Republik Zensurbedingungen in Anschlag zu bringen sind, die es in dieser Form um 1970 nicht mehr gibt. Intentional ist dagegen der Unterschied so gering, daß sich eine Linie denken ließe, auf der – vorangetrieben durch die verbesserten technischen Bedingungen, durch eine differenziertere Betrachtungsweise – eine Entwicklung stattgefunden haben könnte von der bei Außenaufnahmen gefundenen „echten Ausdrucksform“ der Schlesischen Funkstunde zu den Originalton-Stücken der 70er Jahre, von der Weber-Sequenz aus ›Das ist Schlesien‹ zu Gabor Altorjays ›A. B., Bauer (43)‹[485] oder Hans Gerd Krogmanns ›Bergmannshörspiel‹[486].

Eine weitere Linie ließe sich von Ruttmanns ›Weekend‹ aus denken, dessen Inhalt und Vorbildlichkeit der Filmavantgardist und Maler Hans Richter so skizzierte:

Aus isolierten Tonimpressionen bildete Ruttmann neue Einheiten: vom Drängeln und Pusten der Sonntagsausflügler auf dem Bahnhof, dem Rattern des Zuges, dem Trampeln, Singen und Schimpfen, dem Schnarchen, Spielen und

Zanken der Ausflügler bis zur Stille der Landschaft, nur unterbrochen vom Flüstern der Liebenden, bis zum Heimschleppen der weinenden Kinder – alles im Ton wie eine Perlenschnur aneinandergereiht. Damit hatte Ruttmann in der Tat ein Meisterwerk geschaffen, das auch heute noch dem Studenten des schöpferischen Tons Anregungen und Einsicht geben sollte.[487]

Als einen solchen „Studenten" des schöpferischen Tons, allerdings ohne Kenntnis der Meistervorlage, könnte man zum Beispiel Paul Pörtner benennen, der sich 1969 bereits recht früh auch in die Geschichte des neuen Originalton-Hörspiels einschrieb, als er mit ›Treffpunkte‹[488] etwas dem Ruttmannschen ›Weekend‹ durchaus Vergleichbares versuchte.

Die Produktion geht von Originalaufnahmen aus, die in Wuppertal gemacht wurden.

Durch Auswahl und Montage wird diese akustische Dokumentation hörspielmäßig erschlossen, durch die elektronische Verarbeitung werden phonetisch-rhythmische Strukturen erkennbar, durch den Sprecher wird eine subjektive Beziehung zu diesen Realitäten vorgeführt: der improvisierte Text ist der letzte Produktionsvorgang dieses Hörspiels, das als Spiel wahrgenommen werden will: ein Spiel, das im Hören stattfindet, mit Hörwirkungen spielt, akustische Realitätserfahrung thematisiert.[489]

Diese beiden Beispiele denkbarer Entwicklungslinien belegen ausreichend, daß es bereits im Rundfunk der Weimarer Republik Ansätze gegeben hat, die zur Ausbildung eines Originalton-Hörspiels hätten führen können. Entwickelt wurde dieses Originalton-Hörspiel allerdings erst in einem zweiten Anlauf und ohne Kenntnis des Weimarer Vorspiels im Umfeld des Neuen Hörspiels, und zwar in einer Vielzahl und Komplexität der Spielformen, die abschließend skizziert werden sollen.

Wenn ich bisher aus Gründen der Vereinfachung die allgemein übliche Bezeichnung Originalton-Hörspiel (statt des noch üblicheren Wortbastards O-Ton-Hörspiel) verwendete, so ist das jetzt zu differenzieren. Zunächst, weil sich inzwischen auch im Jargon der Presse, ja selbst in der Umgangssprache die Bezeichnung O-Ton für wörtliches Zitat eingebürgert hat. Vor allem aber, weil sich die Hörspielverantwortlichen ebenso wie eine ernstzunehmende Hörspielkritik von Anfang an klar darüber waren, daß es hier mit dem Schlagwort allein nicht getan war. „Das Verfahren O-Ton" präzisiert denn auch die Überschrift eines Radio-Essays von Heinrich Vormweg,[490] und Klaus Schöning nimmt in einer ersten, als Buch vorliegenden Bilanz, die er seinerseits ›Neues Hörspiel O-Ton‹ überschreibt, diese Formulierung auf:

Das „Verfahren O-Ton“ hat weniger mit dem Hörspiel zu tun, als die aktuelle Diskussion, die sich ausschließlich mit dem Hörspiel zu beschäftigen scheint, angibt. „O-Ton ist mehr als eine Hörspieltechnik.“ Originalton (auf Sprache bezogen) heißt: reden, öffentlich reden oder nicht öffentlich reden. Das Problem, das der Originalton aufdeckt, ist das Problem des veröffentlichten Redens, im Radio, im Fernsehen. Durch das Tonband wird der Originalton verfügbar für den, der O-Ton aufgenommen hat.[491]

Entsprechend muß diesem Tonband als Materialträger beim Originalton-Hörspiel das Hauptaugenmerk gelten. Denn anders als beim traditionellen Hörspiel, bei dem ein vorgegebenes Manuskript, eine vorliegende Partitur oder sonstwie schriftlich Fixiertes auf Band aufgenommen wird, bei dem Schnitt, Montage, Mischung in stetem Bezug auf die schriftlich fixierte Vorlage erfolgen, sind beim Originalton-Hörspiel Tonaufnahmen die Vorlage, aus denen das endgültige Hörspiel gemacht wird. Entweder, indem mit diesem akustischen Ausgangsmaterial direkt abhörend, schneidend, montierend, abhörend, schneidend, montierend und so weiter gearbeitet wird, oder häufiger, indem das aufgenommene akustische Material abgeschrieben, aus ihm ein (vorläufiges) Manuskript erstellt und nach diesem das vorhandene Tonmaterial bearbeitet wird. Von „Basismaterial“ spricht zum Beispiel Paul Wühr in seinem Bericht über die Entstehung von ›Preislied‹[492].

Alle waren einverstanden damit, daß ich aus den besprochenen Bändern diejenigen Passagen, die mir für die Schaffung eines Gesamtbewußtseins aller Befragten geeignet erschienen, auswählen, diese Passagen kombinieren und in andere – allerdings nicht beliebige oder verfälschende – Zusammenhänge bringen würde. Sie alle waren also einverstanden damit, daß ihre individuellen Aussagen Teile einer überindividuellen Aussage würden.[493]

Gleichgültig, ob Manipulation und Montage des Rohmaterials direkt oder auf dem Umweg über ein Zwischenmanuskript erfolgen, die ästhetische Qualität des Endprodukts liegt weniger in der Aussage als in der akustischen Materialität, die sie vom Ausgangsmaterial her mitbringt, so daß eine nachträgliche Renotation, so nützlich und informativ sie für den Interessierten auch sein mag, anders als beim zunächst schriftlich fixierten Hörspiel immer nur Notbehelf bleibt. Dieser Sachverhalt führt Helmut Heißenbüttel 1976 anläßlich eines Kommentars zu Paul Wührs ›Preislied‹ zu der gar nicht so „sehr merkwürdigen Feststellung“:

Geschriebene Texte, Drehbücher, Scripts usw. lassen sich ohne weiteres in akustische Texte verwandeln; diese stellen eine andere Form des Schrifttextes dar oder führen diesen in eine neue Deutlichkeit. O-Ton-Hörspiele jedoch lassen sich offenbar nicht zurückverwandeln in Schriftliteratur. Die Transkription läßt etwas aus, muß notwendigerweise etwas auslassen, das zum Text gehört, ohne das er nicht er selber ist. Das aber würde in der Konsequenz bedeuten, daß die Tonaufnahme nicht eine Reproduktion ist von etwas, das auch in anderer Form, in der gewohnten Form von Schrift und Druck, darzustellen wäre, *sondern daß das Verfahren der technischen Reproduktion von gesprochenem Wort eine andere, neue und als solche noch gar nicht erkannte Art von Schriftsystem ist.*[494]

Heißenbüttel hat an anderer Stelle „die unauflösbare Einheit von Klang und Inhalt" als das benannt, was so nur in diesem neuen „Schriftsystem" fixierbar sei.

Es sind die Tonfälle, die zusammenkommen und die kein Sprecher und kein Schauspieler nachsprechen kann. In diesen zueinander kommenden, einander schneidenden, einander kreuzenden Tonfällen erst wird der Inhalt transportabel.[495]

Doch scheint diese Auffassung, will man nicht einem voyeuristischen Mikrophon (von dem in der Hörspielgeschichte von Anfang an immer wieder einmal die Rede war)[496] das Wort reden – doch scheint diese Auffassung ein wenig idealistisch angesichts einer Hörspielrealität, in der – wie Heinrich Vormweg mit Recht festgehalten hat – der O-Ton zumeist „etwas Vorbereitetes" habe, weil „den Redenden sichtlich bewußt" sei, „daß sie auf Band sprächen". Was Vormweg kritisch in der Frage zuspitzt: „Ist das nicht auf eine triviale, so absichtsvolle wie leicht durchschaubare Weise ein verkünstlichter, ein aufs Reportagemuster zugeschnittener Gebrauchs-, statt ein Originalton?"[497]

Auch Vormweg überspitzt seine Frage. Das Problem liegt genau zwischen beidem, und die ernsthafte Auseinandersetzung mit dem „Verfahren O-Ton", zahlreiche theoretische Begründungen, die zum Originalton-Hörspiel zu gehören scheinen wie das Salz zur Suppe, haben dies hinreichend bedacht. Wenn aus Raumgründen diese umfangreiche theoretische Auseinandersetzung auch nicht referiert werden kann, so sei im Vorbeigehen doch angemerkt, daß sich ihr Umfang auch erklärt aus ihrer doppelten Funktion, einmal, den Verantwortlichen selbst Klarheit zu verschaffen über Gemachtes und Machbares, dann aber auch, den Hörer zu informieren, ihn als potentiellen Co-Autor und Co-Produzenten einzuladen. Denn nicht mehr ein fertiges Hörspiel erreicht den Hörer. Für seine Fertigstellung ist vielmehr der Hörer gefordert, und zwar als Befragter, als Auskunft Gebender. Hier muß man Vormwegs kritischen Hinweis auf einen „aufs Reportagemuster zugeschnittenen Gebrauchston" positiv wenden. Denn das, was sich den ungelenken Versuchen des Weimarer Rundfunks bereits abhören ließ, wird im Umfeld des Originalton-Hörspiels zu einem zentralen Problem: der Autor als Reporter. Wie anders hätte man sonst – in einer Formulierung Klaus Schönings – „nicht veröffentlichte Sprache öffentlich (...) machen" können?

Daß in einer Hamburger Ausstellung,[498] die unter dem Motto ›Künstler als Reporter‹ stand, auch Originalton-Hörspiele zu hören waren, rückt diesen Aspekt sogar in den größeren kunstpolitischen und -geschichtlichen Zusammenhang, in dem der Hörspielautor nicht länger Schöpfer sprachlicher Kunstwerke sein will, sondern gleichsam ein Eckermann der schweigenden Mehrheit, in einem wörtlichen Sinne Reporter „nicht veröffentlichter Sprache". „Jeder", präzisiert dies Klaus Schöning 1972 in einigen „Anmerkungen" zum Originalton-Hörspiel,

> Jeder, der einmal seinen Schreibtisch verlassen hat und mit einem Tonbandgerät ausgerüstet *wie* ein Reporter und doch nicht *als* Reporter auf die Straße gegangen ist, in Haftanstalten, vor Ort, in Betriebe, in Gastarbeitergettos, in Entziehungsheime, abgelegene Bauerndörfer und Altersheime, macht Erfahrungen, die ihn, zurückgekehrt an seinen Schreib- oder Schneidetisch, zu Stellungnahmen herausfordern könnten, die ihn sein Selbstverständnis und seine Funktion als Künstler und den Gebrauchswert seiner Kunst-Stücke überdenken lassen sollten. Der Radiokünstler mag dann auch entdecken, daß es ein Unterschied ist, die Wahlrede eines Politikers zu collagieren oder die spontanen Äußerungen einer Hausfrau. Er mag entdecken, daß die künstlerische Absicht nicht notwendigerweise Ausgangspunkt der Arbeit mit O-Ton sein muß, sondern daß sich diese aus der zur Sprache kommenden Sache selbst ergeben kann.[499]

Das aber genau ist ein weiterer Punkt. Nicht die Sache selbst, die aufgenommene Sprache und ihre radiogerechte Präsentation sind bereits ein Originalton-Hörspiel. Sie wäre nichts weiter als eine beliebig reproduzierbare Art sprachdokumentarischer Präsentation, die, wie Heinrich Vormweg zu Recht warnt, in ihrer „scheinbar objektiven" Wiedergabe „von Wirklichkeit sogar Bestätigungsfunktion" bekommen, „Anpassung fördern" könne.

> Sie kann in leicht verändertem Kontext zu einer bloßen Nachahmung des Naturalismus werden, oder auch zu einer Nachahmung der Neuen Sachlichkeit der späteren Weimarer Zeit, die Walter Benjamin in seinem Vortrag ›Der Autor als Produzent‹ abschließend kritisiert hat.[500]

Die Sache selbst, gleichgültig ob „Wahlrede eines Politikers" oder „spontane Äußerungen einer Hausfrau", kann vielmehr nur Ausgangspunkt sein für eine auf Veränderung zielende Weiterarbeit mit dem Material. Das genau meint auch das Diktum „O-Ton ist mehr als eine Hörspieltechnik" Michael Scharangs, eines wohl der wichtigsten Autoren, die mit dem Originalton gearbeitet haben. Ob das, was bei der Arbeit mit der Sache, dem damit verbundenen Lernprozeß herauskommt, überhaupt noch ein Hörspiel sein muß, ist für Scharang dabei eine irrelevante Frage. Überhaupt möchte Scharang den Rundfunk nicht als „das geeignetste Verbreitungsmittel" sehen. Dieser könne „für relevante O-Ton-Produktionen nur ein ergänzendes Verbreitungsmittel sein, und das selbst dann, wenn diese Produktionen sonst noch keine Verbreitung finden können".[501]

Darüber läßt sich diskutieren. Widersprechen wird man dagegen dem weiteren Verdikt Scharangs, im Rundfunk entstünden auch „irrelevante O-Ton-Produktionen, die sich nach irrelevanten Medienbedürfnissen" richteten.

> Sie werden medienintern verwendet als vorübergehender Ersatz für den bisherigen Ersatz-Avantgardismus der Literatur- und Hörspielabteilungen. Und das wird auch die Zukunft des O-Tons in der nächsten Zeit sein, zumindest in den Medien.[502]

Denn dieses Verdikt geht nicht nur von einer unrealistischen Sicht, von einer Fehleinschätzung des Rundfunks, seines Programms und seiner Programmzwänge aus, es ist inhaltlich schlicht falsch. Denn weder die Hörspiele Mauricio Kagels, Franz Mons, Helmut Heißenbüttels auf der einen noch die Originalton-Hörspiele Scharangs, Rainer K. G. Otts (in ihrem Umgang mit nicht veröffentlichter Sprache) oder Ludwig Harigs (im Umgang mit öffentlicher Sprache) auf der anderen Seite lassen sich als „Ersatz-Avantgardismus" abqualifizieren. Sie sind – jedes auf seine Weise und in seiner Art – Literatur in dem weiten Verständnis des Wortes, das der offenen Sendeform Hörspiel angemessen ist.

Daß bei der Auseinandersetzung mit dem Originalton-Hörspiel in seiner Spielbreite von Paul Pörtners ›Treffpunkten‹, Kagels ›Aufnahmezustand‹, über Hans Gerd Krogmanns ›Bergmannshörspiel‹ zu den ›Aktionsspielen‹[503] Hein Bruehls, den ›Planspielen‹[504] Monika Bonk-Luetkens und anderer, den ›Konsumentenspielen‹[505] Jürgen Alberts' – daß bei der Auseinandersetzung mit dem Originalton-Hörspiel, vor allem dort, wo es sich mit der nicht veröffentlichten Sprache einließ, manches Experiment das Ziel verfehlte, liegt im Charakter des Experiments begründet. Statt derart gescheiterte Experimente nachträglich zu verurteilen, künftige Experimente unter dem Vorwand ihres möglichen Scheiterns unterbinden zu wollen, sollte man besser aus ihrem Scheitern lernen, wobei jede vernünftige Hörspielkritik, wie Einsprache des betroffenen Hörers, hilfreich wäre. Denn wo anders als im Programm eines Massenmediums könnte eine Literatur der schweigenden Mehrheit öffentlich sinnvoll diskutiert werden, wo anders als im Programm des Mediums, das seine Hörer zur Mit-Autorschaft auffordert. Nur allerdings nicht unter dem Gesichtspunkt unrealistischer, gar utopischer Forderungen, die uneinlösbar an den Apparat und sein Programm herangetragen werden, sondern innerhalb der Möglichkeiten, die aus Apparat und Programm heraus gegeben sind. Hier allerdings bis an die Grenzen.

9. ALTES VOM NEUEN HÖRSPIEL. EINE ZUSAMMENFASSUNG[506]

Innerhalb des ›Versuchs einer Geschichte und Typologie des Hörspiels‹ schlossen die Lektionen zum Hörspiel der Weimarer Republik gezielt mit dem Hinweis auf ›Neues vom Alten Hörspiel‹.[507] Der gewendete Titel der die Darstellung des Neuen Hörspiels abschließenden Lektion – ›Altes vom Neuen Hörspiel‹ – will ähnlich programmatisch andeuten, daß der hörspielgeschichtliche Neuansatz seinerseits Teil einer offenen Hörspielgeschichte ist, deren Verständnis durch ihn wesentlich mitbestimmt wird.

Falsch wie die kurzschlüssige und leichtfertige Konfrontation von Altem und Neuem, von traditionellem und progressivem Hörspiel, die eine inzwischen umfangreichere hörspieldidaktische Sekundärliteratur vornimmt, ist auch die wiederholt abgegebene Toterklärung des Neuen Hörspiels, sicherlich nicht zum letzten Mal in einer Zuschrift Heinz Schwitzkes an den ›Evangelischen Pressedienst / Kirche und Rundfunk‹, nach der das „sogenannte Neue Hörspiel (. . .) längst das Schicksal alles Neuen“ teile, „nämlich alt zu werden!“.

Das Neue Hörspiel hat den Schildbürgerstreich begangen, im Hörspiel in demselben Augenblick (mit einem Begriff Alfred Döblins gesagt) publikumsferne 'Elitekunst' zu propagieren, in dem im Rundfunkprogramm sonst – unter dem leidigen Einfluß des Einschaltquotendenkens im Fernsehen – mit allen Mitteln um Publikumsgunst gerungen wurde. Erst seit diesem – inzwischen längst als gescheitert erkannten – Versuch, das Hörspiel an einer elitären Ideologie zu orientieren, der in den Köpfen von Theoretikern gemacht wurde, hat es den Kontakt mit den Hörern und seine bevorzugte Stelle im Rundfunkprogramm mehr und mehr verloren und ist (. . .) in die (. . .) Verlegenheit, museal zu werden, abgerutscht.[508]

Ganz anderer Meinung war ein Jahr zuvor die ›New York Times‹ in einem längeren Artikel über den ›Special Sound of German Radio‹, der zugleich ein Referat über das Hörspielprogramm des WDR 1981/1982 war. „Special Sound“ meint dabei nicht die „Klangfarbe“ der einzelnen Programme, die immer wieder beschworene Ausgewogenheit des Programmangebots, den Klang der Neuen deutschen Welle. Diesen „Special Sound“ verdankt der deutsche Rundfunk vielmehr der Tatsache, daß es ihm gelungen ist, im Laufe seiner über 50jährigen

Geschichte eine eigene Rundfunkkunst zu entwickeln: das Hörspiel.

One quality that distinguishes German radio programming from American is that many of the best imaginative writers write for it, producing not only commentaries but creative works that are often more than an hour long. The German word for these radio productions is *Hörspiel*; the literal equivalent in English is "sound play".[509]

Daß die ›New York Times‹ das Wort Hörspiel nicht mit den im Englischen/Amerikanischen dafür gewöhnlichen Begriffen „radio drama" oder „radio play" übersetzt, sondern als „sound play" erklärt, ist ebenso auffällig wie die Tatsache, daß nach dieser Erklärung im ganzen Artikel nur die deutsche Bezeichnung Hörspiel, überdies durch Kursivsatz hervorgehoben, verwendet wird. Nun ist zwar wiederholt behauptet worden, das Hörspiel sei ähnlich der Ballade eine vor allem deutsche Gattung. Aber das reicht zur Erklärung nicht aus. Denn gerade die Hörspiele, die als Beleg für diese These reklamiert wurden, die Hörspiele der 50er Jahre vor allem, speziell die der Innerlichkeit, sind in diesem Artikel der ›New York Times‹ nicht gemeint. Vielmehr zielt er neben dem konventionellen Hörspiel (den „more conventional radio dramas"), dem Feature und unterhaltenden Gebrauchshörspiel auf das Neue Hörspiel als spezieller Ausprägung („development") des Hörspiels und nennt als Autoren dieses „Special Sound of German Radio" Helmut Heißenbüttel, Ernst Jandl, Friederike Mayröcker, Franz Mon, Gerhard Rühm, Max Bense, Ludwig Harig, denen der Engländer Barry Bermange und die Amerikaner Jackson MacLow, Alison Knowles, Philip Corner sowie der große alte Mann nicht nur der musikalischen Avantgarde, John Cage, an die Seite gestellt sind.

Spricht der Artikel der ›New York Times‹ für die internationale Beachtung, die das Neue Hörspiel als spezifische Ausprägung des Rundfunkeigenkunstwerks Hörspiel nach wie vor erfährt, belegen (national) zahlreiche Preise, wie quicklebendig es allen Toterklärungen zum Trotz bis heute geblieben ist. Es sind dies, nachdem 1969 der Hörspielpreis der Kriegsblinden an Ernst Jandl/Friederike Mayröcker ging, 1970 der Hörspielpreis der Kriegsblinden für Helmut Heißenbüttels ›Zwei oder drei Portraits‹, der Karl-Sczuka-Preis 1970 für Mauricio Kagels ›(Hörspiel) Ein Aufnahmezustand‹, 1971 für Franz Mons ›bringen um zu kommen‹[510], 1975 für Ferdinand Kriwets ›Radioball‹, 1978 der Prix RAI des Prix Italia für Mauricio Kagels ›Die Umkehrung Amerikas‹, 1979 der Hörspielpreis der Kriegsblinden für Mauricio Kagels ›Der Tribun‹, 1979 der Karl-Sczuka-Preis für John

Cages ›Roaratorio‹. 1982 wurde John Cages ›James Joyce, Marcel Duchamp, Erik Satie: Ein Alphabet‹[511] als „überragendes Werk der Radiokunst 1982" gewählt, ging der Karl-Sczuka-Preis zu gleichen Teilen an Alison Knowles (für ›Bohnen-Sequenzen‹[512]) und Franz Mon (für ›wenn zum beispiel nur einer in einem raum ist‹[513]), 1983 bekommt Ferdinand Kriwet für ›Radio‹ den Premios Ondas zugesprochen, 1984 Gerhard Rühm für ›Wald, ein deutsches Requiem‹[514] den Hörspielpreis der Kriegsblinden.

Die ›Stuttgarter Zeitung‹, die sich als eine der wenigen Tageszeitungen gelegentlich einen Hörspielkritiker leistet, nahm sich der 1982 mit dem Karl-Sczuka-Preis ausgezeichneten Hörspiele anläßlich ihrer Aufführung auf den Donaueschinger Musiktagen an. Als „nicht überragend" qualifiziert der Kritiker ab, was der Jury als „ein überragendes Werk der Radiokunst" galt. Von „geringer Ohrenbegabung" der Juroren ist da die Rede und davon, daß von Alison Knowles' „Minimal Art" jeder größere Anspruch abpralle „wie von einer zarten Gummiwand",[515] eine Argumentation, die auf vertrackte Weise an die Ablehnung des ersten Hörspiels Helmut Heißenbüttels durch die Hamburger Dramaturgie erinnert: „Man habe entdeckt, daß es auch im Hörspiel um die wenigen großen Themen gehe: Liebe, Treue, Tod, Vergänglichkeit."[516] Der Unterschied besteht lediglich darin, daß im Falle Heißenbüttels 1951 ein zeitbezogenes Hörspiel unter Hinweis auf die „wenigen großen Themen" abgelehnt wurde, während 1982 im Falle Alison Knowles' ein überschaubares akustisches Spiel mit Affinitäten zur Musik unter Hinweis auf „größeren Anspruch" – und das heißt: auf größeren literarischen Anspruch – abgewertet wird.

Auch das Hörspiel Franz Mons wird bereits mit Hinweis auf eine „sogenannte ‚konkrete Poesie'" in die gleiche Richtung gerückt, wobei der Kritiker augenscheinlich den weitverbreiteten Irrtum teilt, konkrete und visuelle Poesie seien dasselbe.[517]

> Früher hatte Mon so was auf ein Blatt Papier schreiben müssen, jetzt benutzt er die Studiotechnik: und so flitzen denn die Stimmen mit Wörtern in entzükkenden Kurven durch den akustischen Raum, werden lauter und leiser gegeneinander geführt, ein Stimmtonband wird allmählich schneller, das andere allmählich langsamer, und so weiter und so weiter und so weiter. Der Text, den die Stimmen dabei spielen, zeigt ein überdeutliches Verlangen, sich der simplen Unauslotbarkeit Kafkas oder Becketts zu nähern; es bleibt aber beim Verlangen. Auch mangelt es ihm an jenem Witz, den etwa Ernst Jandl doch durchaus zuweilen hat.[518]

Eine solche Kritik verfehlt ›wenn zum beispiel nur einer in einem raum ist‹ wie allgemein Mons Hörspiele, die weder Spiel mit der

Studiotechnik sind noch ein Verlangen nach der „simplen Unauslotbarkeit Kafkas oder Becketts“ spüren lassen. Der „Witz“, der das Sprach- und Sprechcabaret Ernst Jandls auszeichnet, ist ihre Sache nicht, wenn sie auch den bitterbösen Sprachwitz „durchaus zuweilen“ kennen. Mit sprachlichen Floskeln und Versatzstücken, in sprachlichen Verläufen und nicht in Form einer Handlung – und das ist es, womit sie sich als der konkreten Literatur, dem Neuen Hörspiel zugehörig ausweisen –, in sprachlichem Spiel umkreisen sie Themen wie Schuld und ihre Verdrängung, Identitätsverlust und -suche, Vergänglichkeit und Tod, laden sie den Hörer, dem ja dieselbe Sprache geläufig ist, ein zu einem reflektierenden Nachvollzug des Spiels.

Allerdings: Auf einen derartigen Nachvollzug mag sich der Kritiker der ›Stuttgarter Zeitung‹ nicht einlassen. Statt dessen reiht er sich ein in die Tradition einer Kritik, die, statt sich mit ihm auseinanderzusetzen, das Neue Hörspiel von Anfang an abgewertet hat, die auf ihrem Vorurteil des literarischen als des eigentlichen Hörspiels besteht, das man natürlich dann auch lesen kann.

›Vom Reiz des Hörens und des Lesens‹ ist denn auch eine Sammelbesprechung ›Über gedruckte und noch zu druckende Hörspielbücher‹ überschrieben, in der sich der Kritiker der ›Stuttgarter Zeitung‹ überzeugt zeigt, daß in der letzten Zeit „das Radio wohl doch wieder stärker ins Bewußtsein gerade von solchen Leuten getreten“ sei, „die durch Literatur erreichbar sind“.[519] Kein Wunder, wenn sich dabei die Frage nach den Programm-, den nichtliterarischen Bedingungen des Hörspiels, mit denen Heißenbüttels medienkritische Hörspiele nachdenkenswert spielen, gar nicht erst stellt. Kein Wunder auch, daß eine der wenigen systematischen Arbeiten zum neueren Hörspiel, Hermann Keckeis' Untersuchung der ›Tendenzen im westdeutschen Hörspiel seit 1965‹, mit wenigen Sätzen abgetan wird.[520] Ausführlicher besprochen werden dagegen eine nur bedingt repräsentative Anthologie ›Deutsche Hörspiele der 70er Jahre‹: ›Und wenn du dann noch schreist . . .‹[521], ein Taschenbuch mit ›Frauenhörspielen‹: ›Was geschah, nachdem Nora ihren Mann verlassen hatte?‹[522], und die deutsche Edition der König-Harald-Tetralogie des Finnen Paavo Haavikko.[523] Keine Erwähnung finden zwei Anthologien Stephan Bodo Würffels, ›Frühe sozialistische Hörspiele‹[524] und ›Hörspiele aus der DDR‹[525], zu deren Auswahl, vor allem aber zu deren Vorworten einiges Kritische anzumerken wäre. Besonders gravierend ist aber, daß diese umfangreichere Sammelbesprechung keinerlei Hinweis auf die mit Handschriften und Materialien edierten Hörspiele Walter Kempowskis, ›Beethovens Fünfte‹ und ›Moin Vaddr läbt‹[526], enthält und die wohl wichtigsten Hörspieleditionen des Jahres 1982, Mauricio Kagels ›Buch der Hörspiele‹ und John Cages ›Roaratorio‹, schlicht unterschlägt, Editionen, die sich – auch ihnen ist eine Kassette beigefügt – nicht als Hörspiel-Lesebücher mit akustischer Beilage verstehen, die sich vielmehr gerade von den üblichen Hörspielbüchern unterscheiden

> durch den deutlichen Medien-Verweis sowohl des Buches als auch des Tonbandes. So gibt hier das Drucktechnische als visuelles Ereignis Ein*blick* in das sonst und eigentlich zu Hörende. Es ist Materialsammlung, Produktionsbeschreibung, Arbeitsportrait, Notationsversuch, Transkription – stets mit dem deutlichen Verweis auf die Unabdingbarkeit der akustischen Realisation, die durch das Schriftliche nicht ersetzt werden kann.[527]

Diese „Unabdingbarkeit der akustischen Realisation" ist für das Hörspiel in seinem eigentlichen Verständnis nicht neu, allerdings erst durch das Neue Hörspiel in Konsequenz bewußt geworden. Eine Auffassung, nach der sich Hörspiele hören *und* lesen lassen, verfehlt das wirkliche Hörspiel, das akustische Spiel auf dem Instrumentarium und zu den technischen Bedingungen des Rundfunks. Denn sie erst machen aus der Vorlage das Spiel. Sie verlangen eine Vorlage, die auf akustisches Spiel hin angelegt ist und sich erst im akustischen Spiel erfüllt. Dazu bedarf es nicht notwendigerweise des Schriftstellers, des Literaten als Textlieferanten. Stellt er aber den Text zur Verfügung, muß er sich auf diese Bedingungen einlassen. Anders als im Falle der Dramen-, allgemein der Literaturadaptionen durch den Rundfunk, bei der dem neuen Medium lediglich eine vermittelnde und dienende Rolle zukommt, die es übrigens als Kulturvermittler für ein massenhaftes Publikum in ausreichendem Maße zu erfüllen hat – anders als bei den Literaturadaptionen schreibt der Rundfunk im Falle des Eigenkunstwerks Hörspiel die technischen, und das heißt auch die formalen und das heißt auch die ästhetischen Spielregeln vor. Das ist in der Geschichte des Hörspiels von Anfang an erkannt, allerdings aus vielerlei Gründen nicht immer beachtet worden.

Vergegenwärtigt man sich die Anfänge der Hörspieldiskussion, lassen sich vor allem drei Positionen ausmachen, die in unterschiedlicher Ausprägung die Geschichte des Hörspiels bis heute konturiert haben. Da ist zunächst die *Position des Sendespiels,* des „Theaters für Blinde". Sie ließe sich verkürzt auch als Fortsetzung des Theaters mit anderen Mitteln bezeichnen. Die Theatergeschichte verdankt ihr einiges. Zunächst die Möglichkeit, Theaterstücke außerhalb der großen Häuser und ihrer Spielpläne einem massenhaften Publikum bekannt zu machen. Diese Möglichkeit bekam ein besonderes Gewicht, als nach dem Zweiten Weltkrieg fast alle großen Theaterhäuser zerstört waren. Daneben verdankt die Theatergeschichte dem Rundfunk die Aufführung von Stücken, die zunächst kein Theater spielen wollte, zum Beispiel ›Die heilige Johanna der Schlachthöfe‹ Bertolt Brechts, die Ende der Weimarer Republik in einer Bearbeitung durch den Autor ihre Uraufführung durch die Berliner Funk-Stunde erlebte.[528]

Die Möglichkeit, Theaterstücke außerhalb der großen Häuser zu spielen, dabei auch auf vergessene, wenig gespielte Theater-Klassiker aufmerksam zu machen, wurde in exemplarischen Inszenierungen von Fritz Walther Bischoff in der Schlesischen Funkstunde, Breslau, und vor allem von Ernst Hardt in Köln genutzt und führte hier zu der hörspielgeschichtlich nicht zu übersehenden ›Klassischen Bühne im Westdeutschen Rundfunk‹, die bis weit in die 50er Jahre hinein Spielzeit hatte und in zum Teil beachtlichen Inszenierungen große Schauspieler und Sprecher vor dem Mikrophon versammeln konnte.[529] Sie ist heute noch in reduzierter Form als ›Theaterabend‹ des „HörSpielStudios" in den Programmen des WDR vertreten. Die theatergeschichtliche Bedeutung dieser Bühnen im Funk wird zum Beispiel dann sichtbar, wenn ihre Adaptionen nach dem Kriege die Horvath-Renaissance praktisch einleiten, wenn sie in den 20er Jahren mit Woyzeck-Inszenierungen Bischoffs und Hardts die Büchner-Renaissance gleichsam multiplizieren,[530] ein bisher von der Forschung weitgehend übersehener Aspekt.

Eine zweite Position, die bereits in der frühen theoretischen Auseinandersetzung mit dem Hörspiel eingenommen wird, ist die *Position des Sprach- oder Wortkunstwerks,* das es einmal durch Adaption gültiger Vorlagen zu vermitteln gelte (hier sind die Grenzen zum Sendespiel fließend), das andererseits durch Entwicklung eines literarischen Hörspiels anzustreben sei. „Der Weg des Hörspiels im Rundfunk weist auf die intensivste Verinnerlichung des Wortes, der Sprache und ihres Inhaltes",[531] bringt es 1925 der für das Wortprogramm des Mitteldeutschen Rundfunks, Leipzig, verantwortliche Direktor Julius Witte auf die Formel, von Ernst Hardt noch 1929 im Hinblick auf das Sendespiel sekundiert:

Das Urelement der dramatischen Partitur scheint mir das Wort, scheint mir die Sprache zu sein, und der Rundfunk bedeutet die Re-inthronisierung ihrer ursprünglichen Macht, die wir fast vergessen hatten. Der Hörspieler (. . .) ist für seine Wirkung einzig und allein gestellt auf die seelische und gedankliche Erfülltheit seines Innern, das sich nicht anders als in den tausendfachen

Tönungen des gemeisterten Wortklanges offenbaren kann. Vertiefung in die Dichtung heißt für ihn also Leben und Sterben.[532]

Diese Auffassung von Wortkunstwerk, dieses Verständnis von literarischem Hörspiel und Hörspiel als Literatur (einen dahinter sich verbergenden fraglichen Literaturbegriff einmal außen vor gelassen), konnte sich zunächst durchsetzen und die Geschichte der Gattung bis in die 60er Jahre hinein bestimmen. Sie erfuhr ihre erste theoretische Ausprägung in Richards Kolbs ›Horoskop des Hörspiels‹ und hatte ihren ersten Höhepunkt in Eduard Reinachers laienspielnahem ›Der Narr mit der Hacke‹, der in einer für diese Position modellhaften Inszenierung durch Ernst Hardt als Tondokument erhalten blieb.

Daß Kolbs ›Horoskop (. . .)‹ hörspielgeschichtlich so folgenreich werden konnte, dürfte auch daran liegen, daß es konkurrenzlos wurde, nachdem weitere wichtige Hörspielansätze mit Machtübernahme durch die Nationalsozialisten praktisch nicht mehr zugänglich waren und so zunächst in Vergessenheit gerieten: Überlegungen Bertolt Brechts zum Beispiel zum ›Rundfunk als Kommunikationsapparat‹, Walter Benjamins zum Beispiel zu ›Zweierlei Volkstümlichkeit‹, zum Problem eines heute so genannten Feedback.[533] Auch die Döblinsche These des Hörspiels als einer Mischform wurde ja erst 1950 – und selbst da noch an abseitiger Stelle – dem Interessierten zugänglich, blieb für das Nachkriegshörspiel also zunächst ebenso unberücksichtigt wie Arno Schirokauers Vorstellung eines Hörspiels der offenen Spielform, die sich sämtlicher Bestandteile des Rundfunkprogramms assimilierend bedienen dürfe: „Der Begriff des Hörspiels gestattet jedem, alles, was er will oder kann, darunter zu verstehen.“[534]

Als Helmut Heißenbüttel 1968 dem Hörspiel erneut das ›Horoskop‹ stellte, war dies eine längst fällige Auseinandersetzung mit Richard Kolb und seinen einseitigen Hörspielvorstellungen der Innerlichkeit, des „Immateriellen“, des „Überpersönlichen“, des „Seelischen im Menschen“ als den eigentlichen Inhalten des Hörspiels. Wenn Heißenbüttel in seinem ›Horoskop‹, das inzwischen für das Neue Hörspiel eine ähnliche Bedeutung gewonnen hat wie Kolbs ›Horoskop‹ für das literarische Hörspiel der Innerlichkeit, wenn Heißenbüttel in seinem ›Horoskop‹ abschließend konstatiert: „Alles ist möglich. Alles ist erlaubt“, dann zitiert er indirekt und ohne es zu wissen Arno Schirokauer, gewinnt er theoretisch – wenn auch auf einem neuen Stand seiner technischen Möglichkeiten – für das Hörspiel eine Position zurück, die in Vergessenheit geraten war. Dieser Rückgewinn vergessener Positionen ist für das, Heißenbüttels ›Horoskop‹ folgende, theoretische und praktische Bemühen um ein Neues Hörspiel charakteristisch und forderte dazu auf, auch eine historische Neuorientierung zu versuchen. Der ›Versuch einer Geschichte und Typologie‹ hat hier wie andere Sendereihen, die ihm folgten,[535] seine ursprüngliche Motivation.

Das Neue Hörspiel, seine praktische Erprobung, theoretische Diskussion und geschichtliche Fundierung sind also keinesfalls der behauptete „Schildbürgerstreich", „im Hörspiel in demselben Augenblick (...) publikumsferne 'Elitekunst' zu propagieren, in dem im Rundfunkprogramm sonst (...) mit allen Mitteln um Publikumsgunst gerungen wurde". Sie sind vielmehr der Versuch einer Neubestimmung aus den Bedingungen des Mediums, der überfällige Versuch einer Wiederbelebung mit allen ihren Risiken. Damit ließen sich das Hörspiel und seine Theorie noch einmal auf eine Position ein, die hörspielgeschichtlich neben der Position des Sendespiels und des Wortkunstwerks bereits von Anfang an besetzt war als *Position des akustischen Spiels,* in der Einschätzung des Hörspiels als Gattung des technischen Mediums, als Radiokunst.

Als Fritz Walther Bischoff, dessen hörspielgeschichtliche Leistung und Bedeutung noch immer ihrer Darstellung harren, ein Jahr nach Erstsendung des Reinacher-Hörspiels ›Der Narr mit der Hacke‹ für die Funkausstellung und Phonoschau in Berlin sein ›Hörspiel vom Hörspiel‹ zusammenstellte, ging es ihm darum, anhand der in Breslau entwickelten Spielformen das weite offene Feld der Möglichkeiten anzudeuten. Doch während Bischoff 1931 seine Zuhörer mit der Hoffnung entließ, daß „beinahe alles noch zu tun sei", hatten Reinachers Hörspiel, die Aufsätze Kolbs seit 1930 (das ›Horoskop‹ von 1932 ist eigentlich nur eine erweiterte Zusammenfassung schon vorher veröffentlichter Aufsätze[536]) dem Hörspiel längst die Weiche gestellt. Hörspiele, die hier in andere Richtung hätten weisen können, wurden kaum mehr gesendet oder fielen, wie Alfred Döblins ›Geschichte vom Franz Biberkopf‹, der Zensur zum Opfer. Die Rechtswendung des Rundfunks hatte begonnen.

Nun ist auffallend, daß Bischoffs ›Hörspiel vom Hörspiel‹ den Typus eines literarischen Hörspiels ausspart, statt dessen die „Hörfolge", das „Hörspiel für Musik, Wort und Ton", das „Lehrstück", ein Sensations- und Katastrophenspiel, ein dokumentarisches Spiel und eine „Hörfolge (...) in gesteigerter Form", die man heute Feature nennen würde, auszugsweise vorstellt.[537] Diese Abstinenz gegenüber einem literarischen Hörspiel ist um so auffälliger, als Bischoff (wie Hardt in Köln) von Haus aus Schriftsteller war und sich als künstlerischer Leiter, dann Intendant – die Programme der Breslauer Funkstunde weisen dies aus[538] – durchaus um die Vermittlung von Literatur durch den Rundfunk bemühte, sei es auf der Suche nach geeigneten Präsentationsformen, sei es im Bemühen um das Sendespiel. Eine Begründung für die auffällige Abstinenz fällt – bedingt durch die Unkenntnis noch zahlreichen Materials – nicht leicht, doch gibt es Gründe für die Vermutung, daß Bischoff zwar vermittelte Literatur im Rundfunkprogramm schätzte und förderte, daß er aber einem literarischen Hörspiel, dem Hörspiel als Literatur gegenüber mißtrauisch blieb. Anders als bei Hardt war sein Problem nämlich nicht, von der Literatur zum Rundfunk und Hörspiel zu kommen, sondern umgekehrt vom Rundfunk mit seinen sich entwickelnden technischen Möglichkeiten zum Hörspiel. Anders formuliert: Bischoff ging es nicht darum, ein für den Rundfunk geschriebenes Spiel mit den Mitteln des Mediums umzusetzen, sondern darum, mit und aus den Mitteln des Mediums ein künftiges Hörspiel zu entwickeln, von dessen endgültiger Form und Spielbreite er noch 1931 nur den Ansatz sah. Wo Kolbs ›Horoskop‹ bereits von einem scheinbar gesicherten Hörspielbegriff und -verständnis ausging, war für Bischoff „beinahe alles noch zu tun". Wo der vom Theater und Sendespiel herkommende Hardt durch seine Inszenierung von ›Der Narr mit der Hacke‹ für Kolb und dessen Nachfolger ein Musterbeispiel einer neuen literarischen Gattung schuf, spricht Bischoff von einer „vielfältigen Arbeit am Hörspiel".

Ein derartiges Work-in-progress-Verständnis findet sich damals wiederholt, unter anderem bei Alfred Döblin, der 1929 in seiner Rede über ›Literatur und Rundfunk‹ die negative Bestimmung des Hörspiels durch Hans Flesch, „daß das Hörspiel weder Theaterstück, noch Novelle, noch Epos, noch Lyrik sein" werde, durch den Prospekt ersetzt: die zukünftigen Hörspiele müßten sich, als Mischform, „lyrischer", „epischer", „auch essayistischer Elemente" bedienen und sich „zugleich die anderen Möglichkeiten des Rundfunks, Musik und Geräusche, für ihre Zwecke nutzbar machen". Um dies zu erreichen, gelte es, sich von den Adaptionen epischer und dramatischer Literatur frei zu machen, da sie „nicht Kunst, sondern nur Abklatsch oder Kunsttorso oder Bericht von Kunst" seien. Wolle der Rundfunk sich Literatur „auf eigene Weise assimilieren", habe er sich „wie Antäus auf seinen eigenen Boden" zurückzubewegen.

Dieser „eigene Boden" aber war, ist und bleibt der Sendesaal, später das Studio, Orte, auf die sich die Diskussion um das Hörspiel, liest man einmal genauer nach, auffallend häufig bezieht. Vordergründig, wenn neue technische Errungenschaften, zum Beispiel die Einrichtung eines Echoraums,[539] die Entwicklung eines Klangreglers[540] mitgeteilt werden. Indirekt, wenn Bischoff, bezogen auf das akustische Spiel oder, wie er es auch nennt, das „phonetisch-akustische Gesamtkunstwerk" betont, „daß akustische Dramaturgie ohne technische Dramaturgie nicht zu denken ist".[541]

Als „Werkstatt des Funkdichters, des Funkregisseurs und des Funkspielers"[542] will 1929 der Intendant des Norddeutschen Rundfunks, Hans Bodenstedt, das Studio verstanden wissen, überzeugt, daß „jeder Sendevorgang im Studio, sofern es sich nicht um einen Vortrag oder ein Musikstück" handle, „die Grundelemente" des Hörspiels in sich trage. Dabei könne Studio letztlich jeder Raum sein, „in dem das Mikrophon aufgebaut" werde.

Ein Zimmer oder Saal im Funkhaus, das Theater, die Musikhalle, der Sportplatz, die Rednertribüne, der Hörsaal, das Maschinenhaus, die Straße, das Motorschiff, der Zoo (. . .), die ganze Welt bietet sich als Studio dar.[543]

Für das Hörspiel bedeute dies neben der selbstverständlichen dramatischen die wichtigere, weil noch unbekannte „akustische Forderung", für die der „künstlerische Experimentalfunk (. . .) die Voraussetzungen überhaupt erst schaffen" müsse.[544]

Nicht viel anders erklärt Hans Flesch anläßlich der Eröffnung des Studios der Berliner Funk-Stunde: „Für den Rundfunk, diese wundervolle Synthese von Technik und Kunst auf dem Wege der Übermittlung, gilt der Satz: im Anfang war das Experiment",[545] um an anderer Stelle für den „bildenden und künstlerischen Teil des Rundfunks, soweit er sich im Senderaum" abspiele, zu ergänzen, daß er „sich noch mehr als bisher der Technik anpassen und zu seiner höchsten Vollkommenheit sich aller technischen Mittel bedienen" solle.[546]

Läßt man die hörspielgeschichtlich wichtigen Leistungen des „künstlerischen Experimentalfunks", die hörspieltheoretischen Konsequenzen für den Augenblick noch unberücksichtigt, belegen die Zitate hinreichend, daß es neben den Positionen des Sendespiels und des Wortkunstwerks die Position eines (technisch) akustischen Spiels von Anfang an gegeben hat, eine Position, von der aus ein offenes Spielkonzept in erstaunlicher Breite diskutiert wurde.[547]

Die Zitate belegen ferner hinreichend, daß zu der Zeit, in der Reinacher „der Idee des Hörspiels näher gekommen" war „als irgendein anderer bis dahin", in der mit Hardts Inszenierung von ›Der Narr mit der Hacke‹ die „Geschichte des modernen Hörspiels" erst eigentlich anfing, „zur Erfüllung zu gelangen", in der sich *eine* Tendenz der Hörspielgeschichte zum literarischen Hörspiel, zum Hörspiel als Literatur kurzschloß – daß in derselben Zeit eine zweite Tendenz durchaus Raum gewonnen hatte: die Idee eines mediumbedingten, noch zu entwickelnden Rundfunkeigenkunstwerks Hörspiel.

Was das literarische Hörspiel entwicklungsgeschichtlich kurzschloß, war für das akustische Spiel offene Form. An die Stelle des „lyrischen Sprachwerks“, des „Musikwerks aus Sprache“ trat zum Beispiel bei ihm aus der Vielzahl der Möglichkeiten die musikalische Hörfolge, das ›Hörspiel für Musik, Wort und Ton‹. Statt des ›Narren mit der Hacke‹ dort, ein ›Hörspiel vom Hörspiel‹ hier.

Die hörspielgeschichtliche These, die es zu belegen galt und gilt, lautet nun: daß sich – begünstigt durch die geschichtliche Entwicklung und gefördert durch Literaturvorstellungen und Mißverständnisse der Verantwortlichen – zunächst die literarische Position durchsetzen konnte und die Hörspielgeschichte bis in die 60er Jahre hinein wesentlich konturierte, daß dagegen die Position des akustischen Spiels – von einigen Ausnahmen abgesehen – eigentlich erst im Neuen Hörspiel zur Entfaltung kam, daß erst das Neue Hörspiel einlöste, was als eine Tendenz der Hörspielgeschichte genetisch eingelegt war. Man kann dies ein wenig verkürzen und sagen, daß die drei Ausgangspositionen, die dem Hörspiel synchronisch eigen waren, seine Entwicklung auch diachronisch bestimmt haben. (Wobei zu fragen wäre, ob dann die Bezeichnung Neues Hörspiel nicht besser durch eine andere Bezeichnung zu ersetzen wäre.)

Daß die Einlösung der hörspieltheoretischen und hörspielpraktischen Ansätze durch das Neue Hörspiel zunächst weitgehend in Unkenntnis seiner Vorgeschichte erfolgte, ließ sich bereits mehrfach andeuten. Auf derselben Hörspieltagung, auf der Heißenbüttel mit seinem Diktum, „Alles ist möglich. Alles ist erlaubt“, ohne es zu wissen, Arno Schirokauer ‘zitiert’, greift Paul Pörtner, ohne dies zu wissen, einen Gedanken Hans Fleschs wieder auf. Hieß es bei diesem anläßlich der Eröffnung des Studios der Berliner Funk-Stunde, 1929: „Das Programm kann nicht am Schreibtisch gemacht werden“, pointiert Pörtner 1968 in seinem Vortrag über ›Schallspiele und elektronische Verfahren im Hörspiel‹: „Ich vertausche den Schreibtisch des Autors mit dem Sitz am Mischpult des Toningenieurs.“

Man kann diesen Schritt des Autors vom Schreibtisch ins Studio als für das Neue Hörspiel charakteristisch werten. Wo vorher der Autor sein Manuskript ablieferte, das dann auf dem Wege durch die Dramaturgie in den Regieraum oft zahlreichen, zum Teil entstellenden Eingriffen ausgesetzt war – Günter Eichs spätere Hörspielumschriften sind ja nicht nur Ausdruck sich ändernder literarischer Ansichten, sondern auch Reaktion des Autors auf, seinen Intentionen zuwiderlaufende, dramaturgische Eingriffe –, da nimmt jetzt der Autor-Regisseur die Realisation in die eigene Verantwortung, tritt an die Stelle des ausformulierten Manuskripts oft nur eine Arbeitsvorlage oder eine Partitur.

Eine derartige Aufhebung der Arbeitsteilung zwischen Autor, Dramaturg und Regisseur ist weniger überraschend, blickt man in die Frühgeschichte des Hörspiels zurück. Hatte Alfred Braun seine Experimente mit dem „akustischen Film“ noch als Experimente mit der Form des Hörspiels entschuldigt, die eines Tages von den Schriftstellern zu füllen sei,[548] teilten Bischoff und der Filmemacher Ruttmann diese Skrupel nicht, gingen vielmehr mit ihren Konzepten und Partituren ins Studio, um dort Hörspielvorstellungen zu realisieren. Man könnte sie, zusammen mit Alfred Braun, als frühe Hörspielmacher bezeichnen und ihre „akustischen Filme“, die Hörspiele ›Hallo! Hier Welle Erdball!!‹, ›Menschheitsdämmerung‹[549] und ›Weekend‹, als wesentliche Schritte bei der Genese des akustischen Spiels werten, in denen technisch noch erprobt wurde, was den Hörspielmachern des Neuen Hörspiels eine Selbstverständlichkeit ist. Anders ausgedrückt: Bischoff, Braun und Ruttmann mußten in Personalunion Autor/Dramaturg/Regisseur sein, weil Autoren fehlten, die ihren Hörspielvorstellungen zuarbeiteten. Umgekehrt mußten viele Autoren des Neuen Hörspiels in Personalunion Autor/Dramaturg/Regisseur sein, weil sie keine Regisseure (und Dramaturgen) fanden, die ihre Vorstellungen vom Hörspiel realisieren konnten oder wollten.

Ein solches Hin und Her der Bezüge zwischen Neuem Hörspiel und Hörspielvorstellungen und -ansätzen des Weimarer Rundfunks wartet bislang auf seine genauere Untersuchung, zu der im folgenden die wichtigsten Stichworte noch einmal zusammengefaßt werden sollen. Es sind dies die Stichworte Schallspiel, Spiel im Studio, Stereophonie, Schnitt und Montage, Musik als Hörspiel/Hörspiel als Musik, wobei für jeden Fall gilt, daß sich die davon berührten Autoren des Neuen Hörspiels nachdrücklich auf jene Kooperation mit dem technischen Medium eingelassen haben, die die Diskussion um das akustische Spiel im Weimarer Rundfunk immer wieder nachdrücklich angemahnt hatte.

Wenn Paul Pörtner einige seiner Rundfunkarbeiten „Schallspiel“ nennt, verwendet er – wie bereits dargelegt – eine Bezeichnung, die schon 1924 in der Programmzeitschrift ›Der Deutsche Rundfunk‹ vorgeschlagen wurde für ein künftiges Rundfunkspiel, „dessen Zustandekommen wesentlich auf der Wirkung eines akustisch-elektrischen Vorgangs beruht“.

Frühe Versuche solcher Schallspiele haben sich nicht erhalten, so daß man auf wenige Kritiken und Diskussionsbeiträge angewiesen bleibt, die indirekt den Schluß zulassen, daß es Realisationen gegeben haben muß, in denen „Ton gegen Ton, Schall gegen Schall" gesetzt wurde, die das „nur Akustische" anstrebten.[550] Er könne sich, schrieb damals Kurt Weill, „sehr gut vorstellen",

> daß zu den Tönen und Rhythmen der Musik neue Klänge hinzutreten würden, Klänge aus anderen Sphären: Rufe menschlicher und tierischer Stimmen, Naturstimmen, Rauschen von Winden, Wasser, Bäumen und dann ein Meer neuer, unerhörter Geräusche, die das Mikrophon auf künstlichem Wege erzeugen könnte, wenn Klangwellen übereinandergeschichtet oder ineinanderverwoben, verweht und neugeboren werden würden.[551]

Was Weill hier vorschwebte, war eine musikalische „absolute Radiokunst", auf die noch einmal zurückzukommen ist. Von „absoluter Funkkunst" sprach vier Jahre später auch Bischoff, von einem „Kunstprodukt", das „Wort und Musik" zusammenfüge „und in letzter endgültiger Totalität sich als akustisches Kunstwerk, als reines Hörspiel"[552] darstelle.

Diese Überlegungen und die ihr zugehörenden Experimente waren Friedrich Knilli weitgehend unbekannt, als er 1961 das „totale Schallspiel" proklamierte. Was ihn von seinen Vordenkern trennt, sind jedoch lediglich die inzwischen verbesserten und entwickelten technischen Mittel und Möglichkeiten des Schallspiels sowie das Epitheton „total", das neben seiner geschichtlichen Belastung einen Absolutheitsanspruch erhebt, der ebenso unhaltbar ist wie Knillis späterer ideologischer Irrtum, aus dem Distributionsapparat Rundfunk einen Kommunikationsapparat machen zu können. Paul Pörtner, für den das Schallspiel nur eine Möglichkeit unter anderen ist, hat deshalb zu Recht in seinem Frankfurter Vortrag differenziert:

> Es ist müßig, ein „totales Schallspiel" gegen das Hörspiel zu setzen: jede Totalisierung führt ad absurdum. Bloßes Schallspiel ist ebenso abstrakt wie bloßes Wortspiel. Aber mittels Schall den Gehörsinn zu mobilisieren, mittels kalkulierter Impulse Inspiration zu erzielen: mit einem ausgestrahlten Hörspiel das Selbstbewußtsein des Hörers zu bewegen, das bedeutet eine Steigerung der Wirkung, die aus dem Literarischen stammt, aber über die reine Vermittlung des Sprachlichen ins Unmittelbar-Sinnliche des Hörens vordringt.[553]

Eine solche Differenzierung markiert zugleich den historischen Abstand zur Naivität der Ansätze, zur Vorstellung eines Rundfunkspiels, „dessen Zustandekommen wesentlich auf der Wirkung eines akustisch-elektrischen Vorgangs" beruhe. Sie provoziert aber auch die Frage, was wohl geschehen wäre, hätten sich diese Ansätze ohne vorzeitige Weichenstellung und gewaltsame Unterbrechung fortsetzen lassen. Und die Zusatzfrage, ob noch dann Pörtners Schallspiele so verwirrt, eine derart heftige bis unqualifizierte Kritik und Ablehnung erfahren hätten.

Den ärgerlichen Eindruck einer unterbrochenen Tradition gewinnt man auch, wenn man Bodenstedts Überzeugung, „jeder Sendevorgang im Studio, sofern es sich nicht um einen Vortrag oder ein Musikstück" handele, trage „die Grundelemente des Sendespiels in sich: dramatische Spannung und akustischen Ausdruck" – wenn man diese Überzeugung Bodenstedts mit Mauricio Kagels Vorüberlegungen zu ›(Hörspiel) Ein Aufnahmezustand‹ vergleicht.

Jeder der sieben Mitwirkenden, der zu einer Studioaufnahme eingeladen ist, wird erst a posteriori erfahren, daß nebensächliche Fragen und Antworten, spontane Äußerungen, ungezwungene Bemerkungen und Nebengeräusche Hauptinteresse dieser Produktion sind. Die von ihm kunstvoll artikulierten Klänge und Worte werden dagegen als notwendiger Abfall hingenommen.[554]

Sieht man von der implizit enthaltenen Parodie des perfektionistischen Handlungshörspiels und der im Grunde musikalischen Absicht Kagels ab, besteht der Unterschied zu Bodenstedts Überlegungen eigentlich nur darin, daß Bodenstedt jeglichen Sendevorgang, Kagel bereits jeglichen Aufnahmezustand zum Hörspiel erklärt, ein Unterschied, der sich auch aus der verbesserten Studiotechnik, vor allem der Möglichkeit der Bandaufnahme begründet.

Als 1968 auf der Frankfurter Hörspieltagung die Möglichkeiten und Chancen der damals noch neuen Stereophonie diskutiert wurden, reklamierte – wie zitiert – der damalige Hörspielleiter des Saarländischen Rundfunks, Heinz Hostnig, die stereophone Technik für die Realisationen experimenteller Literatur, da „die Stereophonie das Theatralische" des traditionellen Handlungshörspiels „zu seinem Nachteil" betone.

Das Chaos an vorgefundener, vorgeformter Sprache, in spielerische Ordnung gebracht, das heißt mit Absicht filtriert, kombiniert und auf ein bestimmtes Ziel hin komponiert – ist das nicht ebenso gut Spiel wie das andere mit Figuren und kombinierten Handlungszügen? Und läßt sich mit derartigen Sprach- und Sprechspielen der stereophonische Hörraum nicht viel besser ausnützen als mit den herkömmlichen Figurenstücken, indem ich zu räumlichen Bewegungsabläufen komme, die in etwa den sprachlichen entsprechen?[555]

Wiederum erfolgt der Vorschlag ohne Kenntnis der Vorgeschichte. Kein Hinweis darauf, daß Hörspielvorstellungen und Realisationsversuche der sogenannten Stuttgarter Genietruppe, also Martin Walsers, Helmut Jedeles, Heinz Hubers, im monauralen Rundfunk um

1950 Gedanken der Stereophonie schon vorwegnahmen.[556] Keine Erinnerung daran, daß Bodenstedt schon 1929 die Raumvorstellungen des Hörers nicht durch sprachliche Vermittlung, sondern „allein durch funkische Mittel (...) erreichen“ wollte.

Als ein solches kann die Stereophonie betrachtet werden, die aber in der heute üblichen Form – Verteilung parallel geschalteter Mikrophone im Senderaum – keineswegs genügt, vielmehr analog der Stereoskopie durch Ausbildung jedes einzelnen Mikrophons als stereophonisches Doppelmikrophon vervollkommnet werden müßte. Wie zwei Augen erst ein plastisches Sehen ermöglichen, so zwei Ohren ein räumliches Hören. Der stereophonische Funk bleibt eine Forderung der Zukunft.[557]

Der Saarländische Rundfunk war als einer der ersten stereophon ausgerüstet. So konnte er auch, als einer der ersten, Autoren auf diese neue technische Möglichkeit hinweisen und wandte sich dabei aus den bereits genannten Überlegungen heraus vor allem an experimentelle Autoren, die ihrerseits sehr unterschiedlich und spielfreudig auf das neue technische Angebot reagierten. Einer der Autoren, die erst über die Stereophonie zum Hörspiel gestoßen sind, war Franz Mon, der sich neben ihrer praktischen Erprobung auch Gedanken über ihre Konsequenzen für das Hörspiel gemacht hat.

erst wenn die – sowieso beschränkte – sterophonie nicht als wahrnehmungsillusion, sondern als syntaktisches mittel zur ordnung von hörereignissen verstanden wird, kann sie mit der syntax der zeitverläufe in beziehung treten, räumliche positionen und zeitliche verläufe dienen dann der ordnung und beziehung desselben materials.[558]

Ich habe in anderem Zusammenhang ausführlicher dargestellt, wie die technischen Bedingungen und Möglichkeiten des Rundfunks die Entwicklung des Hörspiels mit konstituiert haben.[559] Es läßt sich von diesen Bedingungen ganz formal als von den syntaktischen Bedingungen des Hörspiels sprechen. Franz Mon jedenfalls sieht 1969 in der Stereophonie ein „syntaktisches mittel“. Und Paul Pörtner hatte erklärt: „Meine Syntax ist der Schnitt.“

Fraglos wurde durch die Möglichkeit des Schnitts die Syntax des Hörspiels entschieden erweitert, um so mehr, weil bei Einführung des Tonbands nach dem Kriege der Schnitt als technische Voraussetzung reizvoller Montagen im Film vielfältig erprobt war. Hörspielgeschichtlich begegnete der Schnitt ein erstes Mal in der Weimarer Republik. Auf der Suche nach geeigneten Aufzeichnungsmöglichkeiten experimentierte man damals auch mit Tonfilmstreifen, war Hans Flesch schon 1928 überzeugt, daß bei einer künftigen Entwicklung des Hörspiels „aus dem Mikrophon“ heraus „nur der Tonfilm (...) in der

Lage" sein werde, „den Willen des Regisseurs bis ins Letzte auszuführen".

Bei einem auf Tonfilm aufgenommenen Hörspiel kann nach Abhören durch Schneiden, Überblenden, Absetzen usw. ein Gebilde geschaffen werden, das der Regisseur als vollständig gelungen betrachtet und nunmehr abends dem Hörer darbietet.[560]

Das Experimentieren mit Tonfilmstreifen war durchaus erfolgreich. Zwei Produktionen sind bekannter geworden: Fritz Walther Bischoffs Neuinszenierung von ›Hallo! Hier Welle Erdball!!‹ und Walter Ruttmanns ›Weekend‹, beide 1930. Wiederaufgefunden worden ist bisher allerdings nur Ruttmanns ›Weekend‹, doch ist dieser Fund besonders wichtig, da Ruttmann als Filmemacher einschlägige Erfahrungen mit Schnitt und Montage in seine Realisation und damit in die Hörspielgeschichte einbringen konnte. Will man ein wenig spekulieren und zieht hierzu ein erhaltenes Funkmanuskript von ›Hallo! Hier Welle Erdball!!‹, das allerdings Vorlage einer Live-Inszenierung um 1928 war,[561] vergleichend heran, läßt sich vermuten, daß Bischoff und Ruttmann die Möglichkeiten des Schnitts durchaus verschieden genutzt haben. Bischoff vor allem zur schlackenlosen Verbindung längerer und kürzerer Spielsequenzen und damit alternativ zur Technik der Blende,[562] die in Breslau experimentell entwickelt wurde, Ruttmann aus den Erfahrungen experimenteller Filmmontagen heraus auch und vor allem als Kompositionsmittel.

Da sich das teure Verfahren der Aufzeichnung auf und Montage von Tonfilmstreifen nicht durchsetzen ließ, blieb es zunächst bei der Praxis der Blende, an der man auch dann noch festhielt, als nach Einführung des Tonbands der kompositorische Einsatz des Schnitts leicht möglich gewesen wäre. Noch 1963 galt Heinz Schwitzke die Blende als das „modernste Kunstmittel", als „ein neues Ordnungsprinzip"[563] in einem Maße, das für die Hörspiele der Innerlichkeit fast von einer Ideologisierung der Blende sprechen läßt. So wurden die kompositorischen Möglichkeiten des (harten) Schnitts eher zufällig wiederentdeckt während einer Produktion des Süddeutschen Rundfunks, bei der Heinz von Cramer Regie führte.

Das war 1965, glaube ich, bei der Endfertigung eines Hörspiels von Konrad Wünsche, ›Gegendemonstration‹.[564] Wir hatten da eine Szene mit Passanten, die durch eine Straße flüchten sollten, in der geschossen wird, bis sie schließlich in Hauseingängen notdürftig Deckung finden. Die Ausrufe und Kurz-Dialoge waren bereits mit Schauspielern aufgenommen worden, nun sollten sie auf gewohnte Weise mit den entsprechenden Geräuschen untermischt werden: Laufschritten, Einzelschüssen, MP-Salven. Dabei stellte sich zwar eine gewisse und auch glaubhafte Pseudo-Realität ein, wie sie im Hörspiel ja üblich war – aber alles wirkte zu gemütlich, der Hörer wurde nicht einbezogen, er blieb gleichsam unbeteiligter Zeuge. Ich wollte aber – und vor allem das Stück wollte es! –, daß er sozusagen mitflüchtete, zumindest in den Sog der Szene geriet. Also versuchte ich, die Geräusche, statt sie zu unterlegen, zwischen die Sätze der Passanten zu schneiden. Sogar zwischen einzelne Worte und Silben der jeweiligen Sätze. Ganz nach den rhythmischen Gegebenheiten, die da entstanden. Denn es waren vor allem Rhythmen, die sich ergaben, sofort, gleich nach den ersten, noch schüchternen Schnitt-Versuchen. Länge oder Kürze der Zwischenschnitte bestimmten Verzögerung oder Vorwärtsdrängen der Szene. Während die Klangkulisse den Hörer beruhigt, ja geradezu abstumpft in manchen Fällen – setzen akustische Signale die Phantasie des Hörers in Bewegung, er muß sie ergänzen, weiterführen, aus ihnen erst seine Wirklichkeit machen.[565]

Es ist vielleicht kein Zufall, daß, nachdem zunächst ein Filmemacher den Hörspielmachern die kompositorischen Möglichkeiten des Schnitts demonstrierte, es jetzt ein Regisseur und Musiker ist, der die kompositorischen Möglichkeiten des Schnitts wiederentdeckt, wie es weiterhin kaum Zufall ist, wenn Heinz von Cramer in den folgenden Jahren zu einem der wichtigsten Regisseure des Neuen Hörspiels wird, für das der Schnitt mit seinen Möglichkeiten eine ähnliche Bedeutung bekommt, wie die Blende sie für das Hörspiel der Innerlichkeit hatte.

Das Originalton-Hörspiel (auch dieses ja in den 20er Jahren bereits im Ansatz erprobt und vorbereitet) hätte zum Beispiel ohne Schnitt,[566] Montage/Collage des aufgezeichneten Materials kaum in seinen Spielformen entstehen können.

Die Begriffe Montage/Collage sind in ihrem Gebrauch nicht immer deutlich zu trennen. Ohne sich hier auf eine grundsätzliche Diskussion einzulassen, läßt sich eingrenzen, daß Montage (wie beim Film) den technisch-formalen Vorgang des Zusammenfügens bezeichnet. So gesehen wurden die Einzelaufnahmen für ein Hörspiel der Innerlichkeit ebenso zum Ganzen montiert, wie im Grunde jede beliebige Menge auch unterschiedlichster Aufzeichnungen montiert werden kann. Erfolgt diese Montage, um Sprünge, Brüche, Widersprüche hörbar zu machen, Ordnungen in Frage zu stellen, wäre dagegen von Collage zu sprechen. Heinrich Vormweg, der in einer Sendereihe ›Dokumente und Collagen‹ diesem Problem genauer nachgegangen ist, erklärt jedenfalls:

Die Collage (. . .) ist das Ergebnis des Zweifels an den gewohnten Zuordnungen. Sie hebt die Subjekt-Objekt-Prädikat-Beziehung und ihre Überhöhung in der Gestalt auf und geht aus von gleichberechtigten Sprechstücken, meldet damit auch Zweifel an, wo diese die genannte Beziehung enthalten. Dabei mag sie auf den ersten Blick als eine in geringerem Maße entwickelte Form erscheinen. Tatsächlich aber ist die Collage etwas anderes als Form im traditionellen Sinn. Sie artikuliert Fragen, nicht Antworten, fordert heraus, statt zu bestätigen, zu bejahen, besteht auf dem einzelnen, statt von ihm in Zusammenhänge, in Allgemeines abzulenken.[567]

Ein solcher Collage-Begriff entspricht entfernt dem Montage-Begriff der Literatur, ist aber in seinem Verständnis wohl eher durch Erfahrungen der bildenden Kunst geprägt, die diese im Spannungsfeld zwischen Collage und Decollage gemacht hat. Collagen in diesem Sinne sind zum Beispiel Peter O. Chotjewitz' ›Die Falle oder Die Studenten sind nicht an allem schuld‹ oder Ludwig Harigs ›Staatsbegräbnis‹, während Paul Pörtners ›Schallspiele‹, Ferdinand Kriwets ›Hörtexte‹ eher Montagen sind.

Was bei Pörtner 1968 noch Prospekt ist: „Meine Aufzeichnung wird über Mikrophone, Aufnahmegeräte, Steuerungen, Filter auf Band vorgenommen, die Montage macht aus vielen hundert Partikeln das Spielwerk", ist bei Kriwet 1969 bereits Arbeitsbericht, in dem noch eine letzte Arbeitsteilung, die nämlich zwischen Autor-Regie und Technik, aufgehoben wird:

Hörtexte verwenden theoretisch alle Möglichkeiten der menschlichen und auch künstlichen Stimmerzeugung sowie alle elektro-akustischen Möglichkeiten ihrer Analyse und Synthese mittels Aufnahme, Transformation und Montage. Neben unterschiedlichen Aufnahmepraktiken und der Verwendung spezieller Mikrophone sind vorläufig Schnitt und Mischung die in meiner Arbeit dominierenden Praktiken.[568]

Hörtexte dieser Art ließen fragen, ob sie noch Literatur oder schon Musik oder was sie denn seien, da der kompositorische Umgang mit dem vorgefundenen sprachlichen Material nach den Spielregeln der Rundfunktechnik das Material in einen akustischen Zustand überführe, der nur mehr wenig mit Sprache zu tun habe. Aber ist eine solche Fragestellung überhaupt richtig, ist sie, vor allem beim akustischen Spiel, überhaupt sinnvoll? Ich meine nein.

Schon die Liste der Preisträger des Neuen Hörspiels gibt dabei einen ersten Hinweis. Denn sie enthält mit Mauricio Kagel und John Cage die Namen zweier Komponisten. Einen zweiten Hinweis liefert die Umwidmung des Karl-Sczuka-Preises, der – ursprünglich ausschließlich für Hörspielmusik ausgeschrieben – eingedenk der fließend gewordenen Grenzen zwischen den einzelnen Kunstarten, des Hörspiels als einer speziellen Mischform, seit 1970 auch für in

Sprache, Geräusch und Musik nach musikalischen Formprinzipien behandelte radiophonische Produktionen verliehen wird.

Bringt man das Problem zunächst auf die Formel Hörspiel und Musik/Musik und Hörspiel, so ist dieser Aspekt so alt wie das Hörspiel selbst und nur durch das lange Zeit dominierende literarische Hörspiel verdeckt gewesen. Mustert man die frühen Vorstellungen eines Rundfunkeigenkunstwerks, wird entweder – etwa bei Hans Flesch – von beidem, einem musikalischen Eigenkunstwerk und dem Hörspiel, gleichzeitig gesprochen:

vielleicht wird einmal aus der Eigenart der elektrischen Schwingungen, aus ihrem Umwandlungsprozeß in akustische Wellen etwas Neues geschaffen, das wohl mit Tönen, aber nichts mit Musik zu tun hat; ebenso wie wir davon überzeugt sind, daß das Hörspiel weder Theaterstück, noch Epos, noch Lyrik sein wird,[569]

oder man nimmt das künftige Eigenkunstwerk des Rundfunks als eine Mischung aus beidem an, wobei die Musik oft sogar voransteht, etwa bei dem Frankfurter Intendanten Ernst Schoen, für den es eine ausgemachte Sache ist, daß künftige Hörspiele „im wesentlichen von rundfunkgeeignetem Stoff und als kunstvollstem Rundfunkmaterial möglichst von der Musik ausgehen“ müssen.

Trotz intensiveren Bemühens der Musiker ums Hörspiel, neben Weill wäre hier vor allem der experimentierfreudige Paul Hindemith zu nennen, kam es zu einem die Grenze zwischen Musik und Literatur aufhebenden Eigenkunstwerk des Rundfunks zunächst nicht. Als Kompromiß bezeichnet werden könnte allenfalls das „Hörspiel mit Musik“, dessen Spielbreite durch Brechts/Hindemiths/Weills ›Lindberghflug‹ auf der einen und Erich Kästners/Edmund Nicks ›Leben in dieser Zeit‹ auf der anderen Seite in etwa angedeutet ist. Daß noch dieser Kompromiß aus Blickrichtung des literarischen Hörspiels in Mißkredit geriet, belegte ein Zitat aus dem von Heinz Schwitzke herausgegebenen ›Hörspielführer‹, für den „Brechts theoretische Darlegungen (. . .) ebenso wie die weithin zum Singen bestimmten Texte“ ausreichend Beweis waren, „daß das Werk nicht als Hörspiel (. . .) gedacht ist. So beruhen Rundfunksendungen als Hörspiel eigentlich auf einem Mißverständnis.“

Die im Weimarer Rundfunk erfolgende schrittweise Trennung von Musik und Hörspiel wirkte sich für beide durchaus nachteilig aus, verhinderte zunächst, daß Grenzüberschreitungen, wie sie für die Künste im 20. Jahrhundert gang und gäbe sind, für eine Mischform Hörspiel produktiv wurden. Spätere Ausnahmen wie die Entwicklung einer Musique concrète im „Club d'Essai“ der ORTF sind immer noch die sprichwörtlichen Ausnahmen von der Regel und blieben, speziell für die deutsche Hörspielgeschichte, zunächst ja auch folgenlos, eine Hörspielgeschichte, in der Musik fast eine Generation lang nur mehr als Hörspielmusik ein kümmerliches Dasein fristete.

Aufgehoben wurde diese unsinnige Trennung von Musik und Hörspiel erst, nachdem das Neue Hörspiel die engen Grenzen des literarischen Hörspiels gesprengt hatte. Wenn man will, läßt sich diese Aufhebung datieren mit dem Tag, an dem Mauricio Kagel Musiker und Sprecher ins Studio des Westdeutschen Rundfunks einlädt, um Aufnahmen von einer Aufnahme zu machen, und diesen Aufnahmezustand als Hörspiel erklärt. Mit ähnlicher Konsequenz ersetzt er die allgemeine Formel Hörspiel und Musik/Musik und Hörspiel durch die Hypothese ›Musik als Hörspiel‹ und veranstaltet unter diesem Motto die VII. Kölner Kurse für Neue Musik.

> Wird Musik als Hörspiel deklariert, dann ist man grundsätzlich vom Zwang befreit, alles Sprechbare singen zu lassen, oder die Worte so zu artikulieren, daß Verzerrungen unvermeidbar sind. Das Komponieren von Hörspielen soll kein Ersatz für alle anderen Möglichkeiten der Verwendung von Sprache in der Musik sein, sondern eine legitime Form mehr, welche allerdings eine semantische Entschärfung des Wortes vermeidet. Das musikalische Material kann im Kontakt mit dem Hörspiel bereichert werden und vice versa.[570]

Dieses vice versa: Die Bereicherung des Hörspiels belegen inzwischen Reihen wie ›Komponisten als Hörspielmacher‹ (mit Arbeiten u. a. von Mauricio Kagel, Anestis Logothetis, Luc Ferrari, Dieter Schnebel), Hörspiele von Klarenz Barlow[571], Friedhelm Döhl[572] und vor allem John Cage, die Umwidmung des Karl-Sczuka-Preises, aber auch ein Regisseur wie Heinz von Cramer, der, von der Musik herkommend, nicht nur dem Neuen Hörspiel mit zu seinem Durchbruch verholfen hat, sondern in den letzten Jahren auch mit eigenen Hörspielen nach literarischen Vorlagen inhaltlich und formal die Nachbarschaft von Musik und Hörspiel in gleichsam musikalischen Inszenierungen[573] unter Beweis gestellt hat, mit der zweiteiligen ›Ketzer-Chronik‹[574] ebenso wie mit den ›Menschenlandschaften‹ nach Nazim Hikmet[575], den ›Verlorenen Spuren‹ nach Alejo Carpentier[576] oder ›Maldoror, den alten Ozean grüßend‹ nach Lautréamont[577].

Die aufgeführten Beispiele und Zitate reichen aus, die These zu erhärten, daß die synchronisch in der Hörspielgeschichte angelegten Grundpositionen die Entwicklung auch diachronisch bestimmt haben, daß der Phase des Sendespiels eine Phase des literarischen Hörspiels, daß dem Wortkunstwerk das akustische Spiel folgt. Daß der Annäherung an das Hörspiel über die literarische Vorlage der zeitweilig dominante Versuch folgt, es als literarische Gattung des Rundfunks zu etablieren, und daß dieser Versuch abgelöst wird durch eine Rückbesinnung auf ein rundfunkeigenes Spiel mit und aus den Mitteln wie zu den Bedingungen des Mediums. (Der auffällig starke, auch inhaltliche Medienbezug des Neuen Hörspiels wäre hier ein weiterer Hinweis.) Das alles ist so natürlich überspitzt und verkürzt, zeichnet aber dennoch die große Kontur, die jeweils im einzelnen zu differenzieren ist.

Auf der Suche nach Gründen, warum sich ein akustisches, rundfunkeigenes Spiel, an das die Rundfunkverantwortlichen und -interessierten von Anfang an gedacht hatten, zunächst nicht durchsetzen und etablieren konnte, fanden sich der Kurzschluß des literarischen als des eigentlichen Hörspiels, ferner die politische Unterbrechung einer organischen Hörspielentwicklung. Hinzu kommt drittens – die Langlebigkeit dieses Kurzschlusses mit erklärend – eine gewisse Technikscheu bis -feindlichkeit nicht nur der Hörspielkonsumenten, sondern auch seiner Verwalter. Das von Hans Flesch durchaus positiv gemeinte Diktum: „Im Anfang war die Technik", verkehrte und verkehrt sich noch bei den Adepten des literarischen Hörspiels zur Entschuldigungsformel, als Verweis auf eine längst überwundene Kinderkrankheit.[578] Ihnen war und ist der Rundfunk ein technisches Instrument, dessen man sich lediglich bedient, um Literatur (und was man dafür hält) auch dorthin zu liefern, wo Literatur sonst nicht hinkommt: zunächst eine adaptierte, dann die hausgemachte Literatur des Hörspiels. Diese Technikscheu und -feindlichkeit auf der einen, eine unkritische Technikeuphorie auf der anderen Seite galt es mitzubedenken, als sich Autoren, Regisseure und Dramaturgen auf der Frankfurter Hörspieltagung 1968 daranmachten, die Weichen für eine Hörspielneubesinnung zu stellen. „Die Mittel der Vermittlung", sagte damals Paul Pörtner,

> werden in der Radiophonie nicht zur bloßen Übertragung von Vorgeformtem benutzt (...), sondern zur Produktion von Kompositionen, die erst durch die Technik zustandekommen. Die Geringschätzung der Technik ist ebenso unrealistisch wie die Überschätzung: die Maschinenromantik der Konstruktivisten gehört ebenso der Vergangenheit an wie die Exklusivität der abstrakten Geistigkeit, die sich in einer Literatur für Literatur selbst genügt. Die Technik der Autoren wird oft übertroffen von der Technik der Ingenieure: die Erfindungen der Physiker sind phantastischer als die Spekulationen der Metaphysiker. Dichter, die sich etwas einbilden, geraten in die Sphäre der bloßen Einbildung, die sinnlos wird angesichts der immensen Phantastik der heutigen Realität.[579]

Heute, wo hochkompliziertes technisches Spielzeug, der Stumpfsinn der Telespiele bereits die Kinderzimmer besetzt hat, sollte die anfängliche Scheu vor den technischen Medien auch bei denen gewichen sein, die in ihnen anderes sehen als nur Spielzeug. Entsprechend will sich der kritische Benutzer über den Rundfunk weniger mit einer Literatur beliefern lassen, deren Form und Inhalt noch durch ihre angestammten Medien Buch und Theater bestimmt sind, die sich auch lesen oder im Theater sehen ließe, er erwartet vielmehr eine dem neuen Medium entsprechende akustische Kunst und Literatur. Und da zünden von Hans Magnus Enzensberger fahrlässig bearbeitete Dialoge Denis Diderots[580] weniger als Heinz von Cramers ›Ketzer-Chronik‹.

Gerade Cramers ›Ketzer-Chronik‹, mehr noch sein ›Maldoror, den alten Ozean grüßend‹ oder Pörtners ›Alea‹, in seiner Umsetzung von Stéphane Mallarmés ›Un coup de dés jamais n'abolira le hasard‹, demonstrieren vorzüglich, in welcher Formenvielfalt auch literarische Hörspiele möglich sind, in einer Präsentation, deren Mediengerechtheit ohne den Durchbruch des Neuen Hörspiels undenkbar wäre, in einer Spielvielfalt, die vom literarischen Hörspiel der 50er Jahre, dem Hörspiel der Innerlichkeit ebenso weit entfernt ist wie jenes vom Sendespiel, aber auch von den offenen Horizonten der frühen Hörspielgeschichte, zu denen das Neue Hörspiel unter besseren technischen Bedingungen mit einem komplexeren ästhetischen Selbstbewußtsein zurückgekehrt ist.

ANMERKUNGEN

[1] WDR III, 10. 11. 1981. – Was aus dieser Angabe nicht hervorgeht, ist die Plazierung der Sendung im HörSpielStudio, Redaktion Klaus Schöning. Da das Programmheft des WDR die Hörspielarbeit und -sendungen im III. Programm erst seit 1978 als ›Hörspielstudio‹ ausweist, wurde aus Gründen der Vereinheitlichung auch für die Zeit nach 1978 lediglich das III. Programm ausgewiesen.

[2] Co-Produktion des SWF I, 14. 11. 1968, mit dem BR I, 9. 9. 1969. Diese Angabe nach Zeutschel, Hörspiel-Archiv. Im Falle von Co-Produktionen ist im folgenden die federführende Anstalt immer an erster Stelle genannt. Die Sendedaten der Co-Produzenten werden nicht in jedem Falle aufgeführt. – Druck in: Klaus Schöning (Hrsg.): Neues Hörspiel. Texte Partituren (dafür künftig: NH/Texte). Mit Schallplatte. Frankfurt a. M.: Suhrkamp 1969; Ernst Jandl/Friederike Mayröcker: Fünf Mann Menschen. Hörspiele. Neuwied: Luchterhand 1971. – Zit. NH/Texte, S. 115.

[3] WDR III, 13. 2. 1969; RB II, 30. 3. 1969; Rias, 19. 4. 1969; R.D.R.S. II, 5. 5. 1969; DF, 7. 5. 1969; SDR II, 18. 6. 1969; NDR II, 24. 6. 1969; HR II, 20. 11. 1969. – Die Angabe bei Zeutschel, Hörspiel-Archiv, die eine Übernahme des WDR erst mit dem 5. 7. 1973 datiert, ist falsch, zumindest irreführend der Nachweis der Erstsendung des BR I am 9. 9. 1969 (vgl. Anm. 2) und einer Übernahme durch den BR II zum gleichen Datum.

[4] Zit. NH/Texte, S. 449.

[5] Zit. ebd., S. 7.

[6] FUNK-Korrespondenz, 3. 4. 1969.

[7] Neben der noch zu behandelnden „Inventur" des NDR (s. Anm. 52), spez. Friedrich Knillis (s. Anm. 54), vgl. die Diskussion 1970 in epd/Kirche und Rundfunk zwischen Erasmus Schöfer (›Der Elitemann hat sein Glasperlenspiel wieder. Hörspiele für Hausfrauen wären neue Hörspiele‹, 24. 6. 1970), Klaus Schöning (›Das Ende der Emanzipation ist noch nicht in Sicht‹, 22. 7. 1970), Manfred Leier (›Ungerechte Vorwürfe‹, 22. 7. 1970), Hermann Naber (›Hörspiele von gestern und morgen im Programm von heute. Diskussion um das „Neue Hörspiel"‹, 2. 9. 1970) und Heinz Hostnig (›Plädoyer für das unnütze Spiel‹, 9. 9. 1970). Vgl. spez. Günter Herburgers ›Polemische Anmerkungen zu einem inzestuösen Literaturtyp‹, ›Hörspiele für Blindenhunde‹ (Die Zeit, 7. 1. 1972), sowie die Reaktion Jörg Drews' (Süddeutsche Zeitung, 11. 1. 1972; s. auch epd/Kirche und Rundfunk, 12. 1. 1972), Christoph Buggerts (epd/Kirche und Rundfunk, 19. 1. 1972), Uwe Friesels (Die Zeit, 21. 1. 1972), Heinz Schwitzkes (Die Zeit, 27. 1. 1972) und Helmut Braems (Süddeutsche Zeitung, 19. 2. 1972). – Für die Hörspielforschung nicht uninteressant ist, daß es sich bei Herburgers Aufsatz in ›Die Zeit‹ um einen Druck der

Sendung ›Hörbeispiele für Blindenhunde‹ handelt, die der WDR III am 7. 10. 1971 zusammen mit Herburgers Hörspiel ›Expedition oder Ein Kampf um Rom‹ sendete und die dabei keinerlei Reaktion hervorrief.

[8] Zu den Lektionen im einzelnen vgl. bis 1977: Das Hörspiel. Ein Literaturverzeichnis. 2., erweiterte Aufl. Teil 3. Manuskripte. Bearb. von Klaus-Dieter Emmler. Köln: WDR Bibliothek 1978, S. 59ff.; bis 1982: Das Hörspiel. Ein Literaturverzeichnis. Supplement zur 2. Aufl. Teil 1–3. Bearb. von Ute Wülfing. Köln: WDR Bibliothek 1983, S. 82ff. Seither wurden gesendet: Das Hörspiel der 70er Jahre (WDR III, 25. 10. 1983), Das Hörspiel der 70er Jahre (2) (WDR III, 20. 3. 1984), Das Hörspiel der 80er Jahre (1) (WDR III, 18. 6. 1985), Das Hörspiel der 80er Jahre (2) (WDR III, 27. 5. 1986).

[9] Co-Produktion SR I, 11. 4. 1966, und SWF I, 12. 4. 1966. – Druck als Partitur Stuttgart: Edition Hansjörg Mayer 1967; L. H.: Ein Blumenstück. Texte zu Hörspielen. Hrsg. und eingeleitet von Johann M. Kamps. Wiesbaden: Limes 1969 (Limes Nova 29), S. 97ff., ferner NH/Texte, S. 141 ff.

[10] Co-Produktion SR II, 13. 3. 1968, mit dem HR (23. 3. 1968), dem SWF (28. 3. 1968) und SDR (5. 7. 1968). – Druck in NH/Texte, S. 141 ff.; L. H.: Ein Blumenstück, S. 141 ff. – Anläßlich einer Neuproduktion (Co-Produktion NDR III, 17. 11. 1979, und WDR III, 3. 12. 1979) notiert das Programmheft des NDR (Hörspiele. 2. Halbjahr 1979, S. 28) zu Recht: „Aus dem Hörspielangebot der Fünfziger- und Sechzigerjahre ragen zwei Stücke heraus, ›Träume‹ und ›Ein Blumenstück‹, deren Autoren (. . .) von der Kritik auf durchaus ähnliche Weise für das Grauen getadelt wurden, das sie in ihren Hörspielen zur Sprache brachten: von der Realität ausgelöste Ängste der eine, Auschwitz als Ausgeburt deutscher Idyllik der andere. Selbst die Juroren des Hörspielpreises der Kriegsblinden reagierten in beiden Fällen abwehrend, als sie 1951 und 1969 gefälligere Stücke den jeweils unerbittlicheren Herausforderungen vorzogen."

[11] L. H.: Ein Blumenstück, S. 141.

[12] Ebd., S. 144ff.

[13] Co-Produktion WDR I, 23. 10. 1968, und HR II, 31. 10. 1968. – Schallplatte Luchterhand/Deutsche Grammophon 2574 005. – Druck in: WDR Hörspielbuch 1968. Köln: Kiepenheuer & Witsch 1968, S. 125ff.; NH/Texte, S. 17ff.; P. H.: Wind und Meer. Frankfurt a. M.: Suhrkamp 1970 (es 431).

[14] Hörspiele im Westdeutschen Rundfunk (dafür künftig: H/WDR), 2. Halbjahr 1968, S. 22.

[15] U. a. Adolf Schröder: Gelassen stieg die Nacht an Land (WDR I, 30. 10. 1963. – Druck in: WDR Hörspielbuch 1963, S. 61 ff.); Rolf Schroers: Auswahl der Opfer (Co-Produktion RB 7. 4. 1961 mit dem SFB). – Druck in: Vier Hörspiele. Bremen: Heye 1961 (Bremer Beiträge 3), S. 85ff.; R. Sch.: Auswahl der Opfer. Hamburg: Hans-Bredow-Institut 1962 (Hörwerke der Zeit 25); Alfred Andersch: Der Albino (Co-Produktion SWF I, 15. 3. 1960, mit RB); Helene von Ssachno: Das Opfer von Treblinka (SDR, 9. 4. 1958). – Druck in: Hörspielbuch 1958. Frankfurt a. M.: Europäische Verlagsanstalt 1958, S. 97ff.). Vgl. zu diesem Hörspiel das am 20. 4. 1984 vom Rias gesendete dreieinhalbstündige Dokumentarspiel ›Kommandant in Treblinka: Das gehorsame Leben des Franz Stangl‹.

[16] So bereits die Jury des Hörspielpreises der Kriegsblinden in ihrer Begründung. Von einem „Viertelstundenspiel" spricht die FUNK-Korrespondenz. Und Birgit Lermen (Das traditionelle und das neue Hörspiel im Deutschunterricht. Strukturen, Beispiele und didaktische Analysen. Paderborn: Schöningh 1975 [UTB 506, S. 240]) hebt hervor, daß „nach traditioneller Definition (...) das Werk (...) ein Kurzhörspiel" sei. Desgl. ›„Aufgeschnappt" – Analyse, Deutung und didaktische Begründung des Kurzhörspiels Fünf Mann Menschen von Ernst Jandl und Friederike Mayröcker‹. In: Wirkendes Wort 32 (1982), H. 3, S. 179.

[17] „Ein Funkdrama im Sinne des Wortes wird kaum geboren werden können, weil die Gefahr des Kitsches und der Hintertreppenromantik viel zu groß ist, zum zweiten, weil eine dramatische Lösung zeitlich an den Rundfunkhörer zu große Ansprüche stellt. Mehr als 15 bis 20 Minuten darf ein derartiges Spiel nicht dauern, wenn es nicht ermüden soll." In: Die Sendung 1 (1924), H. 1, S. 167.

[18] Schicksale gebündelt. Eine Hörfolge in Lebensläufen nach der gleichnamigen Sammlung von Walther von Hollander. Funkgestaltung (für den Funk bearbeitet) von F. W. Bischoff und F. J. Engel. Ms. SDR Archivnr. Hö 217. – Ulrich Lauterbach spricht in: Zauberei auf dem Sender (Frankfurt a. M.: Kramer 1962, S. 19) von „Schicksale gebündelt", ohne sich ausdrücklich auf Bischoff/ Engel zu beziehen, als einer „Möglichkeit" des Hörspiels. „Christian Bock und Oskar Wuttig haben diesen Typus erprobt, aber auch Erwin Wickerts ›Klassenaufsatz‹ gehört dazu, von der Form her betrachtet sogar Günter Eichs ›Träume‹."

[19] WDR III, 24. 4. 1969. – Druck in: WDR Hörspielbuch 1969, S. 119ff.; E. J./ F. M.: Fünf Mann Menschen.

[20] Co-Produktion BR, 13. 11. 1970, mit dem HR und NDR. – Schallplatte Luchterhand/Deutsche Grammophon 2574 003.

[21] Erich Kästners/Edmund Nicks ›Leben in dieser Zeit‹ (s. Anm. 373) ist ein hörspielgeschichtlich früher Beleg einer „Suite" aus Texten/Gedichten, die auch einzeln als Gedichte veröffentlicht wurden (Kästner) bzw. als Texte veröffentlicht werden könnten (Jandl).

[22] Funk-Stunde Berlin, 31. 10. 1929. – Erhalten hat sich ein Tonfragment von 9′40″ Länge einer Münchner Inszenierung aus dem Jahre 1932. Deutsches Rundfunkarchiv (dafür künftig: DRA) 52.13219. – Druck in: H. K.: Prozeß Sokrates. Ein Hörspiel in vier Akten. Berlin: R. Hobbing o. J. (1929).

[23] Flämisches Programm der RTB 1937. – Die deutsche Erstsendung fand nicht, wie Stefan Bodo Würffel (Frühe sozialistische Hörspiele. Frankfurt a. M.: Fischer Taschenbuch Verlag 1982 [Fischer Taschenbuch 7032], S. 258) angibt, am 17. 6. 1952 durch den Deutschlandsender statt, sondern schon am 13. 12. 1946 durch Radio Frankfurt. – Druck in: A. S.: Der Prozeß der Jeanne d'Arc zu Rouen 1431. Leipzig: Reclam 1965 (RUB 272); Würffel (Hrsg.): Frühe sozialistische Hörspiele, S. 165ff.

[24] Radio Beromünster, 12. 3. 1940. – Nach dem Kriege wiederholt neuproduziert. Auf die textlichen Unterschiede der Produktionen und die unzuverlässige Textwiedergabe der verschiedenen Publikationen kann hier nicht

eingegangen werden. Die Nachkriegsproduktionen nachgewiesen habe ich in: Vorbericht und Exkurs über einige Hörspielansätze zu Beginn der fünfziger Jahre. In: Jörg Drews (Hrsg.): Vom „Kahlschlag" zu „movens". Über das langsame Auftauchen experimenteller Schreibweisen in der westdeutschen Literatur der fünfziger Jahre. München: Text + Kritik 1980, S. 121, Anm. 4.

[25] Co-Produktion BR I, 17. 1. 1956, mit dem SDR; eine konkurrierende Produktion veranstaltete der NDR, Sendung NDR I, 19. 5. 1956. – Zu solcher „parallelen Realisation" vgl. Döhl: Hörspielphilologie? (s. Anm. 182), S. 508. – Druck u. a. in: Gerhard Prager (Hrsg.): Kreidestriche ins Ungewisse. Darmstadt: Moderner Buchklub 1960, S. 289ff.; F. D.: Gesammelte Hörspiele. Zürich: Verlag der Arche o. J. (1961), S. 245ff.

[26] Co-Produktion NDR I, 8. 11. 1961, mit dem BR.

[27] Co-Produktion WDR I, 28. 8. 1968, mit dem HR. – Druck in: WDR Hörspielbuch 1968, S. 13ff.; D. K.: Goldberg-Variationen. Hörspieltexte mit Materialien. Frankfurt a. M.: Suhrkamp 1976 (es 795), S. 7ff.

[28] Jürgen Becker: Rekonstruktionen (6) (s. Anm. 41). – Druck (gekürzt) in: Klaus Schöning (Hrsg.): Neues Hörspiel. Essays, Analysen, Gespräche (dafür künftig: NH/Essays). Frankfurt a. M.: Suhrkamp 1970 (es 476), S. 117ff. – Zit. S. 118.

[29] Ebd., S. 119.

[30] Referate und Diskussion der „Internationalen Hörspieltagung" liegen nur in Form eines vervielfältigten Manuskripts vor. Künftig zit. als IH.

[31] Horoskop des Hörspiels. In: IH, S. 19ff.; NH/Essays, S. 18ff.; H. H.: Zur Tradition der Moderne. Neuwied und Berlin: Luchterhand 1972 (Sammlung Luchterhand 51), S. 203ff. – Gekürzt auch H/WDR 2. Halbjahr 1968, S. 3ff.

[32] Der „Nouveau Roman" und das Hörspiel. In: IH, S. 193ff.

[33] Beinahe ohne Worte. Zwei finnische Experimente. In: IH, S. 141 ff.

[34] Schallspiele und elektronische Verfahren im Hörspiel. In: IH, S. 123ff.; in modifizierter Fssg. NH/Essays, S. 58ff.

[35] Überlegungen zum Stereo-Hörspiel. In: IH, S. 151.

[36] ›Das Fußballspiel‹ (SR 1966), ›Herr Fischer und seine Frau oder Die genaue Uhrzeit‹ (SR 1967), ›Ein Blumenstück‹ (SR 1968) oder ›Bilder‹ (SR 1969) sind zum Beispiel Hörspiele von Autoren, die 1966 und 1967 auf den „tagen für neue literatur" in Hof gelesen haben.

[37] SR II, 7. 2. 1968. – Druck in: W. W.: Paul oder die Zerstörung eines Hörbeispiels. Hörspiele. München: Hanser 1971 (Reihe Hanser 72), S. 8ff.

[38] Co-Produktion SR I, 15. 10. 1967, mit dem BR und dem SWF.

[39] WDR III, 3. 10. 1968 (anläßlich einer Sendung von Erasmus Schöfer: Durch die Wüste usw., SR/WDR). – Druck in: Rundfunk und Fernsehen 17 (1969), H. 1, S. 20ff. – Listete dieser Essay das Neue der neuen Hörspiele auf, zog die Anthologie NH/Texte 1969 die orthographische Konsequenz. Als Vorstufe dieses Essays ist ein Vortrag Schönings auf der XV. Dramaturgentagung anzusprechen, der das Postulat des gestellten Themas (›Das Hörspiel als international gültige Form der dramatischen Literatur‹) mit einem großen Fragezeichen versah (Druck in: Jahrbuch der Dramaturgischen Gesellschaft, 1967, S. 109ff.; Diskussion S. 115ff.). Eine weitere Bestandsaufnahme von ›Ten-

denzen im Neuen Hörspiel II‹ folgte (anläßlich einer Sendung von Hubert Wiedfeld: Smeralda – oder der Tag wird gut) WDR III, 16. 4. 1970.

[40] Zur Auswertung der schnell, aber je nach Sender unterschiedlich ansteigenden Popularitätskurve des Neuen Hörspiels ist allerdings zu unterscheiden zwischen Co-Produktionen Neuer Hörspiele innerhalb der sogenannten Quadriga (SR/SWF/SDR/HR), bei denen in der Regel der SR federführend war, Co-Produktionen zwischen einzelnen Anstalten der Quadriga mit Anstalten außerhalb der Quadriga oder zwischen Anstalten außerhalb der Quadriga, und schließlich Übernahmen außerhalb der Quadriga. Während im ersten Fall die Anstalten der Quadriga meist stillschweigend akzeptierten, was der SR einbrachte, sind die Co-Produktionen des zweiten Falles und die Übernahmen echte Kriterien für das Bedürfnis nach einer Hörspiel-Renaissance, das damals in den meisten Anstalten vorhanden war.

[41] 6 Kommentare Jürgen Beckers zu Samuel Beckett (›Das letzte Band‹, 10. 10. 1968), Robert Pinget (›Monsieur Mortin‹, 17. 10. 1968), Monique Wittig (›Johannisfeuer‹, 24. 10. 1968), Ludwig Harig (›Ein Blumenstück‹, 31. 10. 1968), Max Bense/Ludwig Harig (›Der Monolog der Terry Jo‹, 14. 11. 1968) und Peter Handke (›„Hörspiel"‹, 21. 11. 1968).

[42] 7 Kommentare Helmut Heißenbüttels zu Peter O. Chotjewitz (›Zwei Sterne im Pulver‹, 23. 1. 1969), Gabriele Wohmann (›Norwegian Wood‹, 6. 2. 1969), Ernst Jandl/Friederike Mayröcker (›Fünf Mann Menschen‹, 13. 2. 1969), Peter Hacks (›Der Müller von Sanssouci‹, 20. 1. 1969), Philipp Lauris (›Besuch im Reihenhaus‹, 27. 2. 1969), Wolf Wondratschek (›Zufälle‹, 13. 3. 1969) und Peter Handke (›Kaspar‹, 20. 3. 1969).

[43] 4 Kommentare von Peter Faecke zu Peter O. Chotjewitz (›Die Falle oder Die Studenten sind nicht an allem schuld‹, 22. 5. 1969). – Druck (gekürzt) in: NH/Essays, S. 140ff., Jean Thibaudeau (›Mai 68 in Frankreich‹, 29. 5. 1969), Barry Bermange (›Amor Dei‹, 5. 6. 1969). – Druck in: NH/Essays, S. 143ff., Uwe Herms (›Für Sicherheit und Ordnung‹) und Friedrich Knilli (›Es gibt Deutsche und Deutsche‹, 12. 6. 1969).

2 Diskussionen zwischen Peter O. Chotjewitz, Manfred Leier, Rudolf Krämer-Badoni, Leitung Peter Faecke (12. 6. 1969) und zwischen Hans Magnus Enzensberger, Heinrich Vormweg, Hans Gerd Krogmann, Leitung Klaus Schöning (29. 1. 1970 zu Enzensberger: Das Verhör von Habana).

7 Kommentare von Heinrich Vormweg zu Erika Runge (›Gespräche im Ruhrgebiet‹, 22. 1. 1970), Ludwig Harig (›Staatsbegräbnis‹ [s. Anm. 92], 5. 1. 1970), Wolf Wondratschek (›Paul oder die Zerstörung eines Hörbeispiels‹, 12. 2. 1970), Dieter Kühn (›Eskalation‹, 19. 2. 1970), Franz Mon (›das gras wies wächst‹, 26. 2. 1970), Helga M. Novak (›Fibelfabel aus Bibelbabel oder Seitensprünge beim Studium der Mao-Bibel‹, 5. 3. 1970), Paul Pörtner (›Börsenspiel‹) und Ferdinand Kriwet (›One Two Two‹, 12. 3. 1970). – Druck in überarbeiteter Form in: NH/Essays, S. 153ff.; H. V.: Eine andere Lesart. Über neue Literatur. Neuwied und Berlin: Luchterhand 1972 (Sammlung Luchterhand 52), S. 177ff.

[44] Unter diesem Titel kündigte die Vorschau auf das Hörspielprogramm des HR für den 23. 10. und 30. 10. 1969 die Übernahme vom SDR an. Das

Sendems. des SDR (Studio für Neue Literatur) ist dagegen nur ›Radio-Kunst 1 (und) 2‹ überschrieben. Sendung hier 6. 6. und 13. 6. 1969.

[45] NDR. Hörspiele 1969. Januar bis Juni, S. 2.

[46] BR. Hörspiel. Sommerhalbjahr 1969, S. 33. – Anstelle der angekündigten drei Sendungen verzeichnet das Programmheft auf S. 39 allerdings nur Jandls/Mayröckers ›Fünf Mann Menschen‹ und W. Wondratscheks ›Freiheit oder ça ne fait rien‹. Stärker engagiert ist der BR im Winter 1969/1970 mit Übernahme von Hörspielen Harigs (›Ein Blumenstück‹), Pucherts (›Der Anschlag‹), Wührs (›Die Rechnung‹) und als Co-Produzent bzw. Produzent von Hörspielen Chotjewitz' (›Supermenschen in Paranoia‹), Kriwets (›Apollo Amerika‹), Mons (›das gras wies wächst‹) und Pörtners (›ALEA – Schallstudie III‹).

[47] In eigener Regie, als Co-Produzent oder in Übernahme sendet der SWF 1969 u. a. Hörspiele von Reimar Lenz (›Begierig kundig eingedenk‹), Kriwet (›Oos is Oos‹, Wh.; ‹Apollo Amerika‹), Pörtner (›Treffpunkte‹), Konrad Wünsche (›Nein‹), Puchert (›Der Anschlag‹), Handke (›Kaspar‹, Wh.; ›Hörspiel 2‹), Jürgen Becker (›Bilder‹; ›Häuser‹), Wondratschek (›Freiheit oder ça ne fait rien‹), Harig (›Staatsbegräbnis‹), Jandl/Mayröcker (›Fünf Mann Menschen‹, Wh.; ›Der Gigant‹).

[48] Als Co-Produktionen angekündigt waren Konrad Bayer/Gerhard Rühm: Sie werden mir zum Rätsel, mein Vater; Becker: Hausfreunde; Bazon Brock: Grundgeräusche und ein Hörraum; Klaus Hoffer: fürsorglich . . ., vorzüglich; Kriwet: One Two Two. Im Falle Bayers/Rühms und Beckers blieb es allerdings bei der Ankündigung, einer für die damalige Aufbruchsstimmung nicht untypischen Absichtserklärung.

[49] SDR. Neue Hörspiele 1969/70, S. 3. – „Neuartig sind die Versuche, die von der Stuttgarter Dramaturgie über Mittel und Funktion des Funks und des Funkspiels im ‚Studio für neue Literatur' mit Akteuren der intermedialen Künste angestellt werden: Gabor Altorjay, Mitglied des Kölner audiovisuellen Labors, macht mit einer Arbeit den Anfang; Wolf Vostell, Promotor der internationalen Happening-Bewegung, wird mit einem Originalbeitrag für das Stuttgarter Hörspielprogramm folgen. Von Dick Higgins, dem New Yorker Theoretiker und Praktiker der Intermedia, steht die Ursendung einer Hear-Show im Plan. In diesem Zusammenhang ist auch der Hörtext ›Die unsichtbare Generation‹ des berühmten Amerikaners William S. Burroughs zu stellen, der mit dem Tonband als literarischem Medium experimentiert. – Als ein Kuriosum noch mag der 'Versuch eines Hörspiels im Kollektiv' anmuten, den vier deutsche Autoren (= Chotjewitz, Manfred Esser, Faecke, Harig, R.D.) ankündigen. Erst die Aufführung dieses im Entstehen begriffenen Projekts wird über weitere Arbeiten und Möglichkeiten in dieser Richtung Auskunft geben können" (S. 2f.).

[50] ›Kuckuck‹ von Rainer Puchert (SR/NDR) und ›Supermenschen in Paranoia‹ (SDR/NDR/BR). Warum der NDR gerade bei diesen Hörspielen als Co-Produzent in Erscheinung trat, läßt sich möglicherweise bereits den Ankündigungen ablesen: „Die experimentellen Hörspiele (. . .) Rainer Puchert(s) unterscheiden sich von anderen Versuchen, Sprech- und Sprachaktionen an die Stelle von sprachlich evozierter Fiktion und Aktion zu setzen, dadurch, daß

sie fast nicht experimentell wirken." „Mit seiner neuen Funkarbeit übt er (= Chotjewitz, R.D.) satirische Selbstkritik an seiner eigenen Generation."

[51] Im ersten Halbjahr sind dies die Stereo-Hörspiele ›Freiheit oder ça ne fait rien‹ (Wondratschek), ›Kaspar‹ (Handke), ›Sie werden mir zum Rätsel, mein Vater‹ (Bayer/Rühm), ›Die Ballade vom Eisernen John‹ (Hey), ›Die Falle‹ (in dieser verkürzten Form damals häufiger zitiert, R.D.) von Chotjewitz und ›One two‹ (sic! R.D.) von Kriwet.

[52] NDR. Hörspiele 1969. September bis Dezember, S. 2.

[53] Eine radikale Ablehnung, wie gelegentlich behauptet wurde, hat Eich von Autoren des Neuen Hörspiels nirgends erfahren. Im Gegenteil nimmt Bekker Eich bei seiner Kritik am traditionellen literarischen Hörspiel ausdrücklich aus: „Es gibt da sehr gute Beispiele. Vor allem die Hörspiele von Günter Eich, die ich nach wie vor sehr schätze" (zit. nach Schöning: Tendenzen im Neuen Hörspiel II, s. Anm. 39). S. auch Anm. 144.

[54] NDR III, 28. 12. 1969. – Druck in: F. K.: Deutsche Lautsprecher. Versuche zu einer Semiotik des Radios. Stuttgart: Metzler 1970 (Texte Metzler 11), S. 80ff.; NH/Essays, S. 147ff.

[55] Das Hörspiel. Mittel und Möglichkeiten eines totalen Schallspiels. Stuttgart: Kohlhammer 1961 (Urban-Bücher 58). – Eine Zusammenfassung der Einleitung und der Kapitel ›Die Eigenwelt des Hörspiels‹ und ›Gestaltungsmittel‹ auch u. d. T. ›Das Schallspiel. Ein Modell‹ in: Deutsche Lautsprecher, S. 44ff.

[56] Deutsche Lautsprecher, S. 80f.

[57] S. Anm. 7.

[58] Deutsche Lautsprecher, S. 85.

[59] Co-Produktion SDR II, 1. 1. 1971, mit dem SFB. – Druck in: H. H.: Das Durchhauen des Kohlhaupts. Dreizehn Lehrgedichte. Projekt Nr. 2. Darmstadt und Neuwied: Luchterhand 1974, S. 21ff.

[60] Gespräch Helmut Heißenbüttel – Klaus Schöning. WDR III, 2. 7. 1970.

[61] Heinz Hostnig: Erfahrungen mit der Stereophonie. WDR III, 19. 3. 1970. – Druck in: NH/Essays, S. 129ff. – Zit. S. 130.

[62] In Akzente 16 (1969), H. 1, S. 29ff.; erweiterte Fssg. in: NH/Essays, S. 92ff. – Eine Rezension dieser hörspielgeschichtlich wichtigen Nr. der Akzente veröffentlichte Schöning in: Rundfunk und Fernsehen 17 (1969), H. 2, S. 166ff.

[63] Akzente (s. Anm. 62), S. 42.

[64] Beschreibung, Kritik und Chancen der Stereophonie im Hörspiel. Ebd., S. 66ff.

[65] radiospektakl – teatr – radiodrama – verbosonie. Hörspiel und Hörspielversuche anderswo – ein Überblick. Ebd., S. 2ff. – Nabers Aufsatz ist Zusammenfassung und Ergänzung der einschlägigen Referate der IH und zugleich – da diese über den Buchhandel nicht zugänglich waren – eine erste Information des hörspielinteressierten Lesers im Überblick.

[66] Akustisches Museum Rundfunk. Polemische Gedanken über die Produktionsbedingungen. Ebd., S. 15ff.

[67] Schallspiel-Studien. Ebd., S. 77ff.

[68] Probleme der Amalgamierung von Sprache und Musik im Hörspiel. Ebd., S. 87ff.
[69] Hörspielpraxis und Hörspielhypothese. Ebd., S. 23ff.; auch in: Zur Tradition der Moderne, S. 224ff.
[70] das gras wies wächst. hör-spiel. Akzente (s. Anm. 62), S. 42ff.
[71] NH/Texte, S. 195ff.
[72] S. Anm. 28.
[73] WDR I, 28. 9. 1966. – Druck in: NH/Texte, S. 321ff.
[74] DF 11. 3. 1967. – Druck in: NH/Texte, S. 37ff.
[75] Co-Produktion RB I, 5. 9. 1969, und SWF II, 9. 9. 1969.
[76] Zitiert nach Zeutschel/Hörspiel-Archiv.
[77] SDR II, 31. 10. 1969 (Studio für neue Literatur).
[78] Zit. nach Keckeis (s. Anm. 79, S. 102), der noch ein Funkms. einsehen konnte. Trotz freundlicher Hilfe von Edgar Lersch (Archiv) war 1981 beim SDR kein Ms. mehr aufzufinden.
[79] Hermann Keckeis: Das deutsche Hörspiel 1923–1973. Ein systematischer Überblick mit kommentierter Bibliographie. Frankfurt a. M.: Athenäum 1973, S. 102.
[80] SDR II, 17. 12. 1969.
[81] Das deutsche Hörspiel, S. 103.
[82] Zit. nach Unterlagen der SDR-Hörspieldramaturgie.
[83] Zit. nach dem Ms. des SDR, Archivnr. Hö 1362, S. 3f.
[84] Ebd., S. 7.
[85] Ebd., S. 17ff.
[86] Co-Produktion SDR II, 29. 1. 1969, SR II, 29. 1. 1969, und WDR III, 22. 5. 1969. – Druck in: P. O. Ch.: Vom Leben und Lernen. Stereotexte. Darmstadt: März 1969, S. (33)ff.
[87] Bezeichnenderweise eröffnete der WDR die Reihe mit Sendung und Kommentar dieses Hörspiels, für den er bereits Reaktionen auf die Stuttgarter Erstsendung berücksichtigen konnte.
[88] H/WDR 1 (1969), S. 74.
[89] Vgl. Egon Gramer: Versuche mit dem neuen Hörspiel. In: Der Deutschunterricht 23 (1971), H. 5, S. 74ff.
[90] „›Die Falle‹ von Chotjewitz hat bei Vorabsendungen einigen Ärger erregt. Und ich glaube nicht so sehr, weil er *eine* Tendenz oder genauer: die *Tendenz* zu deutlich hat werden lassen, sondern vielmehr, weil wir kaum noch gewohnt sind, Dokumente präsentiert zu bekommen: fast immer ist zwischen ihnen und uns der lindernde, selbst wenn unserer Absicht widersprechende Kommentar: lindernd deswegen, weil wir ihm zustimmen oder weil wir ihn ablehnen können" (Peter Faecke, zit. nach NH/Essays, S. 142).
[91] Zit. nach Christian Hörburger: Das Hörspiel der Weimarer Republik. Phil. Diss. Tübingen 1975, S. 19ff. – Vgl. auch W. Scholz: Die Aufgabe der Überwachungsausschüsse. In: Rundfunk-Jahrbuch 1931. Hrsg. von der Reichs-Rundfunk-Gesellschaft. Berlin: Union Deutsche Verlagsgesellschaft o. J., S. 19ff.
[92] Co-Produktion SR II, 5. 2. 1969, und WDR (Kulturelles Wort), 24. 1. 1969. – Erstsendung entgegen den Gepflogenheiten durch den WDR. Die erste

Sendung im Hörspielprogramm des WDR (5. 1. 1970 innerhalb der Reihe ›Dokumente und Collagen‹) weist gegenüber der ursprünglichen Fssg. einige Schnitte auf, die im Hörspiel zitierte Reporterstimmen betreffen. Eine Neuproduktion (1974/1975) wurde zusammen mit ›Staatsbegräbnis 2‹ (1975) als Schallplatte „verlegt in den Weingärten 13 bei Klaus Ramm in Lichtenberg" und vom WDR III am 17. 4. 1976 gesendet, mit zwei Kommentaren von Henning Ritter, ›Leichenbegängnisse als Problem tabuisierter Riten‹, und Ludwig Harig, ›Wo der Hund begraben liegt. Leichenbegängnisse als Thema enttabuisierter Spiele‹.

93 L. H.: Ein Blumenstück, S. 203.

94 Vgl. Klaus Schöning (Hrsg.): Neues Hörspiel O-Ton. Der Konsument als Produzent. Versuche. Arbeitsberichte (dafür künftig: NH/O-Ton). Frankfurt a. M.: Suhrkamp 1974 (es 705).

95 WDR III, 9. 10. 1969. – Druck in: NH/Essays, S. 136ff. – Zit. S. 126.

96 Ebd., S. 126f.

97 Ebd., S. 128.

98 Zit. nach dem Erstdruck in Akzente (s. Anm. 70 u. 62). – Die Renotation in NH/Texte reduziert die ursprünglich vorgesehenen 7 „positionen im stereophonen hörraum" auf nur mehr 4 und unterscheidet sich auch in den Angaben zur akustischen Realisation sowie an einigen Stellen des Textes, was bei jeder Analyse zu berücksichtigen wäre.

99 Wolf Wondratschek in einer Vorbemerkung zum Druck seines Hörspiels ›Paul oder die Zerstörung eines Hörbeispiels‹ (NH/Texte, S. 306; ›Paul oder die Zerstörung eines Hörbeispiels‹, S. 45). – Vgl. auch Peter O. Chotjewitz: Der Regisseur und sein Autor. Einige Bemerkungen über das Verhältnis zwischen Text und Realisation im Hörspiel. WDR III, 11. 12. 1968. – Druck in: H/WDR 1 (1970), S. 2ff.; NH/Essays, S. 134ff.

100 Schallspiele und elektronische Verfahren im Hörspiel. In: IH, S. 129.

101 Pfullingen: Neske 1959.

102 Frankfurt a. M.: Suhrkamp 1964 (es 61).

103 Frankfurt a. M.: Suhrkamp 1968.

104 Frankfurt a. M.: Suhrkamp 1970.

105 Co-Produktion SR II, 4. 6. 1969, SDR II (Studio für Neue Literatur), 20. 6. 1969, SWF II, 3. 7. 1969, und WDR III, 26. 6. 1969 (statt des ursprünglich für diesen Termin angemeldeten Hörspiels ›fürsorglich . . ., vorzüglich . . .‹ von Klaus Hoffer). Druck in: J. B.: Bilder Häuser Hausfreunde. Drei Hörspiele. Frankfurt a. M.: Suhrkamp 1969, S. 5ff.

106 Co-Produktion WDR I, 8. 10. 1969, mit dem SWF und dem SDR. Eine eigene Produktion sendete R.D.R.S I am 14. 6. 1975. – Schallplatte Luchterhand/Deutsche Grammophon 2574 004. – Druck in: WDR Hörspielbuch 1969, S. 15ff.; NH/Texte, S. 265ff.; J. B.: Bilder Häuser Hausfreunde, S. 47ff.

107 WDR III, 16. 10. 1969. – Druck in: J. B.: Bilder Häuser Hausfreunde, S. 89ff. – Vgl. auch Anm. 48.

108 Dazu ausführlicher Walter Hinck: Die „offene Schreibweise" Jürgen Bekkers. In: Leo Kreutzer (Hrsg.): Über Jürgen Becker. Frankfurt a. M.: Suhrkamp 1972 (es 552), S. 119ff.

[109] Ränder, S. 109f.

[110] Gespräch Jürgen Becker – Klaus Schöning. WDR III, 16. 10. 1969. – Druck in: NH/Essays, S. 192ff.; L. Kreutzer: Über Jürgen Becker, S. 26ff. – Zit. NH/Essays, S. 192.

[111] Robert Pinget: Monsieur Mortin; Monique Wittig: Johannisfeuer (s. Anm. 41).

[112] Ludwig Harig: Ein Blumenstück (s. Anm. 41).

[113] Max Bense/L. Harig: Der Monolog der Terry Jo (s. Anm. 41 und 252).

[114] Peter Handke: „Hörspiel" (s. Anm. 41).

[115] Zit. nach NH/Texte, S. 444.

[116] WDR III, 8. 5. 1969. – Schallplatte Luchterhand/Deutsche Grammophon 2574 006. – Druck in: NH/Texte, S. 341 ff. Die amerikanische Version ›Ophelia and the words‹ realisierte ebenfalls Klaus Schöning als Co-Produktion KPFA, Berkeley und WDR (1987).

[117] Ebd., S. 343.

[118] Ebd., S. 341.

[119] Zu den Aktivitäten, Vorstellungen und Texten der Wiener Gruppe vgl. die von Gerhard Rühm hrsg. Anthologie ›Die Wiener Gruppe‹. Reinbek: Rowohlt 1967 (Rowohlt Paperback 60; erweiterte Neuauflage 1985); Jörg Drews: Hörtexte der Wiener Gruppe 1–3. WDR III, 27. 1. 1972 (zu G. Rühm: Abhandlung über das Weltall), 3. 2. 1972 (zu Friedrich Achleitner: Veränderungen) und 10. 2. 1972 (zu H. C. Artmann: Die ungläubige Columbia / Interios fotograficos / Erlaubent, Schas, sehr heiß bitte).

[120] Gerhard Rühm in einem Gespräch mit Klaus Schöning. Zit. NH/Texte, S. 461.

[121] Co-Produktion WDR III, 6. 3. 1969, mit dem SFB. – Druck in: NH/Texte, S. 365ff. als Partitur.

[122] Ferdinand Kriwet: Bemerkungen zur Produktion. In: NH/Texte, S. 367.

[123] Zit. nach NH/Texte, S. 453f.

[124] Zit. nach NH/Texte, S. 454.

[125] epd/Kirche und Rundfunk, 12. 3. 1969.

[126] Vgl. die 1978 und 1983 von der Bibliothek des WDR erstellten Literaturverzeichnisse ›Das Hörspiel‹ (s. Anm. 8), die für den Berichtraum 1963–1983 spez. für Manuskripte auf 185 Seiten 1630 Titel verzeichnen. Es handelt sich dabei ausschließlich um Sendungen des HörSpielStudios, das allerdings Klaus Schöning 1978 im ersten dieser Kataloge als „resümierendes, forschendes und Impulse gebendes Pilotprogramm" beschrieb.

[127] Außer NH/Essays und NH/O-Ton jetzt auch: Spuren des Neuen Hörspiels. Frankfurt a. M.: Suhrkamp 1982 (es 900) und Hörspielmacher. Autorenportraits und Essays. Königstein/Ts.: Athenäum 1983.

[128] WDR III, 4. 12. 1969. – Druck der Projektbeschreibung in: NH/Texte, S. 389ff., der Renotation in M. K.: Das Buch der Hörspiele. Hrsg. von Klaus Schöning. Frankfurt a. M.: Suhrkamp 1982, S. 13ff. – Eine beigegebene Kassette enthält u. a. einen Mitschnitt der Produktion, jedoch mit einigen im Druck kenntlich gemachten Kürzungen.

[129] WDR III, 10. 2. 1981.

[130] F. W. Bischoff: Das Hörspiel vom Hörspiel. DRA 53.600. – Zit. nach dem Tondokument.

[131] Schlesische Funkstunde Breslau 27./28. 7. 1931. – Zur hörspielgeschichtlichen Einschätzung dieser Zusammenstellung vgl. Hansjörg Schmitthenner: Erste deutsche Hörspieldokumente (mit Transkript der Zusammenstellung). In: Rundfunk und Fernsehen 26 (1978), H. 2, S. 229ff.; Döhl: Neues vom Alten Hörspiel. In: Rundfunk und Fernsehen 29 (1981), H. 1, S. 127ff.

[132] Paul oder die Zerstörung eines Hörbeispiels. Co-Produktion des WDR III, 6. 11. 1969, mit dem BR, HR und SR. – Schallplatte Luchterhand/Deutsche Grammophon 2574 006. – Druck in: NH/Texte, S. 305ff.; W. W.: Paul oder die Zerstörung eines Hörbeispiels, S. 43ff. (Die dort genannten Sendedaten sind konfus, das erstgenannte Datum bereits das Datum der ersten Wiederholungssendung des WDR.)

[133] Nach mehreren Bearbeitungen durch fremde Hand (London; ›Schlesische Funkstunde‹, bearb. Herbert Brunar) sendete die Funk-Stunde Berlin die Kessersche Adaption am 12. 8. 1929. – Die Druckfssg. in: Heinz Schwitzke (Hrsg.): Frühe Hörspiele. Sprich, damit ich dich sehe. Bd. 2. München: List 1962 (LISTBücher 217), S. 129ff., ist nicht ganz zuverlässig.

[134] Westdeutscher Rundfunk, 8. 6. 1932.

[135] Schlesische Funkstunde, 18. 4. 1929. Nicht Berliner Rundfunk (sic! R.D.), wie Edwin Klingner (Arnolt Bronnen. Werk und Wirkung. Eine Personalbibliographie. Hildesheim: Gerstenberg 1974, S. 48) schreibt; auch die Angabe bei Schwitzke (Das Hörspiel. Dramaturgie und Geschichte. Köln, Berlin: Kiepenheuer & Witsch 1963, S. 127), das Hörspiel sei 1927 gesendet, ist falsch. Eine Neuproduktion sendete der HR am 16. 11. 1953. – Nur bedingt brauchbar ist der Druck A.B.: Michael Kohlhaas von Heinrich von Kleist. Für Funk und Bühne bearbeitet. Berlin: Rowohlt 1929.

[136] Westdeutscher Rundfunk, 11. 7. 1930. – DRA 73 U 2134/1. – Druck in: E.R.: Der Narr mit der Hacke. München: Kaiser 1931 (Münchener Laienspiele 68); Rotenburg a. d. Fulda: Deutscher Laienspielverlag 1949; in: H. Schwitzke: Frühe Hörspiele. S. 189ff. Alle Drucke hörspielphilologisch unbrauchbar.

[137] Vgl. Friedrich Wilhelm Hymmen: Das authentische „Alexanderplatz"-Hörspiel: nie gesendet (epd/Kirche und Rundfunk, 29. 9. 1980); Ch. Hörburger: Nachtrag zu einer hörspielgeschichtlichen Sensation (FUNK-Korrespondenz, 18. 12. 1980); Ansgar Diller: Nachtrag zum „Nachtrag zu einer hörspielgeschichtlichen Sensation" (FUNK-Korrespondenz, 7. 1. 1981).

[138] Ähnlich wie die Referate und Diskussionen der IH 1968 in Frankfurt a. M. waren auch die Referate und Diskussionen der Kasseler „Arbeitstagung Dichtung und Rundfunk" (1929) im Handel nicht zugänglich. Sie wurden unvollständig (s. Anm. 169) erst 1950 veröffentlicht in: Hans Bredow: Aus meinem Archiv. Probleme des Rundfunks (dafür künftig: Bredow/Archiv). Heidelberg: Vowinckel 1950.

[139] Das Horoskop des Hörspiels. Berlin-Schöneberg. Max Hesses Verlag 1932 (Rundfunkschriften für Rufer und Hörer. Unter Mitwirkung der Reichs-Rundfunk-Gesellschaft, hrsg. von Theodor Hüpgens, Bd. 2), S. 67: „Die Bühne müßte auch in diesem Falle zur allegorischen Figur greifen. Aber sie

könnte nicht zu der vertieften Wirkung kommen wie der Funk. (...) Die immerwährend erklingende Hacke wird im Funk Ausdruck des seelischen Durchringens, gleichsam durch den Berg der Schuld. Das am Ende hereinfallende Licht wird zum Sinnbild der Erlösung, zu der sich der Büßer durchgekämpft hat. Der zum Schluß versöhnte rächende Ritter verliert seine stoffliche Gebundenheit und wird zum überpersönlichen drohenden Schicksal. Die irdische und transzendentale Parallele der Vorgänge läßt sich im Innern des Hörers, wo sich die Handlung formt, nicht mehr trennen (...). Durch diese Unmittelbarkeit wird im Funk die Erkenntnis seelischer Vorgänge für uns zwingend."

[140] Heinz Schwitzke: Das Hörspiel, S. 176f.

[141] Exkurs über Hörspielgeschichte. In: Frühe Hörspiele, S. 7ff. – Zit. S. 17.

[142] Ebd.

[143] Horoskop des Hörspiels. In: IH, S. 27.

[144] Was im Falle Eichs weniger für seine Hörspiele als für ihre Rezeption gilt. Vgl. die Lektionen über Eich (WDR III, 13. 12. und 20. 12. 1976), ferner die Kritik der FUNK-Korrespondenz (18. 1. 1978) anläßlich einer Wiederholung der Lektion vom 13. 12. 1976.

[145] S. 291 ff.

[146] Unter diesem Titel subsumierte 1974/75 eine Sendereihe des WDR Hörspiele von Wolfgang Graetz, Wolfgang Roehrer, Werner Geifrig, Martin Kurbjuhn, Rainer K. G. Ott (›Leumundszeugnis‹) und Ilse Aichinger, deren Intention, „unveröffentlichte Wirklichkeit der Arbeitswelt öffentlich zu machen" (Klaus Schöning im einleitenden Essay, WDR III, 25. 1. 1974), schon der Formulierung ablesbar, *eine* Folge der intensiven Auseinandersetzung mit den Möglichkeiten des O-Tons war. In dieser Tradition stellt sie, parallel zu den Bemühungen der „Werkkreise Literatur der Arbeitswelt", durchaus so etwas wie den Versuch eines 'Bitterfelder Weges' im Rundfunk dar. Eine Fortsetzung dieses Versuchs bilden 1976ff. die Sendereihe ›Arbeitskräfte‹ und eine Reihe von Hörspielen zum Thema der Arbeitslosigkeit.

[147] Was haben wir gehört. Eine Gruppe junger Gewerkschafter zu dem Hörspiel (ergänze: Paul oder die Zerstörung eines Hörbeispiels, R.D.). Zusammengestellt von Frank Göhre und Klaus Schöning. WDR III, 11. 4. 1975.

[148] Der Kriegsblinde. Zeitschrift für Verständnis und Verständigung 21 (1970), H. 4, S. 2f.

[149] Bisher weder im DRA archiviert noch als Renotation zugänglich. Zur hörspielgeschichtlichen Einschätzung vgl. Schmitthenner und Döhl (s. Anm. 131).

[150] Zit. nach Band.

[151] Zit. nach Band.

[152] Da hier nicht weiter darauf eingegangen werden kann, sei zum Vergleich eine kurze Sequenz aus Peter Handkes ›„Hörspiel"‹ wenigstens zitiert, der sich der eigenwillige Geräuscheinsatz deutlich ablesen läßt:
(Das Hörspielkäuzchen schreit / Ein Auto startet vergeblich)
(...)
(Der Tiger faucht / Eine Quelle plätschert / Wasser gluckert / Pfiff)

Gefragter: Der Gartenschlauch hat gerade in meinen Mund gepaßt. Kein Schlag hat dieselbe Stelle zweimal getroffen. Die Glühbirne ist nicht zerplatzt. Ich bin neidisch gewesen auf Mich-von-der-vergangenen-Minute. Weil ihr Machtbereich so klein war und weil nur ich in ihrem Machtbereich war, nutzten sie ihn um so gieriger aus. Sie haben alle Einrichtungsgegenstände mit den Fingerspitzen betupft und dann die Fingerspitzen verächtlich angesehen. Einmal habe ich draußen Schneeketten rasseln hören, oder Trompeten blasen, oder Salutschüsse oder den Regen, oder doch Salutschüsse? Sie haben immer mehr Wörter durch schönere Wörter ersetzt, und mir hat das passende Wort immer nur auf der Zunge gelegen.

(Der Wind / Ein Pferd wiehert / Der Sturm / Ein Hund knurrt / Eine Blechdose scheppert / Jahrmarktinstrument prustet / Kettengeklirr / Ein Schlüsselbund / Ein Feuerzeug wird mehrmals angeknipst / Morsezeichen für 'Guten Tag' / Gläserklingen / Der Fingerpfiff). (NH/Texte, S. 34ff.)

[153] NH/Texte, S. 306.

[154] Horoskop des Hörspiels, S. 38.

[155] Gespräch Wolf Wondratschek – Heinz Hostnig – Klaus Schöning. WDR III, 6. 1. 1969.

[156] Zwei Sterne im Pulver. Co-Produktion SR II, 27. 11. 1968, HR II, 28. 11. 1968, SDR II, 3. 12. 1968, und SWF II, 5. 12. 1968. – Druck in: P. O. Ch.: Vom Leben und Lernen, S. (1)ff. – Zit. nach Band.

[157] Es wird zwar im folgenden nur von Hörspielen geredet, man sollte aber mitunter trotzdem vergessen, daß hier nur von Hörspielen geredet wird. In: W. W.: Paul oder die Zerstörung eines Hörbeispiels, S. 65ff. – Zit. S. 71. – Zuerst u. d. T. ›Das Neue Hörspiel‹ WDR III, 25. 6. 1970. Druck (o. T.) in: NH/Essays, S. 223ff.

[158] Das Kunstwerk im Zeitalter seiner technischen Reproduzierbarkeit. Drei Studien zur Kunstsoziologie. Frankfurt a. M.: Suhrkamp 1963 (es 28), S. 19.

[159] Ebd., S. 14.

[160] Ebd., S. 19.

[161] Ebd., S. 21.

[162] Ebd., S. 53.

[163] Ebd., S. 21.

[164] Spez. ›Radau um Kasperl‹. Südwestdeutscher Rundfunk, 10. 3. 1932; Westdeutscher Rundfunk, 9. 9. 1932. – Druck in: Drei Hörmodelle. Frankfurt a. M.: Suhrkamp 1971 (es 468). – Sabine Schiller-Lerg konnte jetzt nachweisen, daß es sich bei dem im DRA unter der Nr. 63 U 2044 archivierten Tonfragment nicht um die Aufnahme der Frankfurter (wie der von H. Joachim Schauss hrsg. Katalog der Tondokumente des deutschsprachigen Hörspiels 1928–1945, Frankfurt a. M.: DRA 1975, S. 19 verzeichnet), sondern der Kölner Sendung handelt (Walter Benjamin und der Rundfunk. Programmarbeit zwischen Theorie und Praxis. München, New York, London, Paris: Sauer 1964, S. 252ff.).

[165] Gemeint sind nicht die in Ausgaben des Suhrkamp-Verlages fälschlich als Hörmodelle ausgewiesenen Hörspiele Benjamins, sondern die von Benjamin und Wolfgang M. Zucker verfaßten Rollenspiele, die „in der Konfrontation

von Beispiel und Gegenbeispiel" unterweisen wollten. Vgl. die „Lektion" zu Walter Benjamins Hörspiel-Arbeiten (WDR III, 7. 11. 1975) und die weiterführenden Untersuchungen Sabine Schiller-Lergs.

[166] Zweierlei Volkstümlichkeit. In: Rufer und Hörer 2 (1932), H. 6, S. 274; Theater und Rundfunk. Zur gegenseitigen Kontrolle ihrer Erziehungsarbeit. In: Blätter des Hessischen Landestheaters Darmstadt, 1931/1932, H. 16 (Theater und Rundfunk), S. 184ff.

[167] Rudolf Leonhard: Technik und Kunstform. In: Bredow/Archiv, S. 79ff. – Den Erstdruck des dort mit 1924 dat. Aufsatzes habe ich bisher nicht nachweisen können.

[168] Ebd., S. 80f.

[169] Unvollständiger Nachdruck der Referate und Diskussionen in Bredow/Archiv, S. 311ff. Das Referat Alfred Brauns ist aus unerfindlichen Gründen apart, ebd., S. 149ff., abgedruckt. Andere Beiträge, wie die von Herbert Jhering oder Arnolt Bronnen, fehlen ohne weitere Begründung. – Einen trotz zeitlicher Beschränkung informativeren Querschnitt bot am 20. 6. und 4. 7. 1974 der SDR (Radio-Essay/Studio für Neue Literatur) mit den Folgen Dichtung und Rundfunk 1929 – 1. Teil: Probleme / 2. Teil: Hörspiel.

[170] Literatur und Rundfunk. In: Bredow/Archiv, S. 317.

[171] Das Horoskop des Hörspiels, S. 41.

[172] Ebd., S. 55.

[173] Hermann Pongs: Das Hörspiel. Stuttgart: Frommans Verlag 1930 (Zeichen der Zeit 1), S. 20: Mit seiner „Unsinnlichkeit" sei „dem Hörwerk ein Bereich eröffnet, den man grob gesprochen der *Tendenzbildung* (im Original gesperrt, R.D.) zuweisen wird, und der in einer Zeit des schärfsten Widerstreits politischer Zeitgedanken und Tendenzen eine ganz besondere Aktualität und Zugkraft besitzt".

[174] Horoskop des Hörspiels, S. 39f.

[175] Neben den schon genannten Referaten von Werner Spies und Jyrki Mäntylä (s. Anm. 32 und 33) vgl. vor allem das Referat von Andries Poppe: Das Hörspiel und das „Institut für Psycho-Akustik und elektronische Musik" (S. 108ff.), indirekt auch das Referat Bernhard Rübenachs: Erfahrungen mit der Adaption fremdsprachiger Hörspielproduktionen (S. 83ff.), das auf so wichtige Hörspiele wie Almuros ›Nadja Etoilée‹ oder Naoya Uchimuras ›Marathon‹ aufmerksam machte.

[176] Manuskript und Produktion. In: IH, S. 67.

[177] Hans Bodenstedt: Spiel im Studio. In: Bredow/Archiv, S. 146f.

[178] IH, S. 168.

[179] Überlegungen zum Stereo-Hörspiel, S. 162.

[180] NWDR, 19. 4. 1951. – Empörte Höreranrufe, die während der Erstsendung in größerer Zahl im Funkhaus eingingen, sind damals aufgezeichnet worden und unter der Bandnr. 39014/1–2 archiviert.

[181] Überlegungen zum Stereo-Hörspiel, S. 162.

[182] Schlesische Funkstunde 4. 2. 1928. – Erhalten haben sich ein Tonfragment (DRA 60 U 339) und ein Ms. (SDR Archivnr. Hö 15; s. Anm. 559). Vgl. auch die Besprechungen in: Der Deutsche Rundfunk 5 (1928), H. 8 und H. 52.

– Zur hörspielgeschichtlichen Einschätzung vgl. Döhl (s. Anm. 31; dort auch Transkript des erhaltenen Tondokuments). Ergänzend Döhl: Hörspielphilologie? In: Jahrbuch der Deutschen Schillergesellschaft 26 (1982), S. 506.

[183] Funk-Stunde Berlin, 13. 6. 1930, in einer Aufzeichnung auf Tonfilmstreifen zus. mit einer Neuproduktion von ›Hallo! Hier Welle Erdball!!‹ – Vgl. dazu die Berichte in: Der Deutsche Rundfunk 7 (1930), H. 5 (›Das konservierte Hörspiel‹) und H. 21 (›Fixierte Hörfolge‹) und Europastunde 1930, H. 3 (›Hallo, hier Welle Erdball‹).

[184] Co-Produktion SR II, 12. 3. 1969, und WDR III, 13. 3. 1969. – Druck in: Paul oder die Zerstörung eines Hörbeispiels, S. 21 ff.

[185] Heinz Hostnig im Gespräch mit Wolf Wondratschek und Klaus Schöning (s. Anm. 155).

[186] S. Anm. 146 u. 147.

[187] S. Anm. 155.

[188] WDR III, 10. 3. 1983.

[189] Richard Hughes: Gefahr (Danger). Zit. nach der unter historischen Bedingungen erfolgten Neuinszenierung des HR, 16. 1. 1961, zus. mit RB.

[190] Gabriel Germinet/Pierre Cusy: Maremoto. Zit. nach der Neu- und zugleich deutschen Erstinszenierung des HR, 18. 6. 1962. – Das französische Original schreibt hier: ›François, où es-tu? Je n'y vois plus clair‹ (Théâtre radiophonique. Mode nouveau d'expression artistique. Paris 1926, S. 43).

[191] G. Zeitschrift für elementare Gestaltung (1924), Nr. 3, S. 45 f.

[192] Das Horoskop des Hörspiels, S. 52 und 41.

[193] DRA 53.602.

[194] Klaus Schöning: Akustische Literatur: Gegenstand der Literaturwissenschaft? In: Rundfunk und Fernsehen 27 (1979), H. 4, S. 464 ff. (Zit. S. 465); u. d. T. ›Hörspiel hören. Akustische Literatur (...)‹ auch in: NH/Spuren, S. 287 ff.

[195] Bezeichnenderweise hatte Schwitters schon 1925 eine ›Merz-Grammophonplatte. Scherzo der Ursonate‹ publiziert. – Zu den Medien akustischer Literatur vgl. auch Döhl: Sprache und Elektronik. Über neue technische Möglichkeiten, Literatur zu erstellen und zu rezipieren. WDR III, 27. 2. 1970.

[196] Fred K. Prieberg: Musica ex machina. Über das Verhältnis von Musik und Technik (dafür künftig: Prieberg/Musica). Berlin, Frankfurt a. M., Wien: Ullstein 1960, S. 156. – Zu den Experimenten mit elektronischer Musik im Kölner Funkhaus vgl. spez. die Aufsätze Herbert Eimerts: Elektronische Musik, Fritz Enkels: Die technischen Einrichtungen des „Studios für elektronische Musik", sowie Enkels und Heinz Schütz: Die Herstellung von Hörspielgeräuschen – alle in: Technische Hausmitteilungen des NWDR, Jg. 5 und 6, Hamburg 1953 und 1954; Rudolf Frisius: Das elektronische Studio des Westdeutschen Rundfunks Köln. Dokumentation WDR III, 10. 12. 1979. – Daß Priebergs Annahme, es sei zunächst nicht um eine „neuartige, rundfunkeigene kompositorische Kunst" gegangen, zumindest musikgeschichtlicher Korrektur bedarf, erhellt ein Blick in das Werk Karlheinz Stockhausens, der im elektronischen Studio des Westdeutschen Rundfunks 1953 seine ›Elektronische Studie I‹, 1954 eine weitere ›Studie‹ und 1955/1956 den ›Gesang der Jüng-

linge‹ montierte, Tonbandmusik also nicht nur für den Konzertsaal, sondern gerade auch für das Radio komponierte.

[197] Prieberg/Musica, S. 157.

[198] Ebd., S. 143.

[199] «Les artifices typographiques poussés très loin une grande audace ont l'avantage de faire naître un lyrisme visuel qui était presque inconnu avant notre époque. Ces artifices peuvent aller très loin encore et consommer la synthèse des arts, de la musique, de la peinture et de la littérature» (Mercure de France, Nr. 491, 1. Dez. 1918, S. 386). – Vgl. auch Döhl: Poesie zum Ansehen, Bilder zum Lesen? Hinweise zum Problem der Mischformen im 20. Jahrhundert. In: Gestaltungsgeschichte und Gesellschaftsgeschichte. Hrsg. von Helmut Kreuzer. Stuttgart: Metzler 1969.

[200] André Billy: Guillaume Apollinaire. Paris: Pierre Seghers 1956. – Zit. nach der deutschen Ausgabe, Neuwied und Berlin: Luchterhand 1968 (Porträt und Poesie), S. 38f.

[201] Zit. nach Döhl: Fußnote und chronologischer Exkurs zur akustischen Poesie (1). In: Die Sonde 4 (1964), H. 2, S. 35.

[202] Bilan Lettriste. In: Fantaine. Paris, Oktober 1947. – Zit. nach Gustav René Hocke: Manierismus in der Literatur. Hamburg 1959 (rde 82/83), S. 29.

[203] Vgl. Alain Bosquet: Surrealismus 1924–1949. Berlin 1950, S. 42.

[204] Manifest poetismu. In: Karel Teige: Výbor z díla I. Svět stavby a básně. Praha: Československý spisovatel 1966, S. 323ff. – Zit. nach Teige: Liquidierung der „Kunst". Frankfurt a. M.: Suhrkamp 1968 (es 278), S. 103f.

[205] Prieberg/Musica, S. 143.

[206] Rundfunkmusik. In: Rundfunk-Jahrbuch 1929, S. 146ff. – Zit. S. 150.

[207] Ebd.

[208] Prieberg/Musica, S. 82.

[209] Z. B. Öyvind Fahlström und Bob Cobbing. – Vgl. Döhl: Konkrete Literatur. In: Manfred Durzak (Hrsg.): Die deutsche Literatur der Gegenwart. Stuttgart: Reclam 1971, S. 258.

[210] Zit. nach Prieberg/Musica, S. 83.

[211] Zu *Theaterstücke* vgl. die von Marlis und Paul Pörtner übersetzte und hrsg. Sammlung ›Kammertheater‹ (Darmstadt, Berlin, Neuwied: Luchterhand 1960). Einige dieser kurzen Theaterstücke wurden auch als *Hörspiel* gesendet. Als Auftragsarbeiten schrieb Tardieu die *Hörspiele* ›Die Konsultation‹ (Co-Produktion SDR II, 16. 5. 1962, mit dem NDR; in eigener Produktion auch R.D.R.S II, 30. 8. 1970), ›Die Insel der Schnellen und die Insel der Langsamen‹ (Co-Produktion SDR II, 16. 5. 1962, mit dem NDR) und ›Die Ohren des Midas‹ (WDR III, 11. 11. 1965). ›Un mot pour un autre‹ wurde 1966 in der BRD u. d. T. ›Professor Froeppel‹ veröffentlicht. – Über ›Poesie und Rundfunktätigkeit Jean Tardieus‹ berichtete Paul Pörtner in ›Ein Wort für das andere‹, SDR, 26. 5. 1961 (Radio-Essay).

[212] Gespräch Jean Tardieu – Klaus Schöning. WDR III, 1. 4. 1965. Vgl. auch Bernhard Rübenachs ›Bericht über das Versuchsstudio des französischen Rundfunks‹, ›Auf der Suche nach der unsichtbaren Bühne‹ (SWF, 10. 1. 1959), in der Tardieu wie folgt zitiert wird: „Um das Aufblühen einer radio-

phonischen Kunst zu fördern, hat der Club d'Essai seine Blüten in 1000 verschiedene Richtungen getrieben, seine Zweige und Triebe so weit wie möglich in das künstlerische Leben unserer Zeit gereckt, seine Wurzeln jedoch für immer in die reiche Erde unseres kulturellen und künstlerischen Erbes versenkt."

[213] Zit. nach Prieberg/Musica, S. 86.

[214] Ebd.

[215] Reclams Hörspielführer. Hrsg. von Heinz Schwitzke. Unter Mitarb. von Franz Hiesel, Werner Klippert, Jürgen Tomm. Stuttgart: Reclam 1969 (RUB 10161–68), S. 35.

[216] Rübenach: Erfahrungen mit der Adaption fremdsprachiger Hörspielproduktionen, S. 90.

[217] SWF I, 1. 6. 1959.

[218] Über Inhalt und Produktion informiert ein Pressetext des NDR: „›Balcon sur le rêve‹ bedeutet soviel wie ›In der Loge unter dem Traumreich‹, denn das meiste in diesem Hörspiel von Robert Arnaut ist Traum des Konzertbesuchers Gaston, den Musik und Gesang von seiner Geliebten Cathrine träumen lassen. Zugleich versetzen ihn aber die Vorwürfe der Konzertbesucher, die er durch Zuspätkommen und Papierrascheln verärgert, in seine Kindheit zurück, als er sich stark fühlte wie John Brocks, der Revolverheld und Retter von Carson City. Und da die Musik so schön und so laut ist, erlebt Gaston seine Knabenträume ebenso schön und laut: Da klatscht es Fausthiebe und da knallen die Pistolen, bis er die Barsängerin Calamity und ihr Geld gerettet hat. Natürlich ist Calamity Französin und heißt eigentlich Cathrine.

Pierre Schaeffer, ein hervorragender Vertreter der musique concrète, hat im Experimentierstudio des französischen Rundfunks Sprache, Musik und Geräusch dieses Hörspiels so komponiert, daß die Originalfassung, die der NDR zur Sendung bringt, durchaus auch Hörern, die die französische Sprache nicht beherrschen, verständlich wird." (Zit. nach Unterlagen der Hörspieldramaturgie des NDR.)

[219] SR/UKW/Hörspielboutique, 1. 6. 1966.

[220] NDR III, 28. 12. 1971. Mit einer Einführung von Heinz Seyfarth.

[221] S. Anm. 212. – Ferner Hansjörg Schmitthenner: Der Club d'Essai, Paris. Co-Produktion HR 30. 1. 1978 (1. Teil), 11. 5. 1978 (2. Teil), und WDR III, 3. 4. 1978 (Internationale Experimentalstudios 3).

[222] Reclams Hörspielführer, S. 35.

[223] Diese und die folgenden Äußerungen Pörtners sind einem Gespräch entnommen, das der Verf. im Februar 1981 mit Paul Pörtner im WDR führte. Die Zitate wurden von Pörtner vor dem Druck durchgesehen.

[224] Vgl. Döhl: Vorbericht und Exkurs über einige Hörspielansätze zu Beginn der 50er Jahre.

[225] Technische Existenz. Stuttgart: Deutsche Verlags-Anstalt 1949, S. 194f. – Zu den Begriffen „Surrealität" und „Surrationalität" bei Bense vgl. ebd., S. 187ff., sowie das Kapitel ›Surrealität und Surrationalität‹ in: Bense: Konturen einer Geistesgeschichte der Mathematik, Bd. II. Hamburg: Claasen & Goverts 1949, S. 166ff.

[226] Prieberg/Musica, S. 89.

[227] Zit. ebd.

[228] Pierre Henry, der mit Pierre Schaeffer seit 1950 der „Groupe de recherches de musique concrète“ angehörte, trennte sich 1958 von dieser Gruppe und bemüht sich seither um eine kompositorische Verbindung konkreter und elektronischer Musik (musique électro-acoustique). 1960 gründete er sein eigenes Studio „Apsôme“ (vgl. Rudolf Frisius: Pierre Henry und sein Studio APSÔME, WDR III, 12. 5. 1981 [Internationale Experimentalstudios 6]). Im Auftrag des WDR schrieb Henry die Hörspiele ›Tagebuch meiner Töne‹ (WDR III, 5. 10. 1982) und ›La Ville/Die Stadt‹ (WDR III, 10. 4. 1984). Beide Hörspiele wurden von einem Gespräch Pierre Henry – Klaus Schöning begleitet. Zu ›La Ville/Die Stadt‹ wurde zusätzlich ein Kommentar Heißenbüttels gesendet. Zu ›La Ville/Die Stadt‹ hat Henry notiert, sie sei „wie ein akustischer Film ohne Bilder. Doch darüber hinaus: eine Sinfonie der Töne, Geräusche und der Stimmen, deren Struktur ‘dramatisch’ ist – eine Geschichte ohne Texte, eine Art poetischer Schwebezustand, farbig und voll von sprachlichen Impressionen, deren Struktur gleichzeitig auch ‘geografisch’ ist, eine musikalische Reise. Die Sinfonie basiert auf dem Thema ‘Die Stadt’. Die Stadt mit all ihren Entwicklungen, realen Geräuschen, ihren Kriegen und Revolutionen, ihren Festen etc. (. . .) Zudem ist es eine Hommage an Walther Ruttmanns Film ›Sinfonie einer Großstadt‹ (H/WDR 1 [1984], S. 46). – So gesehen war es nur konsequent, daß Pierre Henry auf der 1. Acustica International in Köln (27. 9.–1. 10. 1985) Hörspiel und Film zu einem ›FilmHörSpiel‹, einem „audio-visuellen Konzert“ verband (vgl. dazu auch das Programmheft der 1. Acustica International, S. 31). Auf die 1. Acustica International, Henrys Versuch und die ›Metropolis‹-Reihe, in der er gehört und gesehen werden muß, gehe ich in dem Band ›Das Hörspiel der 70er und 80er Jahre‹ ausführlicher ein.

[229] Vgl. Anm. 223.

[230] Co-Produktion NDR I, 15. 1. 1964, mit dem SWF.

[231] Co-Produktion BR I, 4. 10. 1966, mit dem NDR; Neufassung des Hörspiels gleichen Titels, das der BR I am 6. 6. 1961 sendete.

[232] Was sagen Sie zu Erwin Mauss? Einkreisung eines dicken Mannes. Co-Produktion BR I, 9. 1. 1968, und NDR I, 10. 1. 1968. – Eine gekürzte Fssg. dieser Co-Produktion sendete der BR am 13. 2. 1971.

[233] Co-Produktion WDR III, 2. 3. 1969, mit dem BR und dem SWF. – Zur Produktion der ›Treffpunkte‹ äußerte sich Pörtner ausführlicher in H/WDR 1 (1969), S. 3ff.

[234] WDR II, 31. 7. 1973.

[235] WDR III, 10. 5. 1974 (im Rahmen der Reihe ›Hörer machen Hörspiele‹ bzw. ›Konsumentenspiele‹). Weitere ›Hörspiele‹ sendete der NDR III, 28. 8. 1976. – Vgl. auch: Was haben Sie gehört? Ein Krimi zum Mitspielen. NDR III, 13. 11. 1976.

[236] U. d. T. ›Die menschliche Stimme. Folge 1. Kreation und Expression. Konzepte der Gestalttherapie und des Psychodramas‹/›Die menschliche Stimme. Folge 2. Experimente der Phonologie und Laut-Poetik‹/›Die menschliche Stimme. Folge 3. Der Schrei als Kunst und Therapie‹ – NDR III, 6. 4.,

4. 5. und 1. 6. 1974 (mit Wiederholung am 16. 3., 23. 3. und 30. 3. 1975); WDR III, 21. 11. 1975, u. d. T. ›Stimm-Experimente‹. Pörtner verstand diese ›Stimm-Experimente‹ auch als Weiterführung seiner ›Schallspielkonzeption‹.

[237] Hörspiel als Psychodrama oder Experimente mit Spontanspielen. WDR III, 23. 1. 1976.

[238] Innerhalb dieser Reihe schrieb Pörtner Kommentare zu Gertrude Stein (›Vier Heilige als spanische Landschaft‹, 9. 12. 1971), Kurt Schwitters (›Franz Müllers Drahtfrühling‹, 16. 12. 1971), Antonin Artaud (›Es gibt kein Firmament mehr‹, 18. 5. 1972), Herwarth Walden (›Unter den Sinnen‹, 12. 4. 1973), sowie die Features ›Weltende. Requiem für Jakob van Hoddis‹ (1. 11. 1973) und ›Dadaphon. Hommage à Dada‹ (27. 12. 1974).

[239] Textmaterialien zu ›Ubu Roi‹ (WDR III, 15. 1. 1971). – Bei ›Bürger Ubu‹ (NDR III, 6. 11. 1977, übers. von Marlis und Paul Pörtner) führte Pörtner auch Regie.

[240] NDR III, 1978ff. Die Reihe behandelte Themen wie ›Die Erfindung des Radios‹ (Paul Pörtner, 22. 4. 1978), ›Radio als Machtinstrument‹ (Paul Pörtner, 20. 5. 1978), ›Radio-Hören‹ (Paul Pörtner, 17. 6. 1978), ›Robotergetön‹ (Fred K. Prieberg, 4. 11. 1978), ›Ich bin ein Radio‹ (Wolf Vostell, 11. 11. 1978), ›Radioskopie oder Ein Hörer auf der Suche nach dem Hörer‹ (Hans Joachim Schauss, 25. 11. 1978), ›Das Radio im Zweiten Weltkrieg‹ (Willi A. Boelcke, 8. 9. 1979), ›Nur für Normalhörer. Publizistische Rundfunkkritik in der Weimarer Republik‹ (August Soppe, 29. 9. 1979), ›Radio-Sprechen‹ (Rainer M. Stoffel, 10. 11. 1979), ›Radio-Kunst‹ (Hansjörg Pauli, 9. 2. 1980), ›Erneuter Beginn‹ (Gerlach Fiedler, 19. 4. 1980), ›Trommelfell‹ (Josef Schweikhardt, 14. 6. 1980), ›Nichtliterarische Bedingungen des Hörspiels‹ (Döhl, 27. 9. 1980; Druck s. Anm. 316), ›Streit ums Hörspiel‹ (August Soppe, 22. 11. 1980; vgl. ders.: Der Streit um das Hörspiel 1924/25. Entstehungsbedingungen eines Genres. Berlin: Spiess 1978 [Hochschul-Skripten: Medien 6]) oder ›Weiterentwicklung und Aufbau. Erneuter Beginn, 2. Teil‹ (Gerlach Fiedler 6. 12. 1980).

[241] Ausführlicher dargestellt habe ich das Werk des im November 1984 verstorbenen Paul Pörtner in: Nachruf auf Paul Pörtner. WDR III, 8. 1. 1985.

[242] – es – (Hans Flesch? R.D.): Zur Problematik des Rundfunks. In: Der Deutsche Rundfunk 1 (1924), H. 38, S. 2153.

[243] – Wll. – (Kurt Weill): Möglichkeiten absoluter Radiokunst. In: Der Deutsche Rundfunk 2 (1925), H. 26, S. 1625ff.

[244] Das literarische Problem im Rundfunk. In: Rundfunk-Jahrbuch 1929, S. 53ff. – Zit. S. 57.

[245] Ebd., S. 58.

[246] S. Anm. 44.

[247] 50 Jahre Hörspiel. 1. Folge: Das Hörspiel der zwanziger Jahre. BR, 22. 3. 1974. – Von einem „rundfunkeigenen Kunstwerk", von „Rundfunkkunst" sprach Hans Flesch in ›Kulturelle Aufgaben des Rundfunks‹ (zit. Bredow/Archiv, S. 95), ›Zukünftige Gestaltung des Rundfunkprogramms‹ (zit. Bredow/Archiv, S. 124) und ›Die neuen künstlerischen Probleme‹ (in: Rundfunk-Jahrbuch 1930, S. 98). Als erster von „Radiokunst" sprach 1925 Kurt Weill (s. Anm. 359/360).

[248] Vgl. auch Claus Bremer: Das Mitspiel, in: Thema Theater. Frankfurt a. M.: Edition Kölling 1969 (Black-Spring-Reihe A 1 – Theater), S. 12ff., spez. S. 18ff.

[249] S. Anm. 223.

[250] Ebd.

[251] S. Anm. 165.

[252] Co-Produktion SR II, 11. 9. 1968, und RB I, 13. 9. 1968. Die synthetische Sprachherstellung für dieses Hörspiel erfolgte im Forschungsinstitut der AEG/Telefunken in Ulm. – Druck in: NH/Texte, S. 57ff.; L. H.: Ein Blumenstück, S. 141 ff. Die amerikanische Version ›Monologue Terry Jo‹ realisierte ebenfalls Klaus Schöning als Co-Produktion KPFA, Berkeley und WDR. Deutsche Erstsendung WDR III, 29. 5. 1984.

[253] BR II, 7. 2. 1964.

[254] Der Katalog dieser Wanderausstellung der Goethe-Institute (Vorwort Hansjörg Schmitthenner) erlebte 1973 sogar eine 2. Auflage. – Weitere Publikationen Schmitthenners seien hier wenigstens erwähnt: Sprache im technischen Medium. In: Colloquium Poesie 68. Hrsg. von Peter Weiermair. Innsbruck 1968; Das neue Hörspiel und die konkrete Poesie. In: Mitteilungen des Instituts für moderne Kunst. Nürnberg 1972.

[255] S. Anm. 44.

[256] Ebd.

[257] Ebd.

[258] Ebd.

[259] NH/Texte, S. 289ff. – Der Text, besser: seine Partitur war den Lesern derart schon vor der Erstsendung zugänglich, gab dem Interessierten so die Möglichkeit eines Vergleichs mit der Realisation (Studio voor elektronische Muziek der Rijksuniversiteit Utrecht). Sendung der Co-Produktion BR II, 2. 1. 1970, mit dem SR und dem WDR (III, 8. 1. 1970).

[260] Co-Produktion BR II, 10. 12. 1965, mit dem NDR.

[261] Darüber äußert sich Paul Pörtner ausführlicher in dem in Anm. 223 nachgewiesenen Gespräch.

[262] Verkürzt zit. nach Isous Schema in: Introduction à une nouvelle poésie et une nouvelle musique. Paris 1947, S. 43.

[263] Vgl. Anm. 223.

[264] Ebd.

[265] Z. B. für die Sendung WDR III, 10. 3. 1981.

[266] HR, 3. 9. 1951 (Regie: Fränze Roloff). NDR, 14. 4. 1956 (Regie: Gerd Westphal). Co-Produktion NDR, 3. 1. 1962, mit dem BR (Regie: Fritz Schröder-Jahn).

[267] SWF I, 18. 4. 1954.

[268] Vgl. Döhl: Vorläufiger Bericht über Erzähler und Erzählen im Hörspiel. In: Fritz Martini (Hrsg.): Probleme des Erzählens in der Weltliteratur. Stuttgart: Klett 1971, S. 367ff.; ferner meine Essays der Reihe ›Romane, Novellen, Erzählungen. Hörspielbearbeitung epischer Vorlagen‹. SWF 1976f. (Kleist/Bronnen: Michael Kohlhaas; Kesser/Kesser: Schwester Henriette; Traven/Schnabel: Das Totenschiff; Hemingway/Biltz: Wem die Stunde schlägt; Fontane/

Eich: Unterm Birnbaum; Wieland/Dürrenmatt: Der Prozeß um des Esels Schatten; Goethe/Ophüls: Novelle; Breton/Almuro: Nadja Etoilée; May/Adler/Lau: Sklaven der Arbeit). – Zu ›Nadja Etoilée‹ vgl. auch den Essay Friedhelm Kemps (WDR III, 11. 7. 1975), zur ›Novelle‹ den Essay Ulrich Lauterbachs (WDR III, 12. 7. 1956), beide in der Reihe ›Inszenierte Literatur‹.

[269] Rundfunkmusik, S. 150.

[270] Das Studio der Berliner Funkstunde. In: Rundfunk-Jahrbuch 1930, S. 117ff. – Zit. S. 117.

[271] Schallspiele und elektronische Verfahren im Hörspiel, S. 127.

[272] Vgl. Anm. 223.

[273] WDR III, 23. 6. 1981.

[274] Helmut Heißenbüttel: Äußerungen übers Hörspiel. Zitatmontage von Klaus Schöning. WDR III, 12. 4. 1974. – Die Montage verwendet Zitate aus H. H.: Horoskop des Hörspiels; Gespräch H. H. – K. Sch. (WDR III, 2. 7. 1970, anläßlich der Erstsendung von ›Projekt Nr. 2‹); H. H.: Das neue Hörspiel führt auf die Spur der Veränderbarkeit. Rede anläßlich der Vergabe des Hörspielpreises der Kriegsblinden an H. H. am 27. 4. 1971 (Druck in: K. Sch. [Hrsg.]: Schriftsteller und Hörspiel. Reden zum Hörspielpreis der Kriegsblinden. Königstein/Ts.: Athenäum 1981, S. 83ff.) und Gespräch H. H. – K. Sch. zum gleichen Anlaß (WDR III, 29. 4. 1971).

[275] Vgl. Döhl: Helmut Heißenbüttel. In: Dietrich Weber (Hrsg.): Deutsche Literatur in Einzeldarstellungen. Bd. I. Stuttgart: Kröner 1976, S. 627ff.

[276] Frankfurter Vorlesungen über Poetik 1963. In: H. H.: Über Literatur. Olten und Freiburg/Breisgau: Walter 1966, S. 123ff. – Zit. S. 123.

[277] Ebd., S. 123.

[278] Vgl. neben zahlreichen (unveröffentlichten) Ausstellungseröffnungen und Katalogtexten spez. H. H.: Gelegenheitsgedichte und Klappentexte. Darmstadt und Neuwied: Luchterhand 1973 (Sammlung Luchterhand 99).

[279] WDR III, 23. 5. 1975. – Druck in: Das Durchhauen des Kohlhaupts, S. 127ff.

[280] WDR III, 13. 5. 1971. – Druck in: Das Durchhauen des Kohlhaupts, S. 39ff.

[281] Innerhalb der Reihe ›Hörspiel-Genres‹. WDR III, 12. 12. 1975.

[282] Spielregeln des Kriminalromans. In: Über Literatur, S. 96ff.

[283] Eßlingen: Bechtle 1954.

[284] Textbuch 1. Olten und Freiburg im Breisgau: Walter 1960; Textbuch 2. Ebd. 1961; Textbuch 3. Ebd. 1962; Textbuch 4. Ebd. 1964; Textbuch 5. 3 × 13 mehr oder weniger Geschichten. Ebd. 1965; Textbuch 6. Neue Abhandlungen über den menschlichen Verstand. Neuwied und Berlin: Luchterhand 1967.

[285] Projekt Nr. 1. D'Alemberts Ende. Neuwied und Berlin. Luchterhand 1970; Das Durchhauen des Kohlhaupts. Dreizehn Lehr-Gedichte. Projekt Nr. 2; Eichendorffs Untergang und andere Märchen. Projekt 3/1. Stuttgart: Klett-Cotta 1978; Wenn Adolf Hitler den Krieg nicht gewonnen hätte. Historische Novellen und wahre Begebenheiten. Projekt 3/2. Ebd. 1979; Das Ende der Alternative. Einfache Geschichten. Projekt 3/3. Ebd. 1980.

[286] Das Durchhauen des Kohlhaupts, S. 236: „In gewisser Weise handelt

es sich um eine summierende Fortführung des Prinzips, das Heißenbüttel zuerst in dem Band ›Kombinationen‹ anwandte."

[287] Eine auffällig häufige Charakterisierung Heißenbüttelscher Texte und Textgruppen.

[288] Das Durchhauen des Kohlhaupts, S. 217ff.

[289] Lehrgedicht über Geschichte 1954 (in: Topographien. Eßlingen: Bechtle 1956, S. 50; Textbuch 1, S. 7); Deutschland 1944 (in: Textbuch 6, S. 29ff.); Lehrgedicht über Geschichte 1974. – Akustisch realisiert wurde bisher nur ›Deutschland 1944‹ (WDR III, 5. 11. 1979).

[290] WDR III, 2. 7. 1970.

[291] Co-Produktion BR II, 8. 5. 1970, mit NDR (III, 31. 5. 1970) und SWF.

[292] Gespräch Helmut Heißenbüttel – Klaus Schöning. WDR III, 2. 7. 1970.

[293] S. Anm. 31.

[294] S. Anm. 69.

[295] WDR I, 10. 11. 1965. – Druck in: WDR Hörspielbuch 1965, S. 17ff.

[296] Ebd., S. 21f.

[297] Ebd., S. 22: „Die Stellungnahme des Autors liegt allein im Titel."

[298] Zit. nach dem Produktionsms., S. 1 und 3f.

[299] Ebd., S. 1ff.

[300] WDR I, 3. 6. 1970; WDR III, 12. 4. 1974; WDR III, 23. 6. 1981.

[301] WDR III, 20. 5. 1971; WDR III, 27. 2. 1972; WDR III, 20. 8. 1978.

[302] Gespräch Helmut Heißenbüttel – Klaus Schöning. WDR III, 2. 7. 1970.

[303] Ebd.

[304] Hermann Keckeis: Das deutsche Hörspiel, S. 95.

[305] Ebd., S. 87ff.

[306] Vgl. auch Döhl: Vorbericht und Exkurs über einige Hörspielansätze zu Beginn der 50er Jahre, S. 105.

[307] Zu Ludwig Harig (›Starallüren‹, 18. 1. 1968); Richard Hey (›Die Ballade vom Eisernen John‹, 25. 1. 1968); Rainer Puchert (›Der große Zybilek‹, 1. 2. 1968); Reinhard Döhl (›Herr Fischer und seine Frau‹, 8. 2. 1968); Peter Handke (›Selbstbezichtigung‹; ›Weissagung‹, 15. 2. 1968); Nathalie Sarraute (›Die Lüge‹, 22. 2. 1968).

[308] Zu ›Klischees und Modelle‹, s. Anm. 42. – Die Reihe ›Rückzug nach Innen‹ kommentierte ›Gare maritime‹ (von Ilse Aichinger, 7. 2. 1977); ›Der Nachtigall fällt auch nichts Neues ein oder Gegen den Stillstand der Brandung‹ (von Gabriele Wohmann, 14. 2. 1977); ›Der Tod und das Mädchen‹ (von Friederike Mayröcker, 28. 2. 1977). – Die Reihe ›Was sollen wir senden?‹ kommentierte Heißenbüttels ›Was sollen wir überhaupt senden?‹ (20. 2. 1978); Dieter Schnebels ›Radio-Stücke I–V‹ (22. 7. 1978), Ferdinand Kriwets ›Voice of America‹ (6. 3. 1978) und Mauricio Kagels ›Soundtrack‹ (13. 3. 1978).

[309] Musik und Hörspiel. WDR III, 4. 6. 1970.

[310] Franz Mons Sprachspiele. Voraussetzungen. WDR III, 8. 4. 1971.

[311] Preislied auf's Preislied. WDR III, 9. 2. 1976.

[312] Konzepte und Strukturen. Zu den Hörspielen von Friederike Mayröcker und Ernst Jandl. WDR III, 15. 4. 1971.

[313] Horoskop des Hörspiels, S. 34.

[314] Ebd., S. 38.

[315] ›Hörspiel hören. Plädoyer für ein vagabundierendes Kind‹ hatte Klaus Schöning ursprünglich einen Vortrag auf der Hamburger Tagung der deutschen Hochschulgermanisten (4. 4. 1979) überschrieben. Für den Druck (s. Anm. 194) wurde die Überschrift geändert.

[316] Vgl. Döhl: Nichtliterarische Bedingungen des Hörspiels. In: Wirkendes Wort 32 (1982), H. 3, S. 154ff.

[317] Horoskop des Hörspiels, S. 39f.

[318] Der Praxisbezug wurde in der Diskussion um die Möglichkeiten des Hörspiels u. a. von F. W. Bischoff und Hans Flesch immer wieder betont. Erst in den 50er Jahren entsteht der Eindruck, als sei das Hörspiel eine vom Medium loslösbare, isoliert zu behandelnde literarische Gattung.

[319] Hörspielpraxis und Hörspielhypothese. S. Anm. 69, S. 25.

[320] Über diese Auftragssituation war man sich auch auf seiten der Schriftsteller bereits früh im klaren. So fordert Arnold Zweig auf der „Arbeitstagung Dichtung und Rundfunk", der Rundfunk müsse „als Auftraggeber an die Dichter herantreten und sagen: daß du einen Einfall hast, ist die Voraussetzung dafür, daß wir dich beschäftigen" (Bredow/Archiv, S. 360). Das von Zweig dann angeführte Beispiel ist nicht nur hörspielgeschichtlich interessant: „Ich sehe nicht ein, warum nicht der Rundfunk in der Lage sein sollte, einer Anzahl von Dichtern – oder in Form eines Preisausschreibens – einen Auftrag zu erteilen, z. B. den, eine Grubenkatastrophe zu gestalten" (Ebd.). Allerdings müsse der Dichter wissen, „wie man eine Grubenkatastrophe aufreißt", es „in den Fingerspitzen haben, daß hier oder hier der fruchtbare Punkt liegt. Du mußt aus dem Alltag des Bergmanns die Voraussetzungen wissen, die Hauptpunkte der Katastrophe, etwa giftige Gase, unzureichende Schutzmaßnahmen mußt du zusammenstellen, ihnen dann die kapitalistische Rente gegenüberstellen, die diese Schutzmaßnahmen verbietet, und die, weil sie aus der Arbeit herausgeholt werden muß, die Grubenverwaltung zu solchen Maßnahmen zwingt. Diese drei Gruppen etwa mußt du im Kopf haben, bevor der Einfall kommen kann" (nicht bei Bredow/Archiv!). Zweigs Ausführung ist hörspielgeschichtlich interessant im Vergleich zu Überlegungen, die die Geschichte eines sozialistischen Hörspiels begleitet haben, in der Bundesrepublik aber erst in der Diskussion um das O-Ton-Hörspiel und seine Konsequenzen größeren Raum gewannen. Sie ist hörspielgeschichtlich zweitens interessant als gleichsam theoretischer Kontrapunkt zu einer Reihe von Gruben- und Katastrophenhörspielen, spez. in der Nachfolge von Richard Hughes' ›Danger‹: u. a. Theodor Heinrich Mayer: Einsturz (1927); Heinrich Spak: Grubenunglück (1929); Bruno Schönlank: Der Tunnel von Goroje (1929) und Bergwerk (1932; DRA 53.3582a); Carl Behr: Spuk (1929); Carl Traut: Auf Sohle III (1930); Eugen Kurt Fischer: Totentanz unter Tag (Ms. beim SDR Archivnr. Hö 7); Bruno Gluchowski: Der Durchbruch (1957?) oder Rudolf Dannenberg: Der Streb (1959). Den von Zweig geforderten sozialkritischen Zugriff hat neben Schönlanks ›Schüttelrutsche‹ und gleichfalls außerhalb der Tradition erst Hans Gerd Krogmanns ›Bergmannshörspiel‹ (1972). (Vgl. auch Krogmanns

›Unheimlich wüste Erinnerung an ein Bergwerksunglück‹, SWF II, 29. 11. 1984.)

[321] Hörspielpraxis und Hörspielhypothese, S. 25f.

[322] Gespräch Helmut Heißenbüttel – Klaus Schöning. WDR III, 2. 7. 1970.

[323] Was sollen wir überhaupt senden? 2 Abläufe in je 21 Takten. In: Das Durchhauen des Kohlhaupts, S. 21 ff. – Zit. S. 28f.

[324] Vgl. die Reihe ›Dokumente und Collagen‹ (s. Anm. 43).

[325] Nachrichtensperre. In: Das Durchhauen des Kohlhaupts, S. 127ff. – Zit. S. 136.

[326] Ebd.

[327] Ebd., S. 236.

[328] H/WDR 2 (1977), S. 23.

[329] Heinrich Vormweg: Ein Januskopf. In: Eine andere Lesart, S. 67ff. – Zit. S. 80. – Vormweg schränkt aber mit Recht ein, daß dies nur möglich sei, „wenn die jeweiligen Methoden Heißenbüttels genau erkannt sind" (ebd.). Und er nennt als Negativbeispiel ›Max unmittelbar vorm Einschlafen‹ (WDR III, 22. 4. 1971) in der Realisation durch Heinz von Cramer.

[330] Zweites erfundenes Interview mit mir selbst nach dem Erscheinen von Projekt Nr. 1: D'Alemberts Ende. In: Zur Tradition der Moderne, S. 375ff. – Zit. S. 379.

[331] Außer dem schon aufgeführten Selbstgespräch (Anm. 330): Erfundenes Interview mit mir selbst über das Projekt Nr. 1: D'Alemberts Ende. In: Zur Tradition der Moderne, S. 369ff.

[332] Gespräche mit d'Alembert und anderes. Dialog als literarische Gattung. In: Zur Tradition der Moderne, S. 24ff.

[333] Ebd., S. 32.

[334] Ebd., S. 35. – Gemessen an solchen Überlegungen ist es hörspielgeschichtlich ein Rückfall in schlichte Literaturadaption, wenn Hans Magnus Enzensberger in letzter Zeit wiederholt Dialoge Diderots bearbeitet (›Das unheilvolle Portrait‹, WDR III, 15. 12. 1981; ›Ein wahres Hörspiel‹, Co-Produktion SFB I, 3. 8. 1982, und SWF I, 22. 8. 1982; ›Madame de la Carlière oder die Wankelmütigen‹, Co-Produktion SDR II, 29. 7. 1984, und HR II, 9. 8. 1984), wobei überdies durch falsche Striche (›Das unheilvolle Portrait‹; ›Ein wahres Hörspiel‹) oder falsche Inszenierung gesellschaftlicher Konversation (›Madame de la Carlière‹) Diderots eigentliche Intentionen verfehlt werden.

[335] Erfundenes Interview mit mir selbst über das Projekt Nr. 1: D'Alemberts Ende, S. 371.

[336] Harald Hartung: Antigrammatische Poetik und Poesie. In: Neue Rundschau 79 (1968), S. 480ff.

[337] Hervorhebungen von mir.

[338] Erfundenes Interview mit mir selbst (. . .), S. 373.

[339] Nachrichtensperre, S. 137f.

[340] WDR III, 29. 12. 1981.

[341] So gleichlautend in H/WDR 1 (1977), S. 51, in der Vervielfältigung des Textes für den Prix Italia 1977 und in der Druckfssg. in: M. K.: Das Buch der Hörspiele, S. 189.

[342] H/WDR 1 (1977), S. 51; Das Buch der Hörspiele, S. 191.

[343] Arnold Zweig: Epik. In: Bredow/Archiv, S. 321 ff. – Zit. S. 321 f.

[344] Ebd., S. 323.

[345] (Hörspiel) Ein Aufnahmezustand. 1. Dosis (s. Anm. 128); (Hörspiel) Ein Aufnahmezustand. 2. Dosis. WDR III, 4. 6. 1970. – Druck in: Das Buch der Hörspiele, S. 28ff.; (Hörspiel) Ein Aufnahmezustand. 3. Dosis. WDR III, 26. 11. 1970. – Druck in: Das Buch der Hörspiele, S. 47ff.

[346] Probe. Versuch für ein improvisiertes Kollektiv. WDR III, 30. 11. 1972. – Druck in: Das Buch der Hörspiele, S. 95ff.

[347] NH/Texte, S. 391.

[348] Co-Produktion WDR III, 27. 12. 1976, und KRO, 30. 12. 1976. (Die Erstsendung des WDR erfolgte anstelle des in H/WDR 2 [1976], S. 25 angekündigten Hörspiels ›Der Krieg der Welten‹ von Howard Koch nach H. G. Wells. Erst das Programmheft H/WDR 1 [1977] informierte anläßlich einer Wiederholungssendung über das neue Hörspiel Kagels.)

[349] WDR III, 19. 11. 1979. – Druck in: Das Buch der Hörspiele, S. 275ff. – Die beigegebene Kassette enthält auf der zweiten Seite die leicht gekürzte Produktion.

[350] Unter dieses Motto stellte Kagel 1970 die VII. Kölner Kurse für Neue Musik.

[351] Das Hörspiel. Eine Bibliographie. Texte, Tondokumente, Literatur. Hamburg: Hans-Bredow-Institut 1974 (Studien zur Massenkommunikation 6), S. 327ff. – Der Zwang einer Bibliographie zur Einteilung in Sachgruppen führt dazu, daß Aufsätze, die *auch* etwas zum Thema *Hörspiel und Musik* sagen, ihrer Hauptintention entsprechend an anderem Ort auftauchen, z. B. Werner Brinks ›Betrachtungen eines Autors zur Hörspielgeschichte‹ (Rundfunk und Fernsehen 7 [1959], S. 103ff.) in der Gruppe ›Darstellungen zur Hörspielgeschichte‹; F. W. Bischoffs ›Dramaturgie des Hörspiels‹ (Rundfunk-Jahrbuch 1929, S. 197ff.) in der Gruppe ›Allgemeine Hörspieldramaturgie‹; oder gar nicht aufgenommen wurden, wie Hans Fleschs ›Rundfunkmusik‹.

[352] Ulrich Jeglinski: Konzert aus Wort, Geräusch und Musik. Von der Wandlung der Hörspielmusik. In: epd/Kirche und Rundfunk, 24. 7. 1968.

[353] Mit Hörspielen von, Gesprächen und Kommentaren zu Mauricio Kagel (›[Hörspiel] Ein Aufnahmezustand‹, 26. 11. 1970; ›Guten Morgen. Hörspiel aus Werbespots‹, 11. 11. 1971; ›Probe‹ [s. Anm. 346]; ›Soundtrack. Ein Film-Hörspiel‹, 13. 6. 1975; ›Der Tribun‹ [s. Anm. 349]; ›Rrrrrrr. Hörspiel über eine Radiophantasie‹, 19. 10. 1982; ... nach einer Lektüre von Orwell, 1. 5. 1984); Anestis Logothetis (›Anastasis‹, 10. 12. 1970; ›Matratellurium‹, 11. 3. 1971); Dieter Schnebel (›Radiostücke 1–5‹, 4. 3. 1971); John Cage (›45 Minuten für einen Sprecher‹, 21. 6. 1974; ›Roaratoria. Ein irischer Circus über Finnegans Wake‹, 22. 10. 1979; ›James Joyce, Marcel Duchamp, Eric Satie: Ein Alphabet‹, 6. 7. 1982); Bernd Alois Zimmermann (›Requiem für einen jungen Dichter‹, 28. 11. 1977); Klarenz Barlow (›CCU‹, 5. 5. 1980); Pierre Henry (›Tagebuch meiner Töne‹; ›La Ville/Die Stadt‹; s. Anm. 228) u. a.

[354] Die Manuskripte sind verzeichnet in den genannten Literaturverzeichnissen der Bibliothek des WDR, S. 64f. und 86f. (s. Anm. 8).

[355] Zum Thema „Musik und Hörspiel" vgl. jetzt auch meinen Vortrag gleichen Titels zur 1. Acustica International 1985; Sendung (zus. mit Juan Allende-Blins ›Zur Archäologie des Hörspiels‹) WDR III, 18. 2. 1986; Druck einer erweiterten Fssg. u. d. T. ›Musik – Radiokunst – Hörspiel‹ in: Inventionen '86. Sprachen der Künste III. Sprache und Musik. Berlin: Akademie der Künste / DAAD / TU Berlin 1986, S. 10ff.

[356] S. Anm. 55.

[357] S. Anm. 242.

[358] Die Musik im Rundfunk. In: Funk 1 (1924), H. 33, S. 509.

[359] (Weill): Möglichkeiten absoluter Radiokunst, S. 1627.

[360] Weill gewinnt seine Vorstellungen von einer absoluten Radiokunst im Vergleich zu einer „wirklich eigenen Filmkunst" ohne „Handlung, Thema oder auch nur inneren Zusammenhang". Der absolute Film sei eine „'melodische' Kunst", die „nach (...) musikalischen Gesetzen" erarbeitet sei. Die absolute Radiokunst sei eine Erweiterung der traditionellen Musik. – Nicht nur Weill, auch Bischoff, Flesch und andere beziehen sich immer wieder auf den Film. Auf eine sich damit andeutende Bedeutung des Films und seiner Ästhetik für das Hörspiel kann ich hier nicht näher eingehen. Sie ist gewichtiger, als in der populären Standardliteratur über das Hörspiel zugestanden, jedoch seit Kolbs ›Horoskop‹ von den Sachverwaltern des Hörspiels als Literatur, als Wort- und Sprachkunstwerk vergessen oder verdrängt worden.

[361] Möglichkeiten absoluter Radiokunst, S. 1627.

[362] Ebd.

[363] Lothar Band: Die Musik im Rundfunk, S. 509.

[364] Weill: Möglichkeiten absoluter Radiokunst, S. 1627.

[365] Hans Flesch: Hörspiel, Film, Schallplatte. In: Rundfunk-Jahrbuch 1931, S. 31 ff. – Zit. S. 35. – Als Referat bereits auf der ersten Programmrats-Tagung am 5./6. 6. 1928 in Wiesbaden gehalten.

[366] Rundfunkmusik, S. 150.

[367] Über „Die Funkversuchsstelle bei der Staatlich Akademischen Hochschule für Musik in Berlin" informierte ein Nachdruck aus dem Jahresbericht der Hochschule in: Rundfunk-Jahrbuch 1929, S. 277ff.

[368] Die Südwestdeutsche Rundfunkzeitung verzeichnet die Sendung über alle deutschen Sender, ausgenommen München, für den 29. 7. 1929, zus. mit ›Tempo der Zeit‹ (Weber/Eisler), ›Kammerkantate‹ (Toller/Groß) und ›Funkkabarett‹ (Feuchtwanger/Goehr). Einige Forscher geben als Datum der Erstsendung den 28. 7. 1929 an und als Sender ausschließlich den Südwestdeutschen Rundfunk (Gerhard Hay: Bertolt Brechts und Ernst Hardts gemeinsame Rundfunkarbeit. In: Jahrbuch der Deutschen Schillergesellschaft 12 [1968], S. 122ff. – Zit. S. 127). Auch für den Breslauer Sender wird für den 28. 7. 1929 eine Sendung verzeichnet. Für den 29. 7. 1929 als Sendedatum spricht aber nicht nur der Ausdruck in der Südwestdeutschen Rundfunkzeitung 5 (1929), Nr. 30 vom 29. 7. 1929, sondern auch ein „– O –" (Heinrich Strobel? R.D.) gezeichneter Artikel ›Originale Hörspiele für den Rundfunk‹ (Der Deutsche Rundfunk 7 [1929], H. 30, S. 967f.): „Da die Sendemöglichkeiten in Baden-Baden nach den Erfahrungen der letzten Jahre sich als nicht zurei-

chend erwiesen haben, so verzichtet man in diesem Jahre auf eine Übertragung an Ort und Stelle. Die von der Deutschen Kammermusik in Gemeinschaft mit der Rundfunkgesellschaft bestellten Werke kommen daher am Montag noch einmal von Frankfurt aus vor das Mikrophon und werden auf alle deutschen Sender übertragen." Immerhin wäre denkbar, daß Frankfurt und Breslau schon am 28. 7. 1929 eine konzertante Aufführung des ›Lindberghflugs‹ übertragen haben. In diesem Fall wäre die Erstsendung des Hörspiels identisch mit der zweiten konzertanten Aufführung in Baden-Baden, die, wie sich der Sprecher des Lindbergh, Alexander Maass, erinnerte, „unter Mitwirkung des Rundfunks (mit dynamischer, in allen Räumen hörbarer Lautsprecheranlage)" stattfand. Die öffentliche Generalprobe und konzertante Uraufführung fand bereits am 27. 7. 1929 unter der Regie von Ernst Hardt statt. Doch sind damit noch nicht alle Rätsel um Aufführung und Erstsendung des ›Lindberghflugs‹ geklärt, da ein Bericht Heinrich Strobels (Melos 8 [1929], S. 397) davon spricht, daß Brecht „noch eine konzertmäßige Aufführung" angesetzt habe, „vielleicht aus Protest gegen die sehr stimmungshafte Sendung unter der Regie von Hardt". Auch ein vielleicht von Brecht diktierter, mit Sicherheit z. T. von ihm korrigierter Entwurf spricht deutlich aus, warum Brecht mit Hardts Regie nicht einverstanden war: „Die meisten von Ihnen haben gestern Abend den Lindberghflug Brechts in der Wiedergabe durch den Rundfunk gehört und zwar als eine Art akustischen Gemäldes. Das menschliche Erlebnis des Lindbergh wurde zu gestalten versucht, das Gefühlsmäßige wurde betont." Hay schreibt diesen Entwurf irrtümlich Hardt zu und übersieht derart einen Grund, warum Brechts und Hardts „gemeinsame Rundfunkarbeit" in Baden-Baden endete. (Zu diesen noch nicht befriedigend geklärten Fragen vgl. vor allem Reiner Steinweg: Das Lehrstück. Brechts Theorie einer politisch-ästhetischen Erziehung. Stuttgart: Metzler 1972, S. 8f.) – Erhalten hat sich eine spätere Aufzeichnung des ›Lindberghflugs‹ in einer Inszenierung der Berliner Funk-Stunde vom 1. 3. 1930 (Leitung Hermann Scherchen; DRA 53.611), die auch vom Westdeutschen Rundfunk übertragen wurde.

369 Die Werag 1929, H. 30, S. 8.

370 Siehe die schon in Anm. 68 genannten Arbeiten von Weber/Eisler, Toller/Groß und Feuchtwanger/Goehr.

371 Das literarische Problem im Rundfunk, S. 58.

372 Schlesische Funkstunde. Aus unserer Arbeit. In: Rundfunk-Jahrbuch 1931, S. 135ff. – Zit. S. 138. – Der namentlich nicht gezeichnete Artikel ist wahrscheinlich von Bischoff.

373 Schlesische Funkstunde 14. 12. 1929. – Kästners/Nicks „lyrische Suite" wurde damals von vielen Sendern nachproduziert, u. a. vom Westdeutschen Rundfunk, der für den 13. 2. 1930 eine Sendung unter Regie von Ernst Hardt und für den 26. 2. 1930 eine Sendung unter Regie von Rudolf Rieth ankündigte (was sich aber auch als eine regiebedingte Verschiebung des Sendetermins herausstellen könnte). Auf jeden Fall lassen die zahlreichen Nachproduktionen erkennen, wie exemplarisch man dieses ›Hörspiel mit Musik‹ empfand. – Erhalten haben sich zwei fragmentarische Tondokumente, eine Königsberger Aufzeichnung aus dem Jahre 1930, an der auch Kästner mitwirkte

(DRA 52.12875), und eine Breslauer Aufzeichnung, die Bischoff in sein ›Hörspiel vom Hörspiel‹ einbaute.

[374] In beiden Fällen habe ich bisher weder ein Tondokument noch die Manuskripte nachweisen können, doch bestätigen die Kritiken, was die Titel bereits ablesen lassen.

[375] Ernst Schön: Musik und Hörspiel. In: Rundfunk-Jahrbuch 1930, S. 133 ff. – Zit. S. 135.

[376] Das Studio der Berliner Funkstunde, S. 119.

[377] Der SDR besitzt eine größere Manuskriptsammlung ›Hörspiele für den Kinderfunk‹, in der sich auch von Werner Egk zwei Singspiele für Kinder befinden: ›Der Löwe und die Maus‹ und ›Der Fuchs und der Rabe‹.

[378] Rundfunk-Jahrbuch 1930, S. 119 f.

[379] Der Deutsche Rundfunk 2 (1925), H. 47, S. 3041 ff.

[380] Ebd., S. 3041.

[381] Horst-Günter Funke hat (Die literarische Form des deutschen Hörspiels in historischer Entwicklung. Diss. Erlangen 1962) eine Beziehung zu einem früheren Aufsatz Grunickes hergestellt (–gru.–: Auf dem Weg zum Rundfunkdrama. In: Funk 1 [1924], H. 7, S. 129 f.), nach dem sich dieses Geräusch „mit einem Papierbausch in kreisender Bewegung über die Tapete" herstellen lasse.

[382] Dennoch: Hörspiele!, S. 3043.

[383] Ms. beim NDR.

[384] Deutschlandsender 6. 2. 1934. – Nach Heinz Schwitzke, der sich auch philologisch um das Hörspielwerk Eichs sehr bemüht hat, ist der Text verloren und über seinen Inhalt nichts zu ermitteln (Günter Eich: Gesammelte Werke, Bd. III. Frankfurt a. M.: Suhrkamp 1973, S. 1411).

[385] Die Sendung, H. 16, 1931. – Zit. nach Schwitzke (in: Eich: Werke III, S. 1409).

[386] SDR Ms. Archivnr. Hö 111.

[387] Zit. nach dem Ms., S. 18.

[388] SDR Ms. Archivnr. Hö 5.

[389] Zit. nach dem Ms., S. 31.

[390] Die Dramaturgie des Hörspiels, S. 203 f.

[391] DRA 73 U 2134/1.

[392] DRA 53A.914 (spez. der Schluß, V. 5352 ff.).

[393] In der den Referaten über das „Drama" folgenden Diskussion auf der Kasseler „Arbeitstagung Dichtung und Rundfunk" ergänzt Hardt seinen Vortrag: „Ich habe nur zeigen wollen, bis zu welchem Grad die Hörbühne in der Lage ist, Wirkungen der Schaubühne notgedrungen in das Hörbare zu übertragen. Die Totengräber-Szene aus Hamlet stellt dem Regisseur gewiß eine große Aufgabe. Um sie zu lösen, habe ich mir erlaubt, einen der Verse, die der alte philosophische Totengräber später singt, an den Anfang des Aktes zu setzen, so daß schon hinter dem unsichtbaren Vorhang seine bekanntlich immer versoffene Stimme gehört wird. Gleichzeitig stieß er rhythmisch mit dem Spaten zu seinem Lied in die Erde und grub das Grab. Ich behaupte, daß sämtliche erlebten Bühnenbegräbnisse mich nicht mit einem solchen Schau-

der angefaßt haben wie dieses isolierte Geräusch, das der Spaten machte, wenn er in die Erde fuhr, und so schaurig aus unserm Unterbewußtsein den Komplex 'Begräbnis' einlöste. So wurde durch ein akustisches Mittel die Atmosphäre Kirchhof grausiger gestaltet, als die Schaubühne es visuell zu tun vermag" (Bredow/Archiv, S. 359).

394 Ms. beim NDR und WDR.

395 Zit. nach dem Ms. des WDR. – Vgl. auch die akustische Realisation dieser 'Ouvertüre' bei der Inszenierung der Berliner Funk-Stunde (Regie: Alfred Braun) am 26. 3. 1930. DRA C 1773.

396 Reclams Hörspielführer, S. 111. – Der Hörspielführer übersieht (wie die meiste Literatur zum ›Lindberghflug‹), daß Brechts „theoretische Darlegungen" auch Folge der Hardtschen Inszenierung in Baden-Baden waren.

397 Das Studio der Berliner Funkstunde, S. 119.

398 Die Musik im Rundfunk, S. 509.

399 Musik und Hörspiel, WDR III, 4. 6. 1970, anläßlich der Sendung von Mauricio Kagel: (Hörspiel) Ein Aufnahmezustand. 2. Dosis.

400 5. 10.–3. 12. 1970. – Mit Seminaren von Döhl: Geschichte und Typologie des Hörspiels; Heinrich Vormweg: Dokumente und Collagen; Helmut Heißenbüttel: Neues Hörspiel und Sprachspiel; Klaus Schöning: Text Realisation Ideologie; Albert Wegener: Studiotechnik des Hörspiels. Aufnahme, Montage, Mischung. – Gleichzeitig wurden von den Studierenden in Arbeitskreisen Projekte vorbereitet, die im November realisiert wurden unter Leitung von Mauricio Kagel (›Innen‹), Frederic Rzewski (›Innen/Außen‹) und Luc Ferrari (›Außen‹). Vorgestellt wurden die Realisationen am 3. Dezember 1970 in einem öffentlichen Hörspielkonzert des WDR. Informationen und Hinweise für den Interessierten boten auch die Programmhefte H/WDR 2 (1970), S. 73f. (hier zum erstenmal der Begriff „Komponisten als Hörspielmacher") und H/WDR 1 (1971), S. 59f.

401 Mauricio Kagel u. a.: Innen; Klaus Schöning/Uwe Rosenbaum: Arbeitsbericht. WDR III, 11. 2. 1971. – Luc Ferrari u. a.: Außen; Hein Bruehl/Frank Erich Hübner: Arbeitsbericht. WDR III, 11. 2. 1971. – Frederic Rzewski u. a.: Innen/Außen. Klaus Schöning/Rainer Ostendorf/Frederic Rzewski: Arbeitsbericht. WDR III, 18. 2. 1971.

402 H/WDR 1 (1961), S. 60.

403 WDR III, 23. 2. 1982.

404 WDR III, 31. 1. 1975 (mit einem Arbeitsbericht Kriwets).

405 Die hörspielgeschichtlich wichtigsten Hörtexte behandelt Klaus Schöning in: Training und Aufklärung. Hörspielmacher Ferdinand Kriwet. In: K. Sch. (Hrsg.): Hörspielmacher. Autorenportraits und Essays (s. Anm. 127), S. 239ff.

406 NH/Texte, S. 365ff. als Partitur.

407 Funk-Stunde Berlin, 7. 7. 1928.

408 Thibaudeaus ›Fußballreportage‹ (ORTF, 8. 11. 1961) gilt mit Recht als früher Beleg des Hörspiels des „Nouveau Roman" und ist zugleich von den Experimenten des „Club d'Essai" nicht unberührt. Deutsche Erstsendung einer Co-Produktion des SDR mit RB am 14. 1. 1962.

409 S. Anm. 9.

[410] Die heiße Luft der Spiele. Co-Produktion SDR II, 11. 1. 1973, SR II, 11. 1. 1973, und SWF II, 11. 1. 1973; Die Stunde der Wahrheit. HR I, 31. 5. 1974; Cordoba. Juni 13 Uhr 45, HR I, 18. 6. 1979. – Ror Wolfs spezifisches Interesse am Fußball ist nachlesbar in: Punkt ist Punkt. Fußball-Spiele. Frankfurt a. M.: Suhrkamp 1971; Punkt ist Punkt. Alte und neue Fußballspiele. Ebd. 1973; Die heiße Luft der Spiele. Ebd. 1980 (st 606).

[411] WDR III, 13. 1. 1972.

[412] Co-Produktion WDR III, 5. 7. 1974 (mit Arbeitsbericht Kriwets), und NDR III, 6. 7. 1974. – Gekürzte Fssg. s. Anm. 414.

[413] Hans Kyser in der Aussprache zum Thema ›Essay und Dialog‹ (Bredow/Archiv, S. 335).

[414] Anläßlich der Erstsendung von ›Radioball‹ wurde ›Ball‹ in einer gekürzten Fssg. wiederholt. In ebenfalls gekürzter Fssg. der Arbeitsbericht, zusammen mit einem Arbeitsbericht zu ›Radioball‹. Zit. nach dem Ms. des zusammenfassenden Arbeitsberichts dieser Wiederholungs-/Erstsendung.

[415] Ebd., S. 5ff.

[416] Ebd., S. 4.

[417] Ebd.

[418] Co-Produktion WDR III, 8. 10. 1970 (mit Arbeitsbericht Kriwets), mit dem SWF. ›Voice of America‹ wurde in 2 Teilen gesendet, die als Manifestation I (und) II angekündigt wurden.

[419] WDR III, 21. 5. 1979.

[420] Bezeichnenderweise war ›Radioselbst‹ zunächst als ›RadioANsprache‹ angekündigt worden, hatte Kriwet als Thema benannt: „Thema von RADIO ist das Radio selbst. Thema von RADIO ist die Ansprache des Rundfunks, seine stetige und allgegenwärtige Ansprache an die Hörer an den Lautsprechern in den Wohnungen und Betrieben und Schulen und Büros, in den Autos und auf den transistorisierten Wanderwegen des Tourismus; dargestellt am Programm einer beliebigen Sendewoche von WDR-2" (H/WDR 1 [1979], S. 32).

[421] Mit wenigen Ausnahmen (Kommentar oder Studiogespräch) liegen zu Kriwets Hörtexten Arbeitsberichte vor, die wie der Kommentar oder die Diskussion aus Anlaß einer Sendung zum Verständnisangebot des Neuen Hörspiels vor allem im WDR III (HörSpielStudio) gehören.

[422] Publit – poem-paintings – in coram publico. In: Ausstellungskatalog der Galerie Niepel, Düsseldorf 10. 9.–10. 10. 1965, S. (12).

[423] Zit. nach NH/Texte, S. 454.

[424] Arbeitsbericht zu Ball/Radioball, S. 1.

[425] Das Studio der Berliner Funkstunde, S. 117.

[426] Schallspiele und elektronische Verfahren im Hörspiel, S. 127.

[427] Zit. nach NH/Texte, S. 453f.

[428] So überschrieb Schöning sein Nachwort in: NH/Essays, S. 248ff.

[429] Schnebels ›Hörstück (Radio-Stücke)‹ war eine Auftragsarbeit. Co-Produktion HR II, 25. 2. 1971 und WDR III, 4. 3. 1971 (mit einem Essay Schnebels).

[430] WDR III, 13. 6. 1975.

[431] Was sollen wir senden? Teil 4. WDR III, 13. 3. 1978.

[432] Ebd.

[433] Elisabeth Endres: Autorenlexikon der deutschen Gegenwartsliteratur 1945–1975. Frankfurt a. M.: Fischer Taschenbuch Verlag 1975 (FTB 6289), S. 139f.

[434] Birgit Lermen (s. Anm. 145) berücksichtigt auch bei der 2. Aufl. 1983 Kriwet noch nicht durch einen eigenen Abschnitt und unterschlägt derart eine für das Neue Hörspiel typologisch wichtige Spielform.

[435] Stuttgart: Metzler 1978 (Sammlung Metzler 172).

[436] Ebd., S. 165, 166 und 169f.

[437] Außer dem genannten Kommentar Heißenbüttels sind dies zu ›One Two Two‹ ein Essay Heinrich Vormwegs (innerhalb der Reihe ›Dokumente und Collagen‹, s. Anm. 43), ein Essay Freddy de Vrees (innerhalb der Reihe ›Autoren der konkreten Poesie‹, WDR III, 22. 4. 1971), ein Essay Egon Netenjakobs (innerhalb der Reihe ›Neues Hörspiel. Beispiele‹, WDR III, 17. 5. 1974) sowie ein Essay Klaus Schönings: Hörspielmacher Ferdinand Kriwet (WDR III, 21. 6. 1976), der in überarbeiteter Form u. d. T. ›Training und Aufklärung‹ in den von Schöning hrsg. Band ›Hörspielmacher‹ (s. Anm. 127) aufgenommen wurde.

[438] Hans G. Helms: FA:M'AHNIESGWOW. WDR III, 26. 2. 1979.

[439] Köln: DuMont-Schauberg 1959 (mit Synchronisationsplan und Schallplatte).

[440] Zit. nach NH/Texte, S. 454.

[441] H. G. Helms in einem Gespräch mit Helmut Heißenbüttel und Klaus Schöning. WDR III, 26. 2. 1979.

[442] Ebd.

[443] Blick auf Venedig (Neufssg.). Co-Produktion des NDR, 27. 4. 1960, mit dem BR; Meine sieben jungen Freunde (Neufssg. von ›Die Gäste des Herrn Birowski‹). Co-Produktion NDR, 9. 11. 1960, mit dem BR.

[444] Gespräch Helms – Heißenbüttel – Schöning.

[445] FA:M'AHNIESGWOW, S. V.

[446] S. Anm. 283.

[447] Eßlingen: Bechtle 1956.

[448] S. Anm. 284.

[449] Friedrich Achleitner, H. C. Artmann, Gerhard Rühm: hosn rosn baa. Wien: Wilhelm Frick Verlag 1959 ([2]1968).

[450] material 2. Hrsg. von Daniel Spoerri. Darmstadt 1959.

[451] S. Anm. 101.

[452] St. Gallen: Tschudy Verlag. – Erste ›konstellationen‹ veröffentlichte bereits 1953 die spiral press, Bern. – 1960 erscheint auch das 1. H. der eugen gomringer press in Frauenfeld. E. G.: 5 mal 1 konstellation.

[453] Max Bense: grignan-serie. Beschreibung einer Landschaft. Stuttgart: verlag der augenblick 1960 (rot 1).

[454] augenblick (mit wechselndem Zweittitel). Hrsg. von Max Bense. Jg. 1 und 2, Krefeld, Baden-Baden: Agis Verlag 1955–56; Jg. 3, Darmstadt: Bläschke Verlag 1958; Jg. 4 und 5, Siegen: verlag der augenblick 1959–61.

[455] Ludwig Harig: Haiku Hiroshima. Stuttgart/Siegen: Verlag: Der Augenblick o. J. (rot 5).

[456] Max Bense: Vielleicht zunächst wirklich nur. Monolog der Terry Jo im Mercey Hospital. Stuttgart: Ohne Verlagsangabe 1963 (rot 11).

[457] Als Hörspiel wurde ›Haiku Hiroshima‹ als Co-Produktion SR II, 8. 1. 1969, und WDR III, 9. 1. 1969 gesendet. Zu der von Ludwig Harig zus. mit Max Bense erarbeiteten Hörspielfssg. von ›Vielleicht zunächst wirklich nur‹, ›Der Monolog der Terry Jo‹, s. Anm. 252.

[458] Köln: DuMont-Schauberg 1961. (Mit einem Nachwort von Konrad Boehmer.)

[459] Ebd., S. (2).

[460] movens. Dokumente und Analysen zur Dichtung, bildenden Kunst, Musik, Architektur. In Zusammenarbeit mit Walter Höllerer und Manfred de la Motte. Hrsg. von Franz Mon. Wiesbaden: Limes 1960.

[461] Im Auftrag des WDR produziert im elektronischen Studio IRCAM (Paris). Co-Produktion WDR III, 22. 10. 1979, SDR II, 12. 11. 1979 (Radio-Essay), und KRO, Hilversum. – Druck in: John Cage: Roaratorio. Ein irischer Circus über Finnegans Wake. Hrsg. von Klaus Schöning. Königstein/Ts.: Athenäum 1982. Die beigegebene Kassette enthält außer dem Hörspiel eine Lesung Cages (Roaratorio) und den Schluß eines Gesprächs John Cage – Klaus Schöning (Laughtears). – Eine Kunstkopfaufzeichnung (Live-Mitschnitt einer Vorführung im IRCAM Studio Centre Beaubourg, Paris 1981) sendete der WDR III am 2. 2. 1982.

[462] 1968 arrangierten die Fylkingen-Gruppe und der Schwedische Rundfunk im Museum für moderne Kunst, Stockholm, drei international besetzte Veranstaltungen mit akustischer Poesie, die auch durch zwei Schallplatten dokumentiert wurden (RELP 1049 und RELP 1054; Sveriges Radios förlag). Ihnen folgten 1969 noch einmal drei Schallplatten (RELP 1072, RELP 1073 und RELP 1074), alle unter dem Sammeltitel ›text sound compositions‹.

[463] Zit. nach NH/Texte, S. 453.

[464] WDR III, 11. 5. 1982.

[465] WDR, 23. 10. 1931. – DRA 60.2143. – Vor allem für den Schluß unterscheiden sich Tondokument und erhaltenes Ms. gravierend. – Zur hörspielgeschichtlichen Einschätzung dieses Hörspiels vgl. jetzt Döhl: Rezeption der Arbeitslosigkeit im literarischen Rundfunkprogramm zu Beginn der 30er Jahre. Veröffentlichungen des Forschungsschwerpunkts *Massenmedien und Kommunikation* an der Universität/Gesamthochschule Siegen, H. 32, 1985.

[466] Diese Unterbrechung des Spiels ist bereits im Ms. vorgeschrieben.

[467] Deutschlandsender Königs Wusterhausen, 4. 10. 1929. – Über Übertragungsreihe und Querschnitt informierte Bernhard Ernst in: Rundfunk-Jahrbuch 1930, S. 199ff. (mit Wiedergabe eines kleinen Ausschnittes aus dem Regiebuch, S. 210f.).

[468] Ebd., S. 207.

[469] Ebd., S. 204f.

[470] Hans Bodenstedt: Reportage. In: Bredow/Archiv, S. 164ff. – Zit. S. 164.

[471] Alfred Braun: Hörspiel. In: Bredow/Archiv, S. 149ff. (s. Anm. 169). – Zit. S. 150.

[472] Ein Hörbericht auf Schallplatten. Bei den Webern in Langenbielau. Volksmund vor dem Mikrophon. In: Rundfunk-Jahrbuch 1933, S. 126ff.

[473] Ebd., S. 126.

[474] Ebd., S. 126f.

[475] Ebd., S. 127.

[476] S. Anm. 130 u. 131.

[477] Zit. nach Band.

[478] Die Frage Schallplattenaufzeichnung oder Tonfilmaufnahme wurde damals intensiv diskutiert (s. auch Anm. 183), und die Hörspielgeschichtsschreibung sollte von dieser Diskussion nicht erst dann Kenntnis nehmen, wenn eher zufällig einschlägige Tondokumente wieder aufgefunden werden. Als Beleg für diese Diskussion und schon damals eingenommene Positionen soll der Schluß eines Beitrags Walter Reissers, ›Bildfunk, Fernsehen und Tonfilm‹ (Rundfunk-Jahrbuch 1930, S. 305f.), zitiert werden: „Seither wurde im Rundfunk von dem akustischen Teil des Tonfilms, und zwar noch verhältnismäßig selten, Gebrauch gemacht. Dies liegt daran, daß vorläufig Tonfilmaufnahme- und Wiedergabegeräte, die zur Verwendung im Rundfunk handlich genug sind, noch nicht vorliegen. Sobald dies der Fall ist, wird im akustischen Rundfunk von dem Tonfilm ein ausgiebiger Gebrauch gemacht werden. Hier sei unter anderem gedacht an die akustische Festhaltung wichtiger Ereignisse des Rundfunks für ein Tonfilmarchiv, das einerseits gestattet, derartige Ereignisse, die von großer geschichtlicher Bedeutung sind, zu gegebener Zeit wiederholt aufzuführen oder auch einen Programmaustausch vorzunehmen, wo zeitliche oder örtliche Verhältnisse dies erfordern. Ferner hat dieser akustische Tonfilm große Bedeutung für den Rundfunk selbst bei der Beurteilung der akustischen Verhältnisse von Aufnahmeräumen, um beispielsweise beim Umbau eines Raumes die Verhältnisse vor und nach diesem vergleichen zu können, sowie zur einwandfreien Feststellung der technischen Fortschritte auf dem Rundfunkgebiet überhaupt. Der heute schon zu solchen Zwecken verwendeten Schallplatte gegenüber wird dem Tonfilm außer seiner fast unbegrenzten Laufdauer nachgerühmt, daß kein Nadelgeräusch vorhanden ist und außerdem die obere Grenze der aufnehmbaren und wiederzugebenden Tonfrequenzen höher liegt als bei der Schallplatte, so daß beim Betrieb eines Senders durch Tonfilm ein Unterschied zwischen der unmittelbaren Übertragung, die durch ein Mikrophon aufgenommen wird (und der Wiedergabe einer Tonfilmaufzeichnung, R.D.), nicht wahrgenommen werden könnte. Die bisherigen Versuche lassen erhoffen, daß dieses Ziel erreichbar ist."

[479] Daß und wie sehr derart akustische Stadtportraits auch von der Technik ihrer Aufzeichnung bestimmt sind, ließe sich in einem Vergleich des Ruttmannschen ›Weekend‹ mit Luciano Berios ›Ritratto di Città‹ (1954), mit dem finnischen Experiment ›Erwachen einer Stadt‹ (vgl. Mäntyläs Referat auf der IH), mit ›Berlin – Hören‹ (1977; auch als Schallplatte des Berliner Rundfunk-Museums) oder Pierre Henrys ›La Ville/Die Stadt‹ (1984) leicht demonstrieren.

[480] Auch Bischoff nahm ja sein erfolgreiches ›Hallo! Hier Welle Erdball!!‹ 1930 noch einmal auf Tonfilmstreifen auf (s. Anm. 183). Es darf aber angenommen werden, daß es außer diesen beiden bisher allein bekannter gewordenen

noch weitere (vielleicht sogar hörspielgeschichtlich bedeutende) Tonfilmaufzeichnungen von Hörspielen gegeben hat.

481 „Als ich am nächsten Morgen die großen Berliner Zeitungen durchblätterte", erinnerte sich Hans Bredow an die erste Vorführung von auf Tonfilmstreifen aufgezeichneten Hörspielen, „da durfte ich doch voller Befriedigung feststellen, daß Friedrich Bischoff für den jungen Rundfunk eine Schlacht gewonnen hatte."

482 Der Rundfunk als Kommunikationsapparat. In: Blätter des Hessischen Landestheaters Darmstadt, 1931/1932, H. 16 (Theater und Rundfunk), S. 182 (Auszug der Rede).

483 Das deutsche Hörspiel, S. 175.

484 Ebd.

485 WDR III, 15. 2. 1973. – Das Hörspiel wurde mit anschließender Diskussion gesendet. – Druck in: NH/O-Ton, S. 141 ff.

486 WDR III, 2. 11. 1972. – Druck in: NH/O-Ton, S. 106ff. mit zwei Statements anläßlich einer öffentlichen Quasi-Premiere und Diskussion des Stükkes in der Akademie der Künste Berlin am 29. 9. 1972 von Urs Jaeggi (S. 135ff.) und Heinrich Vormweg (S. 138ff.).

487 Hans Richter: Köpfe und Hinterköpfe. Zürich: Verlag die Arche 1967, S. 156.

488 S. Anm. 233.

489 H/WDR 1 (1969), S. 53.

490 WDR III, 26. 4. 1974, innerhalb der Reihe ›Hörstücke aus der Arbeitswelt‹ anläßlich einer Wiederholung von Martin Kurbjuhn: Klare Verhältnisse. – Vgl. auch Vormweg: Was ist original am O-Ton. Ein fiktiver Dialog mit Zitaten. In: Akzente 22 (1975), H. 2, S. 173ff.

491 Der Konsument als Produzent? In: NH/O-Ton, S. 7ff. – Zit. S. 36.

492 Co-Produktion BR I, 4. 6. 1971, mit NDR I, 23. 6. 1971. – Über die Entstehung von ›Preislied‹ berichtete Wühr in seiner Rede anläßlich der Entgegennahme des Hörspielpreises der Kriegsblinden am 14. 4. 1972.

493 Paul Wühr: Preislied. Hörspiel aus gesammelten Stimmen. Stuttgart: Reclam 1972 (RUB 9749), S. 50; Schöning (Hrsg.): Schriftsteller und Hörspiel, S. 88f.

494 Preislied aufs Preislied. WDR III, 9. 2. 1976.

495 Ebd.

496 Oskar Möhring stellte sich für ›Sturm über dem Pazifik‹ (1927) an Bord „versteckt eine alles hörende Sendeanlage" vor; Alfred Auerbach ließ das „Ohr" des Hörspiels (= das Mikrophon, R.D.) „die Schatten und die Nacht bevorzugen" und „überfein an den Wänden horchen", während für Werner Brink sich die Funkerzählung vom Hörspiel dadurch unterscheide, daß sie „Geschehen (...) durch das Belauschen eines Menschen, in dessen Worten es sich widerspiegelt", übermittle. Soweit ich sehe, geht allein Walter Benjamin in seinem Kinderhörspiel ›Radau um Kasperl‹ zu diesem voyeuristischen Mikrophon auf medienkritische Distanz.

497 Das Verfahren O-Ton.

498 Hamburger Kunsthalle.

[499] Vom Schreibtisch ins Studio – Vom Studio auf die Straße. Anmerkungen zum O-Ton-Hörspiel. In: FUNK-Korrespondenz, 9. 11. 1972. – U. d. T. ›Originalton-Hörspiel und anderes. Anmerkungen (...)‹ auch in Michael Scharang: Einer muß immer parieren. Dokumentationen von Arbeitern. Darmstadt und Neuwied: Luchterhand (Sammlung Luchterhand 1128), 1973.

[500] Das Verfahren O-Ton.

[501] O-Ton ist mehr als eine Hörspieltechnik. In: NH/O-Ton, S. 261 ff. – Zit. S. 272.

[502] Ebd., S. 273.

[503] WDR III, 24. 6. 1971 (mit einem Arbeitsbericht Hein Bruehls). – Druck des Arbeitsberichts u. d. T. ›Aktions-Spiele, Denkansätze, Erfahrungen: Modelle‹ in: NH/O-Ton, S. 282 ff. – Statt der in H/WDR 1 (1971), S. 77 ursprünglich für den 10. 6. 1971 noch als ›Aktionsspiel‹ angekündigten ›Aktions-Spiele‹ sendete der WDR unter diesem Datum von Paul Pörtner ›Interaktionen‹ (Co-Produktion HR I, 7. 6. 1971, und WDR), mit einem Essay Pörtners.

[504] NDR III, 23. 6. 1973. – Ein Extrakt dieses Planspiels von Monika Bonk-Luetkens, Lothar Bonk, Doris Kiesel, Manfred Jenke, Uwe Rosenbaum, Hans-Dietrich Schulze, Rainer und Uwe Vagt ist u. d. T. ›Planspiele als Hörspiele. Überlegungen, Möglichkeiten und ein Beispiel‹ aufgenommen in NH/O-Ton, S. 293 ff. – ›Überlegungen zu Möglichkeiten‹ des Planspiels von Manfred Jenke und Uwe Rosenbaum (NDR. Hörspiele 1973. Januar bis Juni, S. 20 f.) machen durch ein Zitat Huizingas noch einmal deutlich, welche Offenheit und Wertfreiheit dem Begriff Spiel eigentlich innewohnt. Dem setzen sie ein Spiel entgegen, das „sich zwar der Spielformen bedient, mehr und mehr jedoch ausschließlich im Bereich der Wirklichkeit siedelt". Daß solche Überlegungen „in einem Zwischenstadium der Entwicklung auch mediengemäßer Spiele" durchaus Sinn machen und in einem größeren Zusammenhang gesehen werden müssen, sei mit zwei Hinweisen angedeutet. 1. auf Wolfgang Röhrer: Das Unternehmens-Planspiel (WDR II, 16. 11. 1976; vgl. dazu auch Heinrich Vormweg: Realismus oder Realistik, WDR III, 7. 3. 1977; Druck in: Schöning [Hrsg.]: Spuren des Neuen Hörspiels, spez. S. 130 ff., dort zit. als ›Unternehmens-Planspiel Allchemie‹). 2. auf Dieter Kühn: Unternehmen Rammbock. Planspielstudie zur Wirkung gesellschaftskritischer Literatur. Frankfurt a. M.: Suhrkamp 1974 (es 683), spez. die beiden ersten Kapitel ›Aktionsspiel gegen Werbung‹ (S. 9 ff.) und ›Über Planspiele‹ (S. 29 ff.).

[505] Argumente gegen die Veränderung. Spielplanvorlage von Jürgen Alberts. Mit anschließender Diskussion über die Realisation. WDR III, 17. 6. 1971. – Olympia-Spiele '72. (In: H/WDR 1 [1972], S. 64 angekündigt als ›Auf den Autor kommt es wirklich nicht an. Konsumenten als Hörspielmacher, 2. Versuch‹.) Mit Arbeitsbericht von J. A., Hein Bruehl und Klaus Schöning. WDR III, 4. 5. 1972. – Schweigende Mehrheit. Mit Arbeitsbericht von J. A., Hein Bruehl und Klaus Schöning. – Hörerspiele. Paul Pörtner mit Hörern (s. Anm. 235). – Daß auch die Hörer-, die Konsumentenspiele keinem abziehbaren Muster folgen, belegen bereits die 'Spielregeln' ihrer geistigen Väter in den Halbjahresprogrammen 1 (1971), S. 77; 1 (1972), S. 64; 1 (1974), S. 56

und 57. Die ersten drei Versuche mit Konsumentenhörspielen sind ausführlich dokumentiert in NH/O-Ton, S. 310ff.

[506] WDR III, 7. 12. 1982.

[507] WDR III, 29. 12. 1980. – Druck s. Anm. 131.

[508] epd/Kirche und Rundfunk, 30. 10. 1982.

[509] New York Times, 12. 12. 1981.

[510] WDR III, 12. 11. 1970, zus. mit ›Blaiberg Funeral‹ (Prod. Sverige Radio Stockholm). In: H/WDR 2 (1970), S. 70 ist „bringen um zu kommen" als „Mimisch-phonetische Stücke" angekündigt worden.

[511] WDR III, 6. 7. 1982.

[512] WDR III, 20. 4. 1982.

[513] WDR III, 2. 11. 1982.

[514] WDR III, 6. 12. 1983.

[515] Rolf Vollmann: Ausgezeichnetes. In: Stuttgarter Zeitung vom 30. 10. 1982.

[516] Zit. nach Döhl: Vorbericht und Exkurs über einige Hörspielansätze zu Beginn der 50er Jahre, S. 105.

[517] „In nahezu allen Definitionen konkreter Dichtung (...) wird das visuelle Moment so stark betont, daß es oft zu einer Synonymie der Begriffe konkret und visuell kommt" (Peter Weiermair: Zur visuellen Poesie. In: Wort und Wahrheit 23 [1968], H. 6, S. 524). – Dagegen: Döhl: Konkrete Literatur (s. Anm. 209); ferner: Was heißt konkrete Literatur? 1. Annäherung: Vorgeschichte, Vorbericht und Exkurs (WDR III, 8. 1. 1971), 2. Annäherung: Der akustische Text nebst einer kleinen akustischen Ausstellung als Anhang (WDR III, 5. 2. 1971).

[518] Ausgezeichnetes.

[519] Rolf Vollmann: Vom Reiz des Hörens und des Lesens. Das Radio macht wieder mehr von sich her: Über gedruckte und noch zu druckende Hörspielbücher. In: Stuttgarter Zeitung vom 10. 11. 1982.

[520] Als „vornehmlich materialdeskriptive Darstellung" nimmt dagegen Stefan Bodo Würffel Keckeis ausdrücklich aus seiner Kritik an einer verbreiteten mittelmäßigen und einseitig klassifizierenden Literatur über das Hörspiel aus (›Das deutsche Hörspiel‹, S. 3).

[521] Klaus Klöckner (Hrsg.): Und wenn du dann noch schreist ... Deutsche Hörspiele der 70er Jahre. München: Goldmann 1980 (Goldmann Taschenbücher 7035).

[522] München: Deutscher Taschenbuch Verlag 1982 (Nr. 10017), mit Hörspielen von Elfriede Jelinek, Ursula Krechel, Friederike Mayröcker, Inge Müller, Erica Pedretti, Ruth Rehmann und Gabriele Wohmann.

[523] Stuttgart: Klett-Cotta 1982 (innerhalb der Publikationsfolge Trajekt).

[524] Stefan Bodo Würffel (Hrsg.): Frühe sozialistische Hörspiele (s. Anm. 23).

[525] Ders.: Hörspiele aus der DDR. Frankfurt a. M.: Fischer Taschenbuch Verlag 1982 (Fischer Taschenbuch 7031).

[526] Walter Kempowski: Beethovens Fünfte und Moin Vaddr läbt. Handschriften und Materialien der Hörspiele. Hamburg: Knaus 1982.

[527] Karl H. Karst: Staubfänger Hörspiel. Schleichwege aus dem Rundfunkarchiv. In: epd/Kirche und Rundfunk, 20. 10. 1982.

[528] Funk-Stunde Berlin, 11. 4. 1932. – DRA 53.612.

[529] Eine erste Skizze der drei Spielzeiten der Klassischen Bühne gab Klaus Schöning in der Sendereihe ›40 Jahre Hörspiel im WDR‹ (WDR III, 7. 12., 14. 12. und 21. 12. 1967), auf der 1977 die Sendereihe ›50 Jahre Kölner Dramaturgie‹, insbesondere die Sendungen WDR III, 14. 3., 21. 3. und 28. 3. 1977, fußen konnte. Eine teilweise überarbeitete und aktualisierte Wiederholung dieser „historischen Revue des WDR-Hörspiels" erfolgte im Sendejahr 1987.

[530] Ödön von Horvaths ›Glaube, Liebe, Hoffnung‹ in einer Bearbeitung von Heinz Huber (SDR, 12. 12. 1956) ist so ein früher Beleg einer erst später breit einsetzenden Horvath-Renaissance auf dem Theater. – Ernst Hardts Inszenierung des ›Wozzeck‹ wurde am 28. 1. 1930 von der Funk-Stunde Berlin gesendet (DRA 53.816); zu Bischoffs ›Wozzeck‹-Inszenierung vgl. Bischoff: Die Dramaturgie des Hörspiels, S. 203f.

[531] Julius Witte: Probleme des Hörspiels. In: Funk 2 (1925), H. 36, S. 447.

[532] Ernst Hardt in seinem Referat ›Drama‹ auf der Kasseler „Arbeitstagung Dichtung und Rundfunk", zit. Bredow/Archiv, S. 347.

[533] Für Benjamin ging es nicht darum, das Interesse des Zuhörers „mit irgendeinem zeitfälligen Anlaß" zu ködern, um ihn dann doch nur an einem gleichsam ins neue Medium verlagerten „Bildungslehrgang" teilnehmen zu lassen, vielmehr müßten „Umgestaltung und Umgruppierung" ihm „die Gewißheit" geben, „daß sein eigenes Interesse einen sachlichen Wert für den Stoff selbst besitzt, daß sein Fragen, auch wenn es vor dem Mikrophon nicht laut wird, neue wissenschaftliche Befunde erfragt" (›Zweierlei Volkstümlichkeit‹).

[534] Arno Schirokauer: Vorrecht des Dramas? Ein Einwurf in die Aussprache über das Hörspiel. In: Rufer und Hörer 2 (1932/1933), S. 85.

[535] Vor allem Hansjörg Schmitthenner: 50 Jahre Hörspiel (1. Das Hörspiel der zwanziger Jahre [I]; 2. Das Hörspiel der zwanziger Jahre [II]; 3. Das literarische Hörspiel Ende der zwanziger Jahre [III]; 4. Das Hörspiel im Dritten Reich. Hörspiel als Propaganda; 5. Hörspiel als Zeitstück; 6. Das poetische Hörspiel; Hörspiel als Spracherforschung. Ursprünge und Formen des NEUEN HÖRSPIELS; 8. Versuch einer Bilanz), BR II, 22. 3. / 24. 5. / 19. 7. / 18. 10. 1974 / 17. 1. / 18. 4. / 30. 5. / 8. 8. 1975. – Ernst Gethmann: Öffentlich rechtliche Kunst. Überlegungen zu einer Dramaturgie des Hörspiels (1–9). SWF II, 1978.

[536] „Diese Schrift ist die erweiterte Fassung einer im Herbst 1930 in der Bayerischen Radiozeitung, München, und in der Süddeutschen Radiozeitung, Stuttgart, erschienenen Aufsatzreihe. Inzwischen aufgeführte Hörspiele und Äußerungen konnten nachträglich zum Beleg herangezogen werden. Seit der damaligen Veröffentlichung der hier niedergelegten Gedankengänge hat sich leider in der Entwicklung des Hörspiels nicht viel geändert. Nur hat die Bearbeitung der Klassiker an einzelnen Sendern einen bedeutenden Fortschritt erfahren" (›Das Horoskop des Hörspiels‹, S. 124). – Außer den Aufsätzen in der Bayerischen und Süddeutschen Radiozeitung vgl. auch ›Die

Entwicklung des künstlerischen Hörspiels aus dem Wesen des Funks‹ und ›Das Hörspiel – die Krönung des Funks‹, in: Rufer und Hörer 1 (1931/1932), S. 211 ff. und 312ff.

[537] Ich nenne hier die Bischoffschen Hörspieltypen in der Reihenfolge, in der sie in Berlin vorgestellt wurden. Die Reihenfolge auf dem Tondokument des DRA ist nicht richtig.

[538] Vgl. neben Bischoffs Aufsatz: Das literarische Problem im Rundfunk, vor allem F. W. Odendahl: Das letzte Rundfunkjahr. Berichte der deutschen Rundfunkgesellschaften (Rundfunk-Jahrbuch 1929, S. 99ff.) und anonym (wahrscheinlich Bischoff): Schlesische Funkstunde. Aus unserer Arbeit (Rundfunk-Jahrbuch 1931, S. 135).

[539] Funk 6 (1929), H. 30 und 35. – Wie häufig in der Hörspielgeschichte gingen auch hier die Vorstellungen von Autoren den technischen Möglichkeiten voraus. Vgl. Rolf Gunold: Die Entdeckung des akustischen Kosmos. In: Der Deutsche Rundfunk 3 (1926), H. 29, S. 1997.

[540] Vgl. Schmitthenner. Erste deutsche Hörspieldokumente, S. 241 f.

[541] F. W. Bischoff: Die Dramaturgie des Hörspiels, S. 202f.

[542] Hans Bodenstedt: Spiel im Studio, S. 145.

[543] Ebd.

[544] Ebd., S. 146.

[545] Hans Flesch: Das Studio der Berliner Funkstunde, S. 117.

[546] Hans Flesch: Zukünftige Gestaltung des Rundfunkprogramms, S. 124.

[547] „Bleibt noch zu sagen, daß sich ganz deutlich seit 1927/1928 zwei Richtungen in der Hörspielentwicklung des deutschen Rundfunks erkennen lassen. Die eine sucht das Hörspiel aus dem gültigen Gehalt der poetisch-dramatischen Äußerung funkgemäß aufzubauen und weiter zu entwickeln. Der anderen Richtung ist das Wort, die Dichtung nur Mittel zum Zwecke einer völlig neuen in Tempo und Rhythmus dem Filmischen sich angleichenden akustischen Szenik. Selbst in Bearbeitungen von Werken der Schaubühne werden ganz deutlich die verschiedenen ästhetisch-dramaturgischen Auffassungen hörbar, was eigentlich nur beweist, daß die Formen der Hörspielkunst allmählich vielfältige Kontur gewinnen, (...) und die systematische künstlerische Arbeit für eine hoffentlich nahe, selbstverständliche Hörspielzukunft begonnen hat" (F. W. Bischoff: Das literarische Problem im Rundfunk, S. 58).

[548] Alfred Braun: Hörspiel, S. 150.

[549] Einen akustischen Eindruck und Ausschnitt bietet die erste Sequenz des ›Hörspiels vom Hörspiel‹. Ein Textfragment teilt Bischoff mit in ›Die Hörfolge, eine Funkform – Worauf es bei ihr ankommt‹ (Rundfunk-Jahrbuch 1930, S. 169ff.). Das erhaltene Tondokument zeigt gegenüber dem Druck einige auffällige Auslassungen.

[550] – es – (Hans Flesch? R.D.): Vom Sendespiel, Drama, der Oper und dem Briefkasten. In: Der Deutsche Rundfunk 1 (1924), H. 42, S. 2426.

[551] Möglichkeiten absoluter Radiokunst, S. 1627.

[552] F. W. Bischoff: Das literarische Problem im Rundfunk, S. 58.

[553] Schallspiele und elektronische Verfahren im Hörspiel, S. 124.

[554] Zit. nach NH/Texte, S. 392.

[555] Überlegungen zum Stereo-Hörspiel, S. 162.

[556] Vgl. Döhl: Vorbericht und Exkurs über einige Hörspielansätze zu Beginn der 50er Jahre, S. 108f.

[557] Spiel im Studio, S. 147. – Daß Fragen des räumlichen Hörens auch auf Hörerseite interessierten, macht ein Hörerbrief naiv deutlich: „Durch einen Ihrer Funkversuche ist mir erst die Bedeutung des 'Raumes' im Sendespiel bewußt worden. Gerade darin hat Ihre Regie viel geleistet. Das Kommen und Abgehen der Personen, ihre Stellung zueinander ist allein durch den Ton deutlich gemacht und gibt mir immer einen so klaren Begriff von dem Schauplatz, daß ich eine Skizze davon zeichnen könnte" (Drei Briefe an die Deutsche Stunde in Bayern. In: Rundfunk-Jahrbuch 1931, S. 81ff. – Zit. S. 86).

[558] bemerkungen zur stereophonie. WDR III, 9. 10. 1969. – Zit. nach NH/Essays, S. 126.

[559] Nichtliterarische Bedingungen des Hörspiels.

[560] Hans Flesch: Hörspiel, Film, Schallplatte, S. 35ff.

[561] Es ist bisher bei dem im SDR archivierten Manuskript nicht auszumachen gewesen, ob es das Manuskript einer Stuttgarter Inszenierung dieses Hörspiels durch Bischoff (zu ihr vgl. Südfunk 5 [1928], H. 42, S. 3) ist, was am wahrscheinlichsten wäre, oder ein Breslauer Manuskript, das durch Manuskriptaustausch an den Stuttgarter Sender gelangt ist. Unwahrscheinlich, wenn auch nicht auszuschließen, ist als Möglichkeit, daß es sich um das Manuskript der Frankfurter oder Münchner Inszenierung handelt. Sollte es sich um ein Breslauer Manuskript handeln, wäre weiter zu fragen, ob es zur Breslauer Inszenierung von 1928 gehört oder zu der von 1927, auf die Heinz Rudolf Fritsche hinweist (Friedrich Bischoff – Wege zur Hörkunst. In: Gerhard Hay [Hrsg.]: Literatur und Rundfunk 1923–1933, S. 111). Für das Manuskript einer späteren Inszenierung spricht der Untertitel, der den Text nicht mehr als ›Hörspiel‹ (so die Ankündigung der Erstsendung), sondern als ›Hörsymphonie‹ ausweist. Auf weitere philologische Rätsel, die dieses Hörspiel aufgibt, habe ich bereits in anderem Zusammenhang hingewiesen (s. Anm. 182).

[562] Zur Praxis der Blende beim Breslauer Sender vgl. F. W. Bischoff: Die Dramaturgie des Hörspiels, S. 202f.: „Eine eigentümliche Sonderheit, die in Breslau verwendet wurde und die sich in vielen Fällen überraschend bewährt hat, verbindet die akustische Dramaturgie mit der Technik der elektrischen Fernübermittlung. Der Beamte am Verstärker übernimmt dabei eine ähnliche Funktion wie der Filmoperateur. Er blendet, wie wir es in Ermanglung einer ausgesprochen funkischen Terminologie nennen, über, d. h. er läßt durch langsame Umdrehung des Kondensators am Verstärker das Hörbild, die beendete Handlungsfolge verhallen, um durch ebenso stetiges Wiederaufdrehen dem nächsten akustischen Handlungsabschnitt mählich sich steigernde Form und Gestalt zu verleihen. Durch Parallelschaltung im Spiel über zwei Senderäume ist es möglich, Szenen akustisch ineinandertauchen zu lassen. Wiederum berühren sich hier Hörbild und Filmbild in ihrem dramaturgischen Aufbau. (. . .) Nur aus der innigsten Verbindung der beiden wesensfremden Elemente Technik und Kunst kann sich die Beseelung des Hörspiels ergeben.

Ohne diese notwendige Verschmelzung bleibt die Funkdramaturgie, die gesamte Hörspielarbeit im Ästhetisch-Formalen stecken."

[563] Heinz Schwitzke: Das Hörspiel. Spez. die Kap. ›Die Blende im Hörspiel und im Film‹ (S. 189ff.) und ›Theorie der Blende‹ (S. 245ff. – Zit. S. 245 und 253). Im zweiten Fall handelt es sich um ein angewandtes Musil-Zitat.

[564] Co-Produktion SDR II, 16. 11. 1966, mit dem NDR.

[565] Zit. nach einer brieflichen Notiz Heinz von Cramers an den Verf.

[566] Vgl. auch Mauricio Kagel, Klaus Schöning: Das Handwerkszeug. Kleines Ohrganon des Hörspielmachens. 5. Folge: Schnitt. In: Spuren des Neuen Hörspiels, S. 96ff.

[567] Zit. nach ›Eine andere Lesart‹, S. 187.

[568] NH/Texte, S. 453f.

[569] Rundfunkmusik, S. 150.

[570] H/WDR 1 (1961), S. 60.

[571] CCU. WDR III, 5. 5. 1980.

[572] Süll (1972), A & O (1973), Anna K. (1974), Odradek (1976). Nach mehreren konzertanten Aufführungen sendete der NDR die letzten drei „Mikrodramen" in einer Realisation Paul Pörtners (III, 15. 4. 1978).

[573] „Der Vergleich der Cramerschen Hörspiele mit musikalischen Stücken kommt nicht von ungefähr. Heinz von Cramer versteht seinen ›Maldoror‹ selbst als 'eine Art Instrumentalmusik'. Überhaupt ist die Musik für Cramer 'die Kunstgattung, auf der alle anderen (Künste) aufbauen'", stellt Paul-Josef Raue in einer Besprechung des ›Maldoror‹ (s. Anm. 572) heraus (FUNK-Korrespondenz, 24. 11. 1982).

[574] Ketzer-Chronik. Sequenzen über die Austilgung der katharischen Häresie nach Texten des 13. Jahrhunderts. 1. Teil: So geht das Lied vom Kreuzzug. 2. Teil: Die Klage vom friedlosen Frieden. Co-Produktion SFB III, 17. 4. und 19. 4. 1981, BR II, 19. 4. und 20. 4. 1981, und HR II, 10. 9. und 24. 9. 1981. – Bei dieser Co-Produktion war zunächst der BR federführend (er bot auch das Ms. an), trat aber später hinter den SFB zurück.

[575] 1. Personenzug Haydarpasa – Eskisehir. 2. Anatolien-Express. SDR II, 26. 12. und 27. 12. 1981.

[576] Die verlorenen Spuren. Expedition zum Ursprung der Musik. WDR III, 1. 6. 1982.

[577] Maldoror, den alten Ozean grüßend . . . Madrigal für zehn Sprechstimmen auf einen Lautréamont-Text. WDR III, 16. 11. 1982.

[578] Exemplarisch in einem „freien Vortrag" Alfred Brauns, „gehalten am NDR-Mikrophon anläßlich der Sendereihe ›Aus der Frühzeit des Hörspiels‹". „Nun würde es gewiß sehr dekorativ wirken, wenn ich hier sagen könnte: eines Tages gab es ein neues Instrument, und gleichzeitig waren die Geistig-Schaffenden zur Stelle, fanden eine Konzeption und haben infolge ihrer Erkenntnis etwas aus sich herausgestellt. Man hört ja oft bei Rundfunkvorträgen zitieren: 'Im Anfang war das Wort' (vgl. z. B. Ludwig Stöcker: Im Anfang war das Wort. In: Rufer und Hörer 5 [1950/51], S. 101ff., R.D.). Aber ich muß leider doch wahrheitsgemäß aus dem Rückblick auf das, was ich übersehen kann, gestehen: 'Im Anfang war die Technik.' Tag und Nacht wurde im Hause in der

Potsdamer Straße mit Leidenschaft technisch gebastelt; und diese technische Bastelei bezeichnet auch die Anfänge des gesprochenen Wortes im Rundfunk und die Anfänge des Hörspiels" (Das erste Jahrzehnt im Berliner Vox-Haus. In: Rundfunk und Fernsehen 7 [1959], H. 1/2, S. 61 ff. – Zit. S. 62).

[579] Schallspiele und elektronische Verfahren im Hörspiel, S. 124 f.

[580] Siehe Anm. 334.

REGISTER

Personen

Hörspieltitel